MY BEST

Татьяна Толстая

ЖЕНСКИЙ ДЕНЬ

MY BEST

Москва

Эксмо

ОЛИМП

2006

УДК 82-3
ББК 84(2Рос-Рус)6-4
    Т 52

Оформление серии *О. Тумаковой*

Толстая Т.

Т 52   Женский день: Сборник рассказов. — М.:
Эксмо, Олимп, 2006. — 384 с. — (My Best).

ISBN 5-699-17292-0

В этой книге собраны рассказы всемирно известной писательницы Татьяны Толстой. О чем эти рассказы? О любви — к близким и далеким людям, любви к тому важному месту на земле, что зовется родным домом. А еще — это рассказы о внутреннем мире женщины. Женщины с неравнодушной, тонкой и страдающей душой...

УДК 82-3
ББК 84(2Рос-Рус)6-4

ОГОНЬ И ПЫЛЬ

«НА ЗОЛОТОМ КРЫЛЬЦЕ СИДЕЛИ...»

Сестре Шуре

> На золотом крыльце сидели:
> Царь, царевич, король, королевич,
> Сапожник, портной.
> Кто ты такой?
> Говори поскорей,
> Не задерживай добрых людей!

Детская считалка

Вначале был сад. Детство было садом. Без конца и края, без границ и заборов, в шуме и шелесте, золотой на солнце, светло-зеленый в тени, тысячеярусный — от вереска до верхушек сосен; на юг — колодец с жабами, на север — белые розы и грибы, на запад — комариный малинник, на восток — черничник, шмели, обрыв, озеро, мостки. Говорят, рано утром на озере видели совершенно голого человека. Честное слово. Не говори маме. Знаешь, кто это был?.. — Не может быть. — Точно, я тебе говорю. Он думал, что никого нет. А мы сидели в кустах. — И что вы видели? — Всё.

Вот это повезло! Такое бывает раз в сто лет. Потому что единственный доступный обозрению голый — в учебнике анатомии — ненастоящий. Содрав по этому случаю кожу, нагловатый, мясной и красный, похваляется он ключично-грудинно-сосковой мышцей (всё неприличные слова!) перед учениками восьмого класса. Когда (через сто лет) мы перейдем в восьмой класс, он нам тоже все это покажет.

Таким же красным мясом старуха Анна Ильинична кормит тигровую кошку Мемеку. Мемека родилась уже после войны, у нее нет уважения к еде. Вцепившись четырьмя лапками в ствол сосны, высоко-высоко над землей, Мемека застыла в неподвижном отчаянии.

— Мемека, мясо, мясо!

Старуха потряхивает тазик с антрекотами, поднимает его повыше, чтобы кошке было лучше видно.

— Ты посмотри, какое мясо!

Кошка и старуха с тоской смотрят друг на друга. «Убери», — думает Мемека.

— Мясо, Мемека!

В душных зарослях красной персидской сирени кошка портит воробьев. Одного такого воробья мы нашли. Кто-то содрал скальп с его игрушечной головки. Голый хрупкий череп, как крыжовина. Страдальческое воробьиное личико. Мы сделали ему чепчик из кружавчиков, сшили белую рубашечку и похоронили в шоколадной коробке. Жизнь вечна. Умирают только птицы.

Четыре беспечные дачи стояли без оград — иди куда хочешь. Пятая была «собственным домом». Черный бревенчатый сруб выбирался боком из-под сырого навеса кленов и лиственниц и, светлея, умножая окна, истончаясь до солнечных веранд, раздвигая настурции, расталкивая сирень, уклонившись от столетней ели, выбегал, смеясь, на южную сторону и останавливался над плавным клубнично-георгиновым спуском вниз-вниз-вниз, туда, где дрожит теплый воздух и дробится солнце в откинутых стеклянных крышках волшебных коробок, набитых огуречными детенышами в розетках оранжевых цветов.

У дома (а что там внутри?), распахнув все створки пронизанной июлем веранды, Вероника Викентьевна — белая огромная красавица — взвешивала клубнику: на варенье себе, на продажу соседям. Пышная, золотая, яблочная красота! Белые куры бродят у ее тяжелых ног, индюки высунули из лопухов непристойные лица, красно-зеленый петух скосил голову, смотрит на нас: что вам, девочки? «Нам клубники». Пальцы прекрасной купчихи в ягодной крови. Лопух, весы, корзинка.

Царица! Это самая жадная женщина на свете!
Наливают ей заморские вина,
Заедает она пряником печатным,
Вкруг ее стоит грозная стража...

Однажды с такими вот красными руками она вышла из
темного сарая, улыбаясь: «Теленочка зарезала...»

На плечах топорики держат...

А-а-а! Прочь отсюда, бегом, кошмар, ужас — холодный смрад — сарай, сырость, смерть...

А дядя Паша — муж такой страшной женщины. Дядя
Паша — маленький, робкий, затюканный. Он старик: ему
пятьдесят лет. Он служит бухгалтером в Ленинграде: встает
в пять часов утра и бежит по горам, по долам, чтобы поспеть
на паровичок. Семь километров бегом, полтора часа узкоко-
лейкой, десять минут трамваем, потом надеть черные нару-
кавники и сесть на жесткий желтый стул. Клеенчатые двери, прокуренный полуподвал, жидкий свет, сейфы, наклад-
ные — дяди-Пашина работа. А когда пронесется, отшумев,
веселый голубой день, дядя Паша вылезает из подвала и бежит назад: послевоенный трамвайный лязг, дымный вечерний вокзал, гарь, заборы, нищие, корзинки; ветер гонит мя-
тые бумажки по опустевшему перрону. Летом — в сандали-
ях, зимой — в подшитых валенках торопится дядя Паша в
свой Сад, в свой Рай, где с озера веет вечерней тишиной, в
Дом, где на огромной кровати о четырех стеклянных ногах
колышется необъятная золотоволосая Царица. Но стеклянные ноги мы увидели позднее. Вероника Викентьевна надолго поссорилась с мамой.

Дело в том, что однажды летом она продала маме яйцо.
Было непременное условие: яйцо немедленно сварить и
съесть. Но легкомысленная мама подарила яйцо дачной хозяйке. Преступление всплыло наружу. Последствия могли
быть чудовищными: хозяйка могла подложить яйцо своей
курице, и та в своем курином неведении высидела бы точно

такую же уникальную породу кур, какая бегала в саду у Вероники Викентьевны. Хорошо, что все обошлось. Яйцо съели. Но маминой подлости Вероника Викентьевна простить не могла. Нам перестали продавать клубнику и молоко, дядя Паша, пробегая мимо, виновато улыбался. Соседи замкнулись: они укрепили металлическую сетку на железных столбах, насыпали в стратегически важных пунктах битого стекла, протянули стальной прут и завели страшного желтого пса. Этого, конечно, было мало.

Ведь могла же мама глухой ночью сигануть через забор, убить собаку и, проползя по битому стеклу, с животом, распоротым колючей проволокой, истекая кровью, изловчиться и слабеющими руками вырвать ус у клубники редкого сорта, чтобы привить его к своей чахлой клубничонке? Ведь могла же, могла добежать с добычей до ограды и, со стоном, задыхаясь, последним усилием перебросить клубничный ус папе, который притаился в кустах, поблескивая под луной круглыми очками?

С мая по сентябрь мучимая бессонницей Вероника Викентьевна выходила ночами в сад, долго стояла в белой просторной рубахе с вилами в руках, как Нептун, слушала ночных птиц, дышала жасмином. В последнее время слух у нее обострился: она могла слышать, как на нашей даче, за триста метров, накрывшись с головой верблюжьим одеялом, папа с мамой шепотом договариваются объегорить Веронику Викентьевну: прорыть подземный ход в парник с ранней петрушкой.

Ночь шла вперед, дом глухо чернел у нее за спиной. Где-то в теплой тьме, в сердцевине дома, затерявшись в недрах огромного ложа, тихо, как мышь, лежал маленький дядя Паша. Высоко над его головой плыл дубовый потолок, еще выше плыла мансарда, сундуки со спящими в нафталине черными добротными пальто, еще выше — чердак с вилами, клочьями сена, старыми журналами, а там — крыша, рогатая труба, флюгер, луна — через сад, через сон плыли, плыли, покачиваясь, унося дядю Пашу в страну утраченной юности, в страну сбывшихся надежд, а потом возвращалась озябшая Вероника Викентьевна, белая и тяжелая, и отдавливала ему маленькие теплые ножки.

...Эй, проснись, дядя Паша! Вероника-то скоро умрет.

Ты побродишь без мыслей по опустевшему дому, а потом воспрянешь, расцветешь, оглядишься, вспомнишь, отгонишь воспоминания, возжаждешь и привезешь — для помощи по хозяйству — Вероникину младшую сестру, Маргариту, такую же белую, большую и красивую. И это она в июне будет смеяться в светлом окне, склоняться над дождевой бочкой, мелькать среди кленов на солнечном озере.

О, как на склоне наших лет...

А мы ничего и не заметили, а мы забыли Веронику, а у нас была зима, зима, зима, свинка и корь, наводнение и бородавки, и горящая мандаринами елка, и мне сшили шубу, а тетка во дворе потрогала ее и сказала: «Мутон!»

Зимой дворники наклеивали на черное небо золотые звезды, посыпали толчеными брильянтами проходные дворы Петроградской стороны и, взбираясь по воздушным морозным лестницам к окнам, готовили на утро сюрпризы: тоненькими кисточками рисовали серебряные хвосты жар-птиц.

А когда зима всем надоедала, они вывозили ее на грузовиках за город, пропихивали худосочные сугробы в зарешеченные подземелья и размазывали по скверам душистую черную кашу с зародышами желтых цветочков. И несколько дней город стоял розовый, каменный и гулкий.

А оттуда, из-за далекого горизонта, уже бежало, смеясь и шумя, размахивая пестрым флагом, зеленое лето с муравьями и ромашками.

Дядя Паша убрал желтого пса — положил в сундук и

посыпал нафталином; пустил в мансарду дачников — чужую чернявую бабушку и толстую внучку; зазывал в гости детей и угощал вареньем.

Мы висели на заборе и смотрели, как чужая бабушка каждый час распахивает цветные окна мансарды и, освещенная арлекиновыми ромбами старинных стекол, взывает:

— Булки-молока хоччш?!

— Не хочу.

— Какать-писать хоччш?!

— Не хочу.

Мы скакали на одной ножке, лечили царапины слюной, зарывали клады, резали ножиком дождевых червей, подглядывали за старухой, стиравшей в озере розовые штаны, и нашли под хозяйским буфетом фотографию удивленной ушастой семьи с надписью: «На долгую, долгую память. 1908 год».

Пойдем к дяде Паше! Только ты вперед. Нет, ты. Осторожно, здесь порог. В темноте не вижу. Держись за меня. А он покажет нам комнату? Покажет, только сначала надо выпить чаю.

Витые ложечки, витые ножки у вазочек. Вишневое варенье. В оранжевой тени абажура смеется легкомысленная Маргарита. Да допивай ты скорее! Дядя Паша уже знает, ждет, распахнул заветную дверь в пещеру Аладдина. О комната! О детские сны! О дядя Паша — царь Соломон! Рог Изобилия держишь ты в могучих руках! Караван верблюдов призрачными шагами прошествовал через твой дом и растерял в летних сумерках свою багдадскую поклажу! Водопад бархата, страусовые перья кружев, ливень фарфора, золотые столбы рам, драгоценные столики на гнутых ножках, запертые стеклянные колонны горок, где нежные желтые бокалы обвил черный виноград, где мерцают непроглядной тьмой негры в золотых юбках, где изогнулось что-то прозрачное, серебряное... Смотри, драгоценные часы с ненашими цифрами и змеиными стрелками! А эти — с неза-будками! Ах, но вон те, вон те, смотри же! Над цифер-блатом — стеклянная комнатка, а в ней, за золотым столи-ком, — золотой Кавалер в кафтане, с золотым бутербродом в руке. А рядом золотая Дама с кубком — часы бьют, и она бьет кубком по столику — шесть, семь, восемь... Сирень завидует, вглядываясь через стекло, дядя Паша садится к роялю и играет Лунную сонату. Кто ты, дядя Паша?..

Вот она, кровать на стеклянных ногах! Полупрозрачные в сумерках, невидимые и могущественные, высоко к потол-ку возносят они путаницу кружев, вавилоны подушек, лун-ный, сиреневый аромат божественной музыки. Белая благо-родная голова дяди Паши откинута, улыбка Джоконды на его устах, улыбка Джоконды на золотом лице Маргариты, бесшумно вставшей в дверях, колышутся кружева занаве-сок, колышется сирень, колышутся георгиновые волны на склоне до горизонта, до вечернего озера, до лунного столба.

Играй, играй, дядя Паша! Халиф на час, заколдован-ный принц, звездный юноша, кто дал тебе эту власть над нами, завороженными, кто подарил тебе эти белые крылья за спиной, кто вознес твою серебряную голову до вечерних небес, увенчал розами, осенил горним светом, овеял лунным ветром?..

> О Млечный Путь, пресветлый брат
> Молочных речек Ханаана,
> Уплыть ли нам сквозь звездопад
> К туманностям, куда слиянно
> Тела возлюбленных летят!

...Ну все. Пошли давай. Неудобно сказать дяде Паше простецкое слово «спасибо». Надо бы витиеватее: «Благо-дарю вас». — «Не стоит благодарности».

«А ты заметила, что у них в доме только одна кро-вать?» — «А где же спит Маргарита? На чердаке?» — «Может быть. Но вообще-то там дачники». — «Ну, значит, она в сенях, на лавочке». — «А может, они спят на этой стеклянной кровати валетом?» — «Дура ты. Они же чужие». — «Сама ты дура. А если они любовники?» — «Дак ведь любовники бывают только во Франции». Действительно. Это я не сообразила.

...Жизнь все торопливее меняла стекла в волшебном фонаре. Мы с помощью мамы проникали в зеркальные закоулки взрослого ателье, где лысый брючный закройщик снимал постыдные мерки, приговаривая: «побеспокою», мы завидовали девочкам в капроновых чулках, с проколотыми ушами, мы пририсовывали в учебниках: Пушкину — очки, Маяковскому — усы, а Чехову — в остальном вполне одаренному природой — большую белую грудь. И нас сразу узнал, и радостно кинулся к нам заждавшийся дефективный натурщик из курса анатомии, щедро протягивая свои пронумерованные внутренности, но бедняга уже никого не волновал. И, оглянувшись однажды, недоумевающими пальцами мы ощупали дымчатое стекло, за которым, прежде чем уйти на дно, в последний раз махнул платком наш сад. Но мы еще не осознали утраты.

Осень вошла к дяде Паше и ударила его по лицу. Осень, что тебе надо? Постой, ты что же, всерьез?.. Облетели листья, потемнели дни, сгорбилась Маргарита. Легли в землю белые куры, индюки улетели в теплые страны, вышел из сундука желтый пес и, обняв дядю Пашу, слушал вечерами вой северного ветра. Девочки, кто-нибудь, отнесите дяде Паше индийского чаю! Как мы выросли. Как ты все-таки сдал, дядя Паша! Руки твои набрякли, колени согнулись. Зачем ты дышишь с таким свистом? Я знаю, я догадываюсь: днем — смутно, ночью — отчетливо слышишь ты лязг железных заслонок. Перетирается цепь.

Что ты так суетишься? Ты хочешь показать мне свои сокровища? Ну так и быть, у меня есть еще пять минут. Как давно я здесь не была. Какая же я старая! Что же, вот *это* и было тем, пленявшим? Вся эта ветошь и рухлядь, обшарпанные крашеные комодики, топорные клеенчатые картинки, колченогие жардиньерки, вытертый плюш, штопаный тюль, рыночные корявые поделки, дешевые стекляшки? И это пело и переливалось, горело и звало? Как глупо ты шутишь, жизнь! Пыль, прах, тлен. Вынырнув с волшебного дна детства, из теплых сияющих глубин, на холодном ветру разожмем озябший кулак — что, кроме горсти сырого песка, унесли мы с собой? Но, словно четверть века назад, дрожащими руками дядя Паша заводит золотые часы. Над циферблатом, в стеклянной комнатке, съежились маленькие жители — Дама и Кавалер, хозяева Времени. Дама бьет по столу кубком, и тоненький звон пытается проклюнуть скорлупу десятилетий. Восемь, девять, десять. Нет. Прости, дядя Паша. Мне пора.

...Дядя Паша замерз на крыльце. Он не смог дотянуться до железного дверного кольца и упал лицом в снег. Белые морозные маргаритки выросли между его одеревеневших пальцев. Желтый пес тихо прикрыл ему глаза и ушел сквозь снежную крупу по звездной лестнице в черную высь, унося с собой дрожащий живой огонечек.

Новая хозяйка — пожилая Маргаритина дочь — ссыпала прах дяди Паши в жестяную банку и поставила на полку в пустом курятнике — хоронить было хлопотно.

Согнутая годами пополам, низко, до земли опустив лицо, бродит Маргарита по простуженному сквозному саду, словно разыскивая потерянные следы на замолкших дорожках.

— Жестокая! Похорони его!

Но дочь равнодушно курит на крыльце. Ночи холодны. Пораньше зажжем огни. И золотая Дама Времени, выпив до дна кубок жизни, простучит по столу для дяди Паши последнюю полночь.

САМАЯ ЛЮБИМАЯ

По ночам Ленинград продувает весна. Ветер речной, ветер садовый, ветер каменный сталкиваются, взвихриваются и, соединившись в могучем напоре, несутся в пустых желобах улиц, разбивают в ночном звоне стекла чердаков, вздымают бессильные сырые рукава белья, сохнущего между стропил; ветры бросаются грудью оземь, взвиваются вновь и уносятся, мча запахи гранита и пробуждающихся листьев, в ночное море, чтобы где-то на далеком корабле, среди волн, под бегучей морской звездой бессонный путешественник, пересекающий ночь, поднял голову, вдохнул налетевший воздух и подумал: земля.

А ранним летом город начинает томить душу. Стоишь вечером у окна над пустеющей улицей и смотришь, как тихо, исподволь зажигаются дуговые фонари — вот был мертв и молчал, а гляди — уже болезненной технической звездой зажглась и раздувается розоватая марганцовая точка, и разливается, и растет, и светлеет, пока не засияет в полную силу мертвенной лунной белизной. А за городом так же тихо, никого не спросясь, уже поднялись из земли все травы, и, не думая о нас, шумят деревья, и сады меняют цветы за цвета-

14

ми. Где-то там пыльные белые дороги, крошечные фиалки у обочин, шелест летней тишины в вершинах столетних берез.

Где-то там стареет, заваливается набок наша дача. Тяжестью февральских снегов продавило крышу, зимние ураганы повалили двурогую трубу. Рассыхаются рамы, и ромбики цветных стекол падают, ослабев, на землю, на ломкий сор позапрошлых цветов, на сухую путаницу отживших стеблей, падают с негромким звоном, который никто не услышит. Некому выдернуть крапиву и лебеду, смести сосновые иглы с ветхого крыльца, растворить скрипучие некрашеные ставни.

Прежде для всего этого была Женечка. Кажется, будто и сейчас она идет прихрамывая по садовой дорожке, подняв, как факел, первый букет укропа. Может быть, она где-то есть и сейчас, где-то тут, просто мы ее не видим, а кладбище — совсем неподходящее для нее место, вот уж для кого угодно, только не для нее. Ведь она собиралась жить вечно — пока не высохнут моря. Ей и в голову не приходило, что можно перестать жить, да и мы, по правде говоря, были уверены в ее бессмертии — а заодно и в своем.

Давным-давно, по ту сторону снов, на земле стояло детство, ветры молчали, спали за далекими синими лесами, была живая Женечка... И вот из растущего с каждым годом гербария минувших дней — пестрых и зеленых, тусклых и раскрашенных — память вынимает, любуясь, все один и тот же листок — первое дачное утро.

Первым дачным утром сырая веранда плавает в подводном зеленом полумраке. Дверь на крыльцо распахнута, из сада тянет холодком, и уже приготовлены гулкие пустые ведра, чтобы бежать на озеро, на гладкое ослепительное озеро, куда в ранний час упал, перевернулся и отразился весь мир. Булькнет старое ведро, булькнет далекое эхо. Зачерпнешь глубокой холодной тишины, замеревшей глади, посидишь на поваленном дереве.

Скоро за воротами дач загудят машины, из машин посыплются дачники, и, охая и ноя, заворочается в узком лесном тупичке дороги грузовое такси, цепляясь за низкие ветки кленов, обламывая хрупкую цветущую бузину, — напустит синего дыма и со вздохом замрет. И в возвратившейся тишине слышен будет только деревянный гром откинутых бортов, и на вознесенной платформе бесстыдно откроется взгляду чужое имущество, увенчанное перевернутым венским стулом.

А одна из машин въедет прямо в ворота, и из распахнувшейся дверцы покажется сначала крепкая пожилая рука с палкой-посохом, затем нога в высоко зашнурованном ортопедическом ботинке, маленькая соломенная шляпа с черной лентой и вслед за ними сама улыбающаяся Женечка, которая сначала вскрикнет высоким голосом: «Ах, что за сирень!», а потом уж: «Мои чемоданы!», но скучающий шофер уже будет стоять, держа парусиновые чемоданы в обеих руках.

Она поспешит в дом, громко восхищаясь ароматами сада, нетерпеливо толкнет закрытые рамы и обеими руками, сильно, как матрос, притянет ветви сирени, чтобы ее холодные лиловые букли, важно и шумно шурша, вошли в комнаты. Потом она заторопится к буфету, поглядеть, не разбили ли зимние мыши ее любимую чашку, и буфет неохотно приоткроет разбухшие дверцы, за которыми в душной пустой глубине Женечкина любимица коротала январские ночи наедине с забытым седым пряником.

Она пройдет по всем комнатам, еще не прогретым солнцем, она распакует вещи, раздарит шуршащие бумагой подарки, вытряхнет из кульков пастилу и сладкие коржики, заставит углы букетами полевых цветов, повесит над своей кроватью наши улыбающиеся фотографии и, расчистив письменный стол, разложит стопочками учебники, словари и сборники диктантов — ни одного дня она не позволит нам провести в праздности, каждого усадит хоть на час за соответствующее возрасту занятие. «Нас легион, всех не обучите», — закривляемся мы и запрыгаем перед Женечкой. — «Обучу», — спокойно ответит она, ища чернильницу. — «Да вы себя пожалейте, — заканючит кто-нибудь. — Мы же отвратительные — ленивые, нелюбопытные...» — «Все вы у меня вырастете образованными людьми». — «Не вырастем! Мы рабы желудка! Мы типичные представители темного царства! Собрать бы книги все да сжечь!» — «Ничего, управимся!» — И она крепко схватит нас и больно расцелует всех по очереди с судорожной любовью, которую мы снисходительно принимаем: пусть любит... А она уже тащит первую жертву на урок, приговаривая: «Я и маму твою учила. Я и с бабушкой твоей с детства дружила...» И в складках ее платья, на груди, соловьем начинает стрекотать слуховой аппарат, который почему-то никогда не удается исправить. Что ж, значит, опять занятия, упражнения и диктовки, опять Женечка, сидя в скрипучем плетеном кресле, положив больную ногу на посох, начнет размеренным голосом, не торопясь, выращивать из нас образованных людей, а мы снова, с беспечностью детства, начнем куражиться над ней. Будем вползать на животе в комнату, где томится над тетрадкой очередной пленник, прятаться за Женечкиным креслом, — полотняная сгорбленная спина, чистый мыльный запах, ивовый скрип, — будем, пользуясь Женечкиной глухотой, подсказывать хихикающей жертве неправильные или неприличные, дурацкие слова или же подсовывать записочки с призывами к восстанию против поработителей, пока Женечка не заметит неладное и, всполошившись, не прогонит лазутчика.

А за окнами, за цветными стеклами — свежая цветочная тишина, теплые тени под соснами, а полуденное озеро налилось синевой, искрится и блещет сквозь ветки, все в солнечных пятнах, в бегучих клиньях светлой ряби... А мы здесь, взаперти, стол покрыт зеленой бумагой, кнопки заржавели за зиму, чернильные пятна отливают казенной лиловой радугой. И все, что Женечка говорит, — скучно, правильно, давно известно. Шла бы она в сад или кофе пить! «Женечка, долго еще?» — «Подлежащее подчеркни одной чертой, сказуемое — двумя...» — «Женечка, лето кончится!» Ивовое кресло тягуче вздыхает, голубые глаза смотрят со спокойной укоризной, голос нетороплив: «Делу время, потехе час... Век живи — век учись... Без труда...»

Ах, неужели ей некуда спешить!..

...Вянет вечер, остывает дорожная пыль, далеко-далеко лают собаки. Мы лежим в постелях, на прохладных подушках, слушая вздохи и шорохи остывающего дня, шепоты дверей, приглушенный смех. С чердака легче тени, тише пыли, кружась, опускаются сны, наплывают прозрачной волной, путают бывшее с небывшим.

Постукивая, поскрипывая и шелестя, нашаривая дорогу сквозь сумрак дома, Женечка пробирается к нашим кроватям, чтобы, усевшись поудобнее, повести нескончаемый рассказ о давно минувших годах, о детях, которых она учила и любила, о ветре, разбросавшем их по огромному свету — кто исчез, кто вырос и забыл, кто рассыпался в прах. Теплой тенью кружатся сны, из незримого облачка мыла и мяты доносится лишь ее голос, улыбающийся, соболезнующий и мягкий, то воркующий, то восхищенный, неторопливый, как блаженный июньский день. Прозрачные видения плавают в полусонной воде, выплывает далекий мальчик, темноглазый, светловолосый старинный мальчик, который вот так же, давным-давно, в каком-то растаявшем неправдоподобном году, лежа в головокружительно далекой белой кровати, слушал журчание Женечкиных слов, журчание, взлет и падение голоса, качание лодки по волнам дремоты, слипались его глаза, разжимались пальцы, приоткрывался безмолвствующий рот, — ибо темноглазый мальчик был нем, оттого и пригласили Женечку — жалеть, любить, баюкать, ухаживать, журчать сказками о темных лесах, о коте и волке, о сиротском житии семерых козлят, — мальчик засыпал, и немота его сливалась с немотой ночи, и ладья его кровати уплывала по темной воде под низкие своды сна.

В нашем доме Женечка появилась с незапамятных времен, и сквозь тьму младенчества я различаю голубой ее взгляд, склонившийся надо мной в тот день, когда, как водится, собрались добрые феи с дарами и напутствиями новорожденной. Я не знаю, какой дар она предназначила для меня: среди изобилия даров, называемого жизнью, Женечкин дар, скромный и маленький, легко мог затеряться, а может быть, ей нечего было предложить, кроме себя самой, кроме ровного сияния любви и покоя, исходившего из ее гладкой и ясной души.

Раз она подарила кому-то из нас, своих девочек, красивую коробку, пышную, атласную, с голубыми конвертами для любовных писем. И, откинув крышку, дрогнувшую и натянувшую шелковые голубые вожжи, смущаясь, написала на внутренней ее, скрытой от праздных глаз стороне ясным своим учительским почерком: «Если б ты совета спросила, я дала бы один, единый: не желай быть самой красивой, пожелай быть самой любимой». И мы пожелали. Но ничего из этого, конечно, не вышло, как не вышло и у самой Женечки.

Рот ее не был создан для поцелуя. Нет. Просто — сухой, сдержанный, педагогический рот, с возрастом приобретший тот специфический набор окруживших его морщинок, по которому безошибочно угадываешь честность, доброту, простодушие, угадываешь те скучные, добродетельные, неоспоримые истины, которыми владелец его спешит поделиться: на севере холодно, на юге жарко, майское утро лучше ноябрьских туманов. Солнце, ландыши, золотые кудри — хорошее; смерчи, жабы, плешь — плохое. А лучше всего на свете — розы.

Женечка, понятно, всегда соблюдала режим и делала по утрам зарядку. В любое время года она открывала форточку на ночь и норовила встать на заре — не оттого, что ей нравились сизые промозглые рассветы, а потому, что с утра она могла принести больше пользы. Роскошь праздности была ей незнакома, кокетство — неведомо, игры — чужды, интриги — непонятны, потому и бежал от нее Гименей, а вовсе не оттого, что его отпугнули слуховой аппарат и ортопедический ботинок, нет, эти мелочи появились уже позже, после войны, после близко упавшей бомбы, когда Женечке было уже за пятьдесят. Не в этом, конечно, дело — и безногие упиваются семейным счастьем, дело в душе, а душа у нее была — проще некуда.

Если обычно душа наша устроена на манер некоего темного лабиринта и всякое чувство, вбежав через один его конец, выскакивает с другого, смятенное и всклокоченное, и щурится от яркого света, и хочет, пожалуй, вернуться назад, то Женечкина душа представляла собой подобие гладкой трубы — безо всяких там закоулков, тупичков, тайничков или, боже упаси, кривых зеркал.

Под стать душе было и лицо — простые голубые глаза, простой российский нос, даже вполне миловидное было бы лицо, если бы от носа до верхней губы не надо было ехать три года. Короткие пышные волосы, так называемый «дым». В молодости, конечно, косы.

Одевалась она в простые полотняные платья, белье носила чистое и унылое, зимой надевала потертое пальто на ватине, которое называла шубой, на голову — высокую боярскую шапку, и летом и зимой не снимала янтарные бусы, не для красоты, а для здоровья, ибо верила в какое-то будто бы исходившее из них электричество.

Всю свою жизнь она занималась преподаванием русского языка, и если подумать, то иначе и быть не могло.

Дарить было ее любимым занятием. Зимой в ленинградской квартире, в сердцевине моего детства, раздавался звонок в дверь, и, улыбаясь, щурясь, тяжело ступая ортопедическим ботинком, опираясь на посох, входила, в матерчатой шубе и меховом колпаке на пушистых волосах, маленьким боярином Женечка — со свежим румянцем на пожилых щеках, с коробкой пирожных в руках и еще с какими-то таинственными мелкими свертками.

Мы все выбегали в прихожую, и Женечка, молча улыбаясь, раздавала — направо посох, налево боярскую шапку, расстегивала тяжелую шубу, давая наконец доступ звукам к слуховому аппарату, спрятанному на груди, и, освобожденный от гнета, аппарат наполнялся нашими возгласами, приветами, чмоканьями и выкриками о том, как она помолодела и как хорошо выглядит. Причесав перед зеркалом пушистый дым, поправив тяжелые янтарные бусы, Женечка приступала к раздаче подарков: взрослым — полезные, содержательные книги — их, повертев, откладывали и потом никогда уже не брали в руки, нам — крошечные флакончики с духами, записные книжки, а то вдруг чудом сохранившиеся дореволюционные пустяки вроде статуэток, матерчатых брошек, старинных чашек с отбитыми ручками — сокровища, от которых должно захватить дух у любой девочки. Удивительно, как просочились все эти легко теряющиеся и гибнущие вещички сквозь годы. Впрочем, мясорубка времени охотно сокрушает крупные, громоздкие, плотные предметы — шкафы, рояли, людей, — а всякая хрупкая мелочь, которая и на божий-то свет появилась, сопровождаемая насмешками и прищуром глаз, все эти фарфоровые собачки, чашечки, вазочки, колечки, рисуночки, фотокарточки, коробочки, записочки, финтифлюшки, пупунчики и мумунчики — проходят через нее нетронутыми. Всем этим чудесным барахлом была набита крошечная Женечкина комната где-то на краю города, у моря, а три Женечкиных сестры, и четвертая, жившая когда-то в Гельсингфорсе, за этим морем, за его печальными серыми водами, растаяли как дым. Одни мы у нее были на свете.

Все раздарив и получив причитающиеся счастливые визги и поцелуи, Женечка подхватывала свои пирожные и шествовала пить кофе.

Пирожные, конечно, из «Норда», самые лучшие. Женечка на своих больных ногах выстояла за ними длинную очередь в волшебном подвале, куда стекаются все верующие в сахарное земное блаженство и где нетерпеливые дамы, жаждущие немедленного счастья, протискиваются в сторонку с пирожным в дрожащих пальцах и, прижатые толпой к зеркальной колонне, к собственному взбудораженному отражению, выдыхают ноздрями, словно сказочные ретивые кони, двойной клубящийся вихрь сладкой пудры, медленно оседающий на чернобурки.

Женечка раскрывала коробку, где бок о бок покоились важные монархические пирожные «наполеон» и «александр», а рядом лжедмитрием затесалось презренное песочное кольцо, вечный житель привокзальных буфетов, — никто не станет его есть, но Женечке и оно кажется прекрасным — румяное воплощение сытой, рассыпчатой мечты, снившейся ей в голодные, блокадные, еще не забытые ночи.

Пока пирожные не съедены, мне с Женечкой интересно, а потом — увы — скучно. Подробно рассказывает она о своем здоровье, о содержании прочитанной книги, о цветах, пышно растущих летом у одной ее приятельницы на станции Пери (от вокзала пройти вперед, потом повернуть, еще раз повернуть, и второй дом) и совершенно не растущих зимой по той причине, что зимой лежит снег (упавший с неба), и потому ничто в саду, к сожалению, расти не может, но как только придет весна и дни станут длиннее, а ночи короче и начнет пригревать солнце, а на деревьях появятся листья, то, безусловно, цветы зацветут вновь...

И я тихо выскальзываю из комнаты и пробираюсь на кухню — вот где настоящая жизнь! Домработница Марфа пьет с лифтершей чай. Марфа — лысая, высокая, хитрая деревенская старуха, прибитая войной к нашему порогу, все-то она знает лучше всех.

— ...Вот он и говорит: постереги, мол, тетка, чемодан. Я, говорит, счас, мигом. Она и возьми. Хвать — а его уж нет. Ну и час его нет, и два его нет, а ей домой пора. Умаямши дожидаться. Хотела в милицию сдать, да дай, думает, загляну. Ну и заглянула. — Марфа высоко поднимает брови, колет щипцами рафинад.

— Ну? — тревожится лифтерша.

— Вот и «ну»! Баранки гну! Думала, может, там вещи ценные али что. Открывает — матушка царица небесная... Голова с усам!

— Отрезанная?!

— Вот по сю пору. Одна голова, милые вы мои, и с усам. Мужчина такой нестарый. И говорит он ей, женщине-то этой: «Закрой, говорит, чемодан и не лезь, куда не следоват!!!»

— О?! Это — голова?

— Да. Ну, она бежать без памяти. А он ей вслед: «Закрой, дура, чемодан, хуже будет!» — и по матушке ее...

— Да что же это...

— А это, милые вы мои, воры. Они. Вот так они его с собой в чемодане носят, дадут кому в очереди подержать, а он оттудова слушает: у кого облигации спрятаны али отрезы.

— Вон что делают...

Я в ужасе спрашиваю:

— А голова... кто это был?..

— Кто-кто — Иван Пикто... Иди себе поиграй... Эта-то ваша... сидит еще? С бусами-то эта?

Не любит Марфа Женечку: потертую ее шубу не любит, бусы, нос...

— Уж и носок — с двадцати пяти досок! Кабы мне б такой носина, я б по праздникам носила! Ба-арыня! Заладит свои разговоры: ду-ду-ду, ду-ду-ду...

Марфа смеется, лифтерша тоже вежливо смеется в кулачок, и я смеюсь вместе с ними, предавая ничего не подозревающую Женечку, да простит она меня!.. Но ведь она и правда — ду-ду-ду...

— А вот еще рассказывали...

Но за окнами уже синева, и в прихожей голоса — Женечка собирается домой. И все, усталые, торопливо целуют ее, и всем немножко стыдно за то, что они так безбожно скучали и что Женечка, чистая душа, ничего такого не заметила.

И кто-нибудь провожает ее до трамвая, а остальные смотрят в окно, где под медленно падающим снегом, опираясь на посох, в высоком колпаке, медленно бредет Женечка, возвращаясь в свое одинокое жилище.

И трамвай понесется мимо пустырей, сугробов, заборов, мимо низких кирпичных фабрик, посылающих призывный рабочий рев в железную зимнюю тьму, мимо размозженных войной домов, — и снова заборы, сугробы, пустыри, и где-нибудь на окраине, поближе к холодным полям, в вагон, в тусклое, постукивающее, примолкшее пространство ввалится морщинистый инвалид, растягивая баян: «О я несчастный, я калека, не дайте горе перенесть, я половина человека, но я хочу и пить и есть», и теплая, ежащаяся от стыда медь полетит в засаленную ушанку.

Хлопья снега гуще, плотнее белая пелена, качается уличный фонарь, провожая маленькую хромую фигурку, метель заметает слабые, еле видные следы.

А ведь она и вправду, на самом деле была когда-то молода! Подумать только — и небесный свет был тогда ничуть не бледнее, чем теперь, и такие же черные бархатные бабочки трепетали над пышными розовыми клумбами, и так же шелковисто свистела трава под Женечкиными полотняными туфлями, когда она с парусиновым чемоданом в руке шла по аллее к своему первому ученику, немому темноглазому мальчику.

Родители мальчика были, конечно, хороши собой и богаты, у них было имение, а в имении оранжерея с персиковыми деревьями, и молодая Женечка, только что окончившая гимназию с отличием, сфотографировалась среди цветущих персиков — приятно улыбающаяся, некрасивая, с двумя длинными пушистыми косами, замечательными тем, что книзу они становились еще толще и пушистее. Фотография выгорела до йодной желтизны, но Женечкина улыбка и персиковое цветение сохранились, а вот немой ее воспитанник выцвел целиком — видно только светлое пятно, прижавшееся к Женечке.

Когда она пришла в ту стародавнюю семью, мальчик мог произнести только свое имя: Буба, весь же остальной мир был для него захлестнут молчанием, хотя он все слышал и всех любил, и особенно, должно быть, полюбил Женечку, потому что часто подсаживался к ней, смотрел на нее темными глазами и гладил ладошками по лицу.

Впору было умилиться, и богатые родители плакали, сморкаясь в кружевные платки, а бородатый домашний врач, которому платили за осмотр Бубы бешеные деньги, снисходительно одобрял новую гувернантку, хотя и не находил ее хорошенькой. Женечка же не умилялась и не рыдала, она деловито составила распорядок дня — раз и навсегда, и не отступила от него за все годы, что прожила у своего воспитанника, и через какое-то время, к изумлению родителей и к зависти бородатого врача, мальчик заговорил — тихо и медленно, оглядываясь на серьезную и внимательную Женечку, забывая к утру те слова, что выучил вечером, путая буквы и теряясь в водовороте фраз, но все же заговорил и даже мог нарисовать какие-то печатные каракули. Лучше всего у него выходила ижица — самая ненужная буква.

Богатые родители купили по распоряжению Женечки кучу всяких лото, и она просыпалась по утрам от стука в дверь: мальчик уже ждал ее, держа под мышкой коробку, где перетряхивались и постукивали картонки с уплывающими, ускользающими, такими трудными черными словами: мяч, птица, серсо.

Однажды она взяла отпуск и поехала проведать своих петербургских сестер — до четвертой, самой любимой, в далекий Гельсингфорс ей не суждено было добраться. Вызванная срочной телеграммой в персиковое имение, она увидела, что богатые родители рыдают, бородатый врач тихо торжествует, а мальчик молчит. Тонкую пленочку слов смыло из его памяти за время Женечкиного отсутствия, огромный рокочущий мир, пугая, шумя, угрожающе вздымаясь на дыбы, обрушился на него всей своей безымянной нечленораздельностью, и только когда Женечка, торопливо распаковав свой парусиновый чемодан, достала купленный в подарок пестрый мяч, мальчик узнал его и закричал, захлебываясь: «Луна, луна!»

Больше Женечку не отпускали, теперь петербургские сестры сами навещали ее, только любимой сестре из Гельсингфорса все как-то не удавалось выбраться в гости. И не удалось никогда.

Было опасение, что Женечка может выйти замуж и покинуть персиковую семью, опасение напрасное: юность ее прошелестела и ушла, не привлекая ничьего внимания. Должно быть, появлялись и пропадали в ее жизни какие-нибудь мужчины, нравившиеся Женечке, как в калейдоскопе, если долго его вертеть, иногда выпадает и расцветает ломаной звездой редкое желтое стеклышко... Но ни один не попросил у Женечки ничего, кроме крепкой, истинной дружбы, ничей взор не затуманился при мысли о Женечке, и никто не делал тайны из знакомства с ней — знакомства такого чистого, добропорядочного и облагораживающего. Удивительно хороший человек Женечка, говорил кто-нибудь, и все с жаром подхватывали: о да, изумительный! Просто необыкновенный. А какой честный. И порядочный. На редкость добросовестный. Кристальной души человек!

А впрочем, была у Женечки в жизни одна коротенькая, кривая, убогая любовь, был человек, который смутил Женечкину ясную душу — может быть, на неделю, может быть, на всю жизнь — мы не спрашивали. Но когда она принималась рассказывать, как она жила и кого учила до войны, — жалобно дрожал через уплывшие годы один эпизод, на котором Женечка всегда спотыкалась, и голос ее, высокий и спокойный, вдруг на миг надламывался, и всегда на одной и той же фразе: «Хороший чай, Евгения Ивановна. Горячий». Так ей сказали днем, в три часа, в довоенном феврале, в теплом деревянном доме. Женечка тогда преподавала русский язык в тихом швейном техникуме, прозябавшем где-то на окраине города среди яблонь и огородов. Оторвавшись от премудростей построения «трусов женских зимних» и кофточек-фигаро, неисчислимые поколения молоденьких мастериц окунались в освежающие, расчисленные струи русской грамматики, чтобы, покинув родное училище, навеки забыть пятно Женечкиного лица. Они разбегались по свету, любя, рожая, простраивая и заутюживая, пели, провожали мужей на войну, плакали, старели и умирали, но, крепко обученные Женечкой, и на ложе любви помнили правописание частицы «не», и на последнем одре, в предсмертной тоске, могли, если бы понадобилось, разобрать напоследок слово по составу.

Замороженным трамваем сквозь черный рассвет ехала Женечка к швеям, вбегала, холодная и румяная, в протопленное деревянное учреждение и с порога искала того, кто был ей дорог, — сутулого мрачноватого историка. А он шел ей навстречу, не замечая, и мимо, — и она не решалась проводить его взглядом. Лицо у нее горело, руки немного дрожали, разворачивая тетрадки, а он ходил по одному с ней дому и думал о своем — вот такая досталась ей любовь.

Никто не знал и никогда не узнает, какие слова посылала она ему молча, когда он стоял у окна учительской и смотрел на занесенный снегом двор, где воробьи черными ягодами покачивались на ветках. Что-нибудь честное, серьезное и неинтересное хотела она, должно быть, сказать, о чем-нибудь незатейливом попросить: заметьте меня, полюбите меня, — но кто же говорит вслух такие вещи? Неизвестно, где он был раньше, этот человек, неизвестно, куда ушел, но ведь откуда-то он взялся, темноликий, тихий, отравленный, говорили, газами, глухо кашлял в деревянных коридорах, держась за впалую, обтянутую гимнастеркой грудь, курил, курил в холодных сенцах, где из обитых ватой дверей лезли клочья, где на замерзшем окошке, на лиловых морозных стеблях дробилось слабое розовое солнце. Грел руки о кафельную печку, снова курил и уходил читать швеям историю — только кашель и тихий надорванный голос из-за плотно закрытых дверей — вот такой человек вонзился в Женечкино сердце, но ни он ей, ни она ему ничего важного не сказали. Да и кто она ему была, Женечка? Просто хороший сослуживец. И ничто их не связывало, если не считать кружки чая, что налила она ему после уроков в учительской, дрожа и слабея ногами от собственного безрассудства. Безумство, безумство — то была не простая, а любовная кружка, ловко замаскированная под товарищескую: Женечка налила чаю всем преподавателям, но не всем положила столько сахару. Синяя облупленная кружка с черным ободком — вот и все. И он с благодарностью отпил и кивнул головой: «Хороший чай, Евгения Ивановна. Горячий». И Женечкина любовь, босая сирота, невидная собою, заплясала, возликовав.

Вот и все, и больше совсем ничего не было, а вскоре он исчез куда-то, и некого было спросить.

...Далеко за городом, за пустырями окраин, за сорными ольховыми перелесками, в стороне от больших дорог, посреди сосновых лесов и полян иван-чая, заброшенная, окруженная разросшейся сиренью, тихо стареет дача. Ржавеет замок, подгнивает крыльцо, чертополох заглушил цветочные грядки, и колючая одичавшая малина, отойдя от забора, сначала несмело, потом все увереннее движется по саду, сплетаясь с крапивой в жгучую изгородь.

Ночью поднимается ветер, пролетает над бушующим

пустынным озером и, набрав водяной пыли и гула безлюдных просторов, срывает с крыши железный лист и, погромыхав им, швыряет в сад. Свистит пригибающаяся под ветром трава, сыплются на влажную ночную землю дикие ягоды, семена диких растений, чтобы прорасти мрачным урожаем драконьих зубов. А мы-то думали, что Женечка бессмертна.

Мы не дослушивали ее длинные рассказы, и никто теперь не узнает, чем кончилась история немого мальчика; мы выбрасывали, не дочитав, подаренные ею книги, мы обещали приходить к Женечке в гости в ленинградскую квартиру и обманывали, и чем старше становились, тем больше находилось предлогов избежать ее холодного, одинокого дома. А когда все-таки приходили, как металась она от радости, как хватала нас, уже переросших ее на голову, маленькими сухими руками, как кидалась от стола к плите, где уже набирал силу яблочный пирог, как торопливо расправляла на круглом столе праздничную скатерть, крепко пристукнув ее сверху вазой, полной осенних роз! И как поспешно разглаживала на высокой постели ветхое шелковое покрывало, бледное, как текучий истрепанный лепесток исполинской розы, из которого выветрился весь август и вошел пыльный комнатный дух, такое легкое, что его нельзя было накинуть на постель одним широким взмахом, — вяло, равнодушно сминаясь в медленном парении, мягко и неровно опускалось оно на кровать, захватывая по пути пригоршни стоячего домашнего воздуха, и потом долго подрагивало от тоненьких струек теплого сквозняка, от грохота грузовиков за окном. А мы, съев пирог, уходили, чувствуя неловкость и облегчение, и наслаждались осенним воздухом, и посмеивались надо всем на свете, и вертели головой по сторонам, ожидая прихода любви, которая вот-вот должна была появиться, любви долгой и верной и совершенно необыкновенной. А та любовь, что смотрела нам вслед, прижавшись к стеклу, была слишком простой и будничной. Но Женечка, слава богу, об этом не догадывалась. И она страстно ждала нового лета, ждала встречи со старой дачей, с новыми цветами и с нами, ненаглядными.

И лето приходило.

Миновала эпоха кухарок, ушла, плюнув, Марфа, унеся в сундучке капиталец, вырученный от сдачи молочной посуды, истлели по кладовкам чернобурки, разрушились фабричные заборы, и ленинградские сады заалели шиповником, школьные годы кончались, впереди замаячили экзамены, и Женечка, полная сил, готовилась к решительному рабочему лету.

Но ей будто мало было ее добровольной повинности — изо дня в день вбивать в головы неблагодарных, насмешливых ленивцев русскую грамоту, расчищать джунгли дремучего, упорного, изворотливого невежества, укоренять на расчищенных участках стройные, ветвистые грамматические дерева, шелестящие мохнатыми суффиксами причастий, обламывать сухие сучки, прививать цветущие ветви и подбирать осыпавшиеся зеленые паданцы. Беспокойство вечного сеятеля гнало ее в сад, некогда столь же запущенный и дикий, как головы ее учеников. Ее уговаривали посидеть в шезлонге на солнышке — уж чего лучше для старого человека: прикрой себе голову лопухом да и дремли до обеда. Но в шезлонги обрушивались мы, разомлевшие от солнца и молодости, а Женечка, повязавшись косынкой, шла с тяпкой и граблями в заросли, и кто бы успел заметить, когда на месте крапивных холмов и кротовых куч поднялось нежной пеной цветочное колыхание? Под ее руками сами собой вздымались гортензии — розовые, резные, готовые взорваться красным бомбы или же голубоватые, как взбитый небесный мусс с дымным отблеском грозовых туч; густые, темнеющие обморочным бархатом пионы и какая-то кудрявая безымянная мелочь, брызнувшая во все стороны дрожащим белым дождем. Только ее любимые розы не давались ей, как она ни билась. Мы знали, что Женечка мечтала о настоящей красной розе, чистой и глубокой, как звук виолончели, но то ли скудное северное тепло было помехой, то ли земля в саду отталкивала робкие корни, — розы росли мелкими, сиротскими, чахоточными.

Женечка взволнованно входила на веранду и, обведя всех тревожным взглядом, говорила: «Розу точит червь». — «Дать ему по шее», — скучали мы. «Поставить на вид». — «И лишить квартальной премии».

Но она их боялась — и цветочных червей, и дождевых, и особенно грибных, и трудно было пронести корзину с грибами мимо ее бдительного ока: арест, досмотр и уничтожение грозили нашей добыче, так что приходилось подавать корзину прямо в низкое окно кухни — а кто-нибудь стоял в дозоре — и, торопливо промыв скользкие, прыгающие, с прилипшими листиками губчатые подберезовики или рассыпающиеся, как песочное печенье, бледные широкие сыроежки в ледяной колодезной воде — только писк стоял под руками, — бросать их в шумящую кипением воду, чтобы тут же, отдавливая шумовкой вниз пытающиеся вылезти через край грибы, снять мутную, полную погибших и всплывших червей пену. Торопились, суетились, хихикали, заслышав стук Женечкиного ортопедического ботинка, и к моменту ее торжественного вступления в кухню — царским движением она толкала дверь — булькающее варево уже светилось темной прозрачной чистотой.

«Червей не было?» — спрашивала она серьезно и обеспокоенно. «Нет, нет, Женечка, отличные грибы, один к одному!» И она успокаивалась сразу, не допуская мысли, что можно солгать, а кто-нибудь за ее спиной с безумным смехом юности обтирал с шумовки подсохшую серую пену, кишащую белыми трупиками.

А другие смущенно переглядывались, словно обманули ребенка.

...Надвигается август, спускается вечер; спиной к нам, лицом к закату стоит черный лес, смотрит, как высоко над головой в апельсинных морях догорают жидкие алые острова. Вышла первая звезда. Подбирается ночная сырость. Женщины, сидящие на крылечках, натягивают подолы на колени, говорят тише, подняли темные лица к небесной тишине. Черный кот бесшумно выходит из черной травы, кладет на ступеньку черную мышку. Скоро погаснет последний небесный остров, с востока надвинется тьма, озеро глухо заговорит тяжелыми волнами; заворочается клубами, застонет, распрямляясь, дикий озерный ветер и понесется в безлюдные темные просторы — пригибать кусты, ронять созревшие семена, гнать колючие безымянные клубки по остывающим клеверным долинам, по нехоженым перелескам, и, загудев, взовьется к растревоженному небу, чтобы сдуть первый пучок слабых, мимолетных, соскальзывающих в бездну звезд. Скоро надо встать, вздохнуть, стряхнуть наваждение, протопать по старым доскам — и забренчат чашки, вспыхнет голубыми астрами газ, запоет вечерний чай, захлопают холодильники, и женщины, воротившись со звезд, уставятся еще бессмысленными, отсутствующими взглядами в их урчащее, полуосвещенное нутро, медленно опознавая контуры земных котлет или промерзшего, туповатого творога.

Женечка, тихо старея, пройдет по дому, выдвинет посудный ящик, прошуршит чем-то тряпичным и выйдет на примолкшее крыльцо, затаив дыхание, чтобы не спугнуть тишины. Она положит мне руки на плечи — старые, продрогшие, сухие руки, — и я вдруг почувствую, какая она маленькая и легкая, как легко ночному ветру унести ее в зашумевшие темные дали.

Ложится длинная притихшая минута, из тех минут, в какие, по поверью, пролетает ангел, и Женечка говорит: «Вот, помню...», но уже все встрепенулись, и зашумели, и встали, и гремит под ногами крыльцо, и Женечка спешит сказать, — но поздно, ангел пролетел и унесся в порыве ветра, и Женечкины слова перебиваются ветром; я вижу, как шевелятся ее губы, как тянется ее наивный любящий взгляд; ветер подхватывает Женечку, и звездами сыплются с неба годы и, упав в жадную землю, прорастают чертополохом, лебедой и пыреем; травы поднимаются все выше, смыкаются глуше, и, задыхаясь, умирает старый дом, стираются следы, теряются тропинки, и все зацветает забвением.

Старый человек — как ноябрьская яблоня: все в нем засыпает. В ожидании ночи останавливаются древесные соки, зябнет и леденеет бесчувственный корень, и медленно, медленно поворачивается над головой рогатая ветка пыльного Млечного Пути. И, запрокинув голову, простерев сухие сучья к мохнатым от инея звездам, покорное бренное создание ждет, погружаясь в дремоту, не чая ни воскресения, ни весны, ждет, ждет, пока не накатит, все унося с собой, безмолвный, глухой вал времени.

Время прошло, и мы стали взрослыми. Занятые своими неотложными делами и гостями, книгами и детьми, мы отмахивались от Женечкиной жизни, а ей все труднее было выходить из дому, и она звонила по телефону, рассказывая о том, что никого не интересовало.

Послушав ее медленный голос минуту или две, я мягко клала трубку на телефонный столик и мчалась прочь: на кухне кипят кастрюли, стреляют раскаленным маслом сковородки, в столовой веселые разговоры, хохот и новости, и зовут посмеяться вместе, и звонки в дверь, — морозно-розовая компания в шумных шубах, грохот лыж, топот ног, дрожат полы, дрожат стекла, и дрожат за стеклами заиндевелые деревья, облитые вечерним зимним золотом.

Уютно лежал на скатерти голос Женечки, неторопливо повествуя телефонному справочнику, пепельнице, яблочному огрызку о своих радостях и волнениях. Жалуясь и удивляясь, восхищаясь и недоумевая, ровным потоком текла ее душа из телефонных дырочек, растекалась по скатерти, испарялась дымком, танцевала пылью в последнем солнечном луче.

— Что это у нас трубка не повешена?.. — и я хватала мокрыми, наскоро обтертыми пальцами трубку, чтобы крикнуть: «Да, Женечка! Конечно, Женечка!» — и снова броситься прочь. Слуховой аппарат ее пел и попискивал, она ничего не замечала.

— Ну что она говорит? — спрашивал на ходу кто-нибудь из домашних.

— Сейчас послушаю... Про какую-то Софью Сергеевну, как та летом ездила в санаторий и какие там были розы... розы, говорит, были красные, а листья у них зеленые... на небе было солнце... а ночью — луна... а в море — вода... кто выкупался — выходит из воды... и переодевается в сухое... а мокрую одежду сушит... а вот спросила, как мы живем. Хорошо, Женечка! Я говорю, хорошо, Женечка! Хо-ро-шо! Да! Передам! Передам!

Одни мы у нее были на свете.

Но настал день посреди зимы, когда потрясенная до глубины души Женечка, нахлобучив остатки своей боярской шапки и вооруженная растрескавшимся посохом, появилась на пороге с длинным голубым конвертом в руках.

В конверте ворочались и гудели слова о том, что Женечка не одна на свете, что вот тут, совсем рядом — рукой подать, — за холодным заливом, за сосновым шумом, за дугой зеленых льдов, в заснеженном городе Хельсинки — бывшем Гельсингфорсе — в крутоверхом доме у веселого камина живет и улыбается потомство Женечкиной любимой, давно потерявшейся сестры, что потомство это ждет не дождется, когда милая тетя Эугения взойдет под высокую кровлю, падет в гостеприимные полуфинские объятия и возложит цветы в целлофане на могилу своей дорогой сестрицы, покоящейся на чистеньком финском кладбище.

Мы провожали Женечку на вокзале, смущенную и напуганную, словно Золушку, садящуюся в карету из тыквы, запряженную мышами; к груди она прижимала парусиновый чемодан с зубной щеткой и сменой белья; мы как-то видели это бельё, когда Женечка на даче, на берегу озера, на рассвете делала доступную возрасту гигиеническую зарядку. Оно состояло из холщовых прямоугольных полотнищ, тщательно состыкованных прочным, вечным швом; ни вытачек, ни оборок, ни каких-либо портновских шалостей не знало это суровое, солдатское бельё — лишь пустые, крепкие полотнища, как белые листы повести о честной, трудовой, с пользой прожитой жизни.

Мы встречали ее через месяц на том же вокзале, бегали вдоль поезда и не находили. Из вагона вышла важная старая дама с бровями черными, как у падшего ангела, с густо нарумяненными щеками, в пышных мехах и в достойной, приличной возрасту шляпке. Носильщик нес душистые чемоданы. Кто-то узнал Женечку по ортопедическому ботинку.

— Ну что? — спросили мы.

— Там есть всё, — сказала она. И пошатнулась.

Мы увезли ее к себе и отпоили чаем. Теперь каждую весну Женечка уезжала в Финляндию. А после, летом, она, сияющая и обезумевшая, счастливая и молодая, выращивала в благоухающем, воспрянувшем дачном саду неслыханные цветы, выросшие из финских семян. Над цветами на веревке развевалось Женечкино кружевное бельё, небесное и лимонное, а в ее комнате на полочке громоздились предметы невероятные: духи, губная помада, лак для ногтей. И розы, красные розы, капризничавшие много лет подряд, внезапно расцвели под Женечкиными руками, торопливо выстреливая все новыми и новыми бутонами. Должно быть, финское удобрение помогало.

Женечка ловила нас на крыльце и в саду, возбужденно совала уже тысячу раз виденные фотографии: Женечка в гостиной на финском диване, Женечка с двоюродным внуком — новым обожаемым воспитанником, трогательно прильнувшим к ее руке (как ты, Женечка, сказала, его зовут-то? Коко или Пупу?), Женечка в столовой за обедом: зеленый лист салата и две травинки.

— Очень экономные. И строгий режим.

Мы поглядывали на Женечкины запоздало начерненные брови и зевали, слушая ее баллады о неслыханном богатстве рыбных магазинов.

— Женечка, а килька в томате там есть?

— Нет, вот кильки я там что-то не видела.

— Ну то-то. А паштет «Волна»?

— Вроде нет.

— А ты говоришь! Далеко им до нас! Вон, у нас все полки им завалены!

И доверчивая Женечка принималась возражать и доказывать.

— А куда ты там ходила?

— Да я все дома. С внуком сидела.

— А они?

— А они пока на Азорские острова съездили. У них уже билеты были заказаны, — оправдывалась она.

И пока родственники валялись на океанских пляжах, влюбленная Женечка с упорством сумасшедшего садовника поливала, окапывала и лелеяла новое юное деревце и рисовала на голубой бумаге знаки варварского алфавита, чтобы мальчик встретил загорелых родителей русским стишком или труднопроизносимым приветствием. А вернувшись в Ленинград, она принималась писать открытки, выбирая покрасивее: с букетами, с золотыми петербургскими мостиками, с Медным всадником, которого ее родня принимала за Кропоткина. И новая любовь, которой никогда не поздно прийти, шумела, бушевала и захлестывала ее с головой.

И мы поверили, что Женечка бессмертна, что молодость возвращается, что не погаснет однажды зажженная свеча и что добродетель, что бы мы о ней ни думали, все-таки когда-нибудь да вознаграждается.

Мы выберем день, запрем за собой двери, спустимся

вниз по холодной лестнице, выйдем в душный утренний город и уедем на дачу. Там шумит на теплом ветру, ходит волнами розовая трава, там сосновые иглы засыпают старое крыльцо, там в опустевшем, покинутом доме легким шорохом проносится тень тени той, что жила, простая, как лист, ясная, как свет, тихая, как утренняя вода, наивно пожелавшая когда-то быть самой любимой.

Мы сойдем с электрички на бетонный голый перрон, пройдем под осиным жужжанием проводов и дальше — через топь и глушь, через холмы и перелески, туда, где за заросшими иван-чаем полянами спит пустой дом, где разрослась одичалая сирень, где по крыльцу ходит ворон, постукивая клювом, где мыши говорят друг другу: мы пока тут поживем.

Мы идем через траву вброд, разводя густые заросли руками, как пловцы, достаем забытого вида ключи, озираемся, разминая затекшие от сумок руки. Сырой, северный, буйно цветущий июнь. Старая, кривая дача вязнет в густых травах, как полузатонувшая лодка. В комнатах темно от сирени, сосны сдавили хрупкую выпуклую грудь веранды, ломкие дудки подмаренника раскрыли белые зонтики, сильно кричит, волнуясь, неведомая молодая птица. И каждый солнечный сухой клочок земли отыскала и усыпала синим сором мелкая вероника.

Нет пока ни дорожек, ни тропинок в океане травы, цветы еще не примяты, только там, где мы прошли от ворот к крыльцу, угадывается глухой, готовый сомкнуться коридор. Жаль обломать плотную, тугую гроздь сирени — на ней, как на искрящемся свежем насте, лежит синяя снеговая тень. Жаль измять тихие густые травяные леса.

Мы пьем чай на веранде. Давай тут заночуем. Почему мы сюда не ездим? Тут можно жить! Только сумки таскать далеко. Крапиву бы повыдергать. Цветочки какие-нибудь посадить. Крыльцо починить... Подпереть чем-нибудь. Слова падают в тишину, сирень нетерпеливо вломилась в распахнутое окно и слушает, покачиваясь, наши пустые обещания, невыполнимые проекты, розовые, но быстро выцветающие мечты: неправда, никто не приедет, некому приехать, ее больше нет, она стала тенью, и ветхое ее жилище развеет ночной ветер.

Она в очередной раз упаковывала чемоданы, чтобы ехать к родне: малышу — букварь, племянникам — покрепче. Она ждала только письма, и оно пришло. Родственники называли вещи своими именами — дорогую Эугению не могли больше пригласить в гости. И она, конечно, сама должна понять: ведь она уже в таком почтенном возрасте, что может с минуты на минуту сделать то, что проделала с некими знакомыми некая тетя Ника. Тут же была и фотография чьей-то чужой тети в гробу: нарядная, неподвижная лежала тетя, обложенная православными кружевцами и северными финскими букетиками. Вот как нехорошо повела себя тетя Ника, и если милая Эугения сделает то же самое у них в гостях, то могут быть сложности, хлопоты, недоразумения... да и кто будет платить? Подумала ли об этом милая Эугения? И писать больше не надо, стоит ли утомлять глаза, да и рука может заболеть!

Женечка стояла и смотрела на фотографию незнакомой старухи в аккуратном гробу, лежавшей как наглядный упрек Женечкиной недальновидности, и соловей, много лет певший песни на ее груди, оглох и зажмурился. И судьба, черным ветром вылетавшая в распахнувшуюся форточку, обернулась и крикнула: «Пожелай быть самой любимой!» — высунула язык и оглушительно захохотала, задувая хохотом свечу.

...Легкая карельская ночь. Нет ни тьмы, ни алой зари — вечный белый вечер. Ушли все краски, в светлой вышине облачным мазком намечен крупинчатый месяц, по земле ползут переливы серого сада, перевалы сумеречных сгущений, и вдали, между стволов, тусклыми заливами светится плоское озеро. Звенит комар, слипаются глаза. Шорох в серой траве, скрип рассохшихся ставен. За ночь выпадет еще одно цветное стеклышко на веранде, за ночь травы поднимутся еще выше, сомкнется просвет, где мы прошли поутру, зарастут наши следы, свежая плесень проступит на крыльце, замочную скважину оплетет паучок, и еще на сотню лет заснет дом — от подпольных ходов, где бродит мышиный король, до высоких чердачных сводов, откуда берет бег бесплотная конница наших сновидений.

ЛЮБИШЬ — НЕ ЛЮБИШЬ

— Другие дети гуляют одни, а мы почему-то с Марь-иванной!

— Вот когда тебе стукнет семь лет, тогда и будешь гулять одна. И нельзя говорить про пожилого человека «противная». Вы должны быть благодарны Марье Иванне, что она проводит с вами время.

— Да она нарочно не хочет за нами следить! И мы обязательно попадем под машину! И она в сквернике знакомится со всеми старухами и жалуется на нас. И говорит: «дух противоречия».

— Но ведь ты действительно все делаешь ей назло!

— И буду делать! И нарочно буду говорить этим дурацким старухам «не здрасьте» и «будьте нездоровы».

— Да как тебе не стыдно! Надо уважать стареньких! И не грубить им, а прислушиваться, что они тебе скажут: они старше и больше тебя знают.

— Я прислушиваюсь! А Марьиванна только и говорит что про своего дядю.

— Ну и что же она про него говорит?

— Что он повесился от болезни мочевого пузыря!

А еще до этого его переехало колесом фортуны! Потому что он запутался в долгах и неправильно переходил улицу!

...Маленькая, тучная, с одышкой, Марьиванна ненавидит нас, а мы ее. Ненавидим шляпку с вуалькой, дырчатые перчатки, сухие коржики «песочное кольцо», которыми она кормит голубей, и нарочно топаем на этих голубей ботами, чтобы их распугать. Марьиванна гуляет с нами каждый день по четыре часа, читает нам книжки и пытается разговаривать по-французски — для этого, в общем-то, ее и пригласили. Потому что наша собственная, дорогая, любимая няня Груша, которая живет с нами, никаких иностранных языков не знает, и на улицу давно уже не выходит, и двигается с трудом. Пушкин ее тоже очень любил и писал про нее: «Голубка дряхлая моя!» А про Марьиванну он ничего не сочинил. А если бы и сочинил, то так: «Свинюшка толстая моя!»

Но вот что удивительно — просто невозможно поверить — но Марьиванна тоже была любимой няней у одной уже выросшей девочки! Эту девочку, Катю, Марьиванна вспоминает каждый день. Она не высовывала язык, не ковыряла в носу, доедала все до конца, обнимала и целовала Марьиванну — ненормальная!

Вечером, лежа в постелях, мы с сестрой придумываем разговоры Марьиванны и послушной Кати:

— Доешь червяков до конца, дорогая Катюша!

— С удовольствием, ненаглядная Марьиванна!

— Скушай маринованную лягушку, деточка!

— Я уже скушала! Положите мне еще пюре из дохлых мышей, пожалуйста!..

В скверике, который Марьиванна называет «бульваром», бледные ленинградские девочки копаются в потемневшем осеннем песке, прислушиваясь к взрослым разговорам. Марьиванна, быстро познакомившись с какой-нибудь старушенцией в шляпке, вынимает из ридикюля твердые старинные фотографии: она и дядя прислонились к роялю, а сзади — водопад. Неужели в недрах этой задыхающейся туши погребено вон то белое воздушное существо в кружев-

41

ных перчатках? «Он заменил мне отца и мать и хотел, чтобы я называла его просто Жорж. Он дал мне образование, он впервые вывез меня в свет. Вот эти жемчуга — здесь плохо видно — это его подарок. Он безумно, безумно меня любил. Видите, какой он тут представительный? А вот тут мы в Пятигорске. Это моя подруга Юлия. А здесь мы пьем чай в саду». — «Чудные снимки. А это тоже Юлия?» — «Нет, это Зинаида. Это подруга Жоржа. Она-то его и разорила. Он был игрок». — «Ах вон что». — «Да. Выбросить бы этот снимок, да рука не поднимается. Ведь это все, что от него осталось. И стихи — он был поэт». — «Что вы говорите!» — «Да, да, чудный поэт. Сейчас таких нет. Такой романтичный, немного мистик...»

Старушенция, балда, развесила уши, мечтательно улыбается, смотрит на меня. А нечего глазеть-то! Я показываю ей язык. Марьиванна, от стыда прикрыв глаза, шепчет с ненавистью: «Жуткое существо!» А вечером опять будет читать мне дядины стихи:

> — Няня, кто так громко вскрикнул,
> За окошком промелькнул,
> На крылечке дверью скрипнул,
> Под кроваткою вздохнул?

> — Спи, усни, не знай печали,
> Бог хранит тебя, дитя,
> Это вороны кричали,
> Стаей к кладбищу летя.

> — Няня, кто свечи коснулся,
> Кто скребется там, в углу,
> Кто от двери протянулся
> Черной тенью на полу?

> — Спи, дитя, не ведай страха,
> Дверь крепка, высок забор,
> Не минует вора плаха,
> Прозвенит в ночи топор.

— Няня, кто мне в спину дышит,
Кто, невидимый, ко мне
Подбирается все выше
По измятой простыне?

— О дитя, что хмуришь бровки,
Вытри глазки и не плачь,
Крепко стянуты веревки,
Знает ремесло палач.

Ну-ка, кто после таких стихов найдет в себе силы спустить ноги с кровати, чтобы, скажем, сесть на горшок! Под кроватью, ближе к стене — всем известно, — лежит Змей: в шнурованных ботинках, кепке, перчатках, мотоциклетных очках, а в руке — крюк. Днем Змея нет, а к ночи он сгущается из сумеречного вещества и тихо-тихо ждет: кто посмеет свесить ногу? И сразу — хвать крюком! Вряд ли съест, но затащит и пропихнет под плинтус, и бесконечно будет падение вниз, под пол, между пыльных переборок. Комнату сторожат и другие породы вечерних существ: ломкий и полупрозрачный Сухой, слабый, но страшный, стоит всю ночь напролет в стенном шкафу, а утром уйдет в щели. За отставшими обоями — Индрик и Хиздрик — один зеленоватый, другой серый, оба быстро бегающие, многоногие. А еще в углу, на полу, — квадратик медной резной решетки, а под ним черный провал — «вентиляция». К ней и днем-то подходить опасно: из глубины пристально, не мигая, смотрят Глаза. Да, но самый-то страшный — тот безымянный, что всегда за спиной, почти касается волос (дядя свидетель!). Много раз он приноравливается схватить, но как-то все упускает момент и медленно, с досадой опускает бесплотные руки. Туго, с головой завернусь в одеяло, пусть один нос торчит — спереди не нападают.

Напугав дядиными стихами, Марьиванна уходит ночевать к себе, в коммунальную квартиру, где, кроме нее, живут еще: Ираида Анатольевна с диабетом, и какая-то пыльная Соня, и Бадыловы, лишенные родительских прав, и повесившийся дядя... И завтра она придет опять, если мы не заболеем. А болеем мы часто.

Не раз и не два сорокаградусные гриппы закричат, застучат в уши, забьют в красные барабаны, обступят с восьми сторон и, бешено крутя, покажут кинофильм бреда, всегда один и тот же: деревянные соты заполняются трехзначными цифрами; числа больше, грохот громче, барабаны торопливей, — сейчас все ячейки будут заполнены, вот осталось совсем немного! вот еще чуть-чуть! сердце не выдержит, лопнет, — но отменили, отпустили, простили, соты убрали, пробежал с нехорошей улыбкой круглый хлеб на тонких ножках по аэродромному полю — и затихло... только самолетики букашечными точками убегают по розовому небу и уносят в коготках черный плащ лихорадки. Обошлось.

Стряхните мне крошки с простыни, остудите подушку, расправьте одеяло! чтобы ни одной складочки, иначе вернутся самолетики с коготками! Без мыслей, без желаний лежать на спине, в прохладе, в полутьме — полчаса передышки между двумя атаками барабанщиков. По потолку из угла в угол проходит светлый веер, и еще веер, и еще — автомобили уже зажгли фары, вечер сошел с высот, под дверь в соседнюю комнату просунули коврик света — там пьют чай, загорелся оранжевый абажур, и кто-нибудь из старших уже плетет из его бахромы недозволенные косички — «портит вещь». Пока самолетики не вернулись, можно, оставив среди чугунных простыней свою постукивающую жаром телесную оболочку, мысленно выскользнуть за дверь — длинная рубашка, холодные тапочки — подсесть невидимкой к столу — а эту чашку за неделю я забыла! — жмурясь, путешествовать взглядом по оранжевым горбам абажура. Абажур молодой, пугливый, он ко мне еще не привык — только недавно мы с папой купили его на барахолке.

Ах, сколько там было людей, сколько обладателей ватников и плюшевых жакетов, коричневых оренбургских платков! И все они горланили, и суетились, и трясли перед папиным лицом синими диагоналевыми отрезами, и совали в нос крепкие черные валенки! Какие там были сокровища! А папа-то: все прошляпил, проворонил, ничего, кроме абажура, оттуда не унес. А надо было накупить всего-всего: и вазочек, и блюдечек, и цветастых платков, и совиных чучел, и фарфоровых свиней, и ленточных ковриков! Пригодились бы и кошки-копилки, и дуделки, и свиристелки, и бумажные цветы — маки с чернильными ватками в сердцевинках, и бумажные красно-зеленые дрожащие жабо на двух палочках: вывернешь палочки — и затрясется бахромчатое непрочное кружево, еще вывернешь — и схлопнулось в дудочку, и пропало. Мелькали изумительные клеенчатые картины: Лермонтов на сером волке умыкает обалдевшую красавицу; он же в кафтане целится из-за кустов в лебедей с золотыми коронами; он же что-то выделывает с конем... но папа тащит меня дальше, дальше, мимо инвалидов с леденцами, в абажурный ряд.

Мужик ухватывает папу за кожаный рукав:

— Хозяин, продай пальто!

Ай, да не приставайте к нам с глупостями, нам нужен абажур, нам вон туда, я верчу головой, мелькают веники, корзинки, крашеные деревянные яйца, поросенок — не зевай, все, пошли назад. Где он? А, вот. Продираемся сквозь толпу назад, папа с абажуром, еще темным, молчаливым, но уже принятым в семью: теперь он наш, он свой, мы его полюбим. И он замер, ждет: куда-то его несут? Он еще не знает, что пройдет время — и он, некогда любимый, будет осмеян, низвергнут, сорван, сослан, а на его место с ликованием взлетит новая фаворитка: модная белая пятилопастная раскоряка. А потом, обиженный, изуродованный, преданный, он переживет последнее глумление: послужит кринолином в детском спектакле и навсегда канет в помоечное небытие. Сик транзит глориа мунди.

— Папа, купи вон то, пожалуйста!

— Что там такое?

Веселая обмотанная баба, радуясь покупателю, вертится на морозе, подпрыгивает, потопывает валенками, потряхивает отрубленной золотой косой толщиной в канат:

— Купите!

— Папа, купи!

— Ты с ума сошла?! Чужие волосы! И не трогай руками — там вши!

Фу-у-у, ужас какой! Я обмираю: действительно, огромные вши, каждая размером с воробья, с внимательными глазками, с мохнатыми лапками, с коготками, цепляются за простыню, лезут на одеяло, хлопают в ладоши, все громче и громче... Опять загудел бред, закричал жар, завертелись огненные колеса — грипп!

...Темная городская зима, холодная струя воздуха из коридора — кто-нибудь из взрослых вносит на спине огромный полосатый мешок с дровами — растапливать круглую коричневую колонку в ванной. А ну марш из-под ног! Ура, сегодня купаться будем! Через ванну перекинута деревянная решетка; тяжелые облупленные тазы, кувшины с горячей водой, острый запах дегтярного мыла, распаренная сморщенная кожа на ладонях, запотевшее зеркало, духота, чистое наглаженное мелкое бельецо — и вжжжжж — бегом по холодному коридору, и плюх! — в новенькую постель: блаженство!

— Нянечка, спой песенку!

Няне Груше ужасно много лет. Она родилась в деревне, а потом воспитывалась у доброй графини. В ее седенькой голове хранятся тысячи рассказов о говорящих медведях, о синих змеях, которые по ночам лечат чахоточных людей, заползая через печную трубу, о Пушкине и Лермонтове. И она точно знает, что если съесть сырое тесто — улетишь. И когда ей было пять лет — как мне, — царь послал ее с секретным пакетом к Ленину в Смольный. В пакете была записка: «Сдавайся!» А Ленин ответил: «Ни за что!» И выстрелил из пушки.

Няня поет:

> По камням струится Терек,
> Плещет мутный ва-а-а-ал...
> Злой чечен ползет на берег,
> То-очит свой кинжа-а-а-ал...

Колышется кисея на окне, из-за зимнего облака выходит грозно сияющая луна; из мутной Карповки выползает на обледенелый бережок черный чечен, мохнатый, блестит зубами...

> Спи, моя радость, усни!

...Да, а французский с Марьиванной что-то не идет. Не отдать ли меня во французскую группу? Там и гуляют, и кормят, и играют в лото. Конечно, отдать! Ура! Но вечером француженка возвращает маме паршивую овцу:

— Мамочка, ваш ребенок совершенно не подготовлен. Она показывала язык другим детям, порвала картинки, и ее вырвало манной кашей. Приходите на следующий год. До свидания! О ревуар!

— Не досвидания! — выкрикиваю я, уволакиваемая за руку расстроенной мамой. — Ешьте сами вашу поганую кашу! Не ревуар!

(«Ах так! А ну вышвыривайтесь отсюда! Забирайте вашего мерзкого гаденыша!» — «Не больно-то надо! Сами не очень-то воображайте, мадам!»)

— Извините, пожалуйста, с ней действительно очень трудно.

— Ничего, ничего, я понимаю! Ну что за наказание с тобой!!!

...Возьмем цветные карандаши. Если послюнявить красный, он дает особенно гладкий, атласный цвет. Правда, ненадолго. Ну, на Марьиваннино лицо хватит. А тут —

громаднющая бородавка. Отлично. Теперь синим: шар, шар, еще шар. И две тумбы. На голову — черный блин. В руки — сумочку, сумочки рисовать я умею. Вот и Марьиванна готова. Сидит на облупленной весенней скамеечке, галоши расставила, глаза закрыла, поет:

> Я ехала домо-о-ой...
> Душа была полна-а-а...

Вот и ехала бы ты себе домой! Вот и катилась бы колбаской к своей Катюшеньке.

«...Жорж всегда брал мне халву у Абрикосова — помните?» — «Да, да, да, ну как же...» — «Все было так изящно, деликатно...» — «Не говорите...» — «А сейчас... Вот эти: думала, интеллигентные люди! А они хлеб режут вот такими ломтями!» — «Да, да, да... А я...» — «Я мамочке, покойнице, всегда только «вы» говорила. Вы, мамочка... Уважение было. А это что же: ладно — я, чужой человек, но к родителям, к родителям своим — ну никакого... А за столом лезут вот так! вот так! и руками, руками!»

Господи! Долго ли нам еще терпеть друг друга?

А потом скверик закрывают на просушку. И мы просто ходим по улицам. И вот однажды вдруг какая-то худая высокая девочка — белый такой комар — с криком бросается на шею к Марьиванне, и плачет, и гладит ее трясущееся красное лицо!

— Нянечка моя! Это нянечка моя!

И — смотрите — эта туша, залившись слезами и задыхаясь, тоже обхватила эту девочку, и они — чужие! — вот тут, прямо у меня на глазах, обе кричат и рыдают от своей дурацкой любви!

— Это нянечка моя!

Эй, девочка, ты что? Протри глаза! Это же Марьиванна! Вон же, вон у нее бородавка! Это наша, наша Марьиванна, наше посмешище: глупая, старая, толстая, нелепая!

Но разве любовь об этом знает?

...Проходи, проходи, девочка! Нечего тут!.. Распустила

нюни... Я тащусь, озлобленная и усталая. Я гораздо лучше той девочки! А меня-то Марьиванна так не любит. Мир несправедлив. Мир устроен навыворот! Я ничего не понимаю! Я хочу домой! А Марьиванна просветленно смотрит, цепко держит меня за руку и пыхтит себе дальше, вперед.

— У меня но-ожки устали!

— Сейчас кружочек обойдем и домой... Сейчас, сейчас...

Незнакомые места. Вечереет. Светлый воздух весь ушел вверх и повис над домами; темный — вышел и встал в подворотнях, в подъездах, в провалах улиц. Час тоски для взрослых, тоски и страха для детей. Я одна на всем свете, меня потеряла мама, сейчас, сейчас мы заблудимсяаааааа! Меня охватывает паника, и я крепко вцепляюсь в холодную руку Марьиванны.

— Вот в этом подъезде я живу. Во-он там мое окно — второе от угла.

Под каждым окном нахмурили брови, разинули рты — съедят! — головы без туловища. Головы страшные, и сырая тьма подъезда — жуткая, и Марьиванна — не родная. Высоко, в окне, приплюснув нос к темному стеклу, брезжит повешенный дядя, водит по стеклу руками, всматривается. Сгинь, дядя!!! Выползешь ночью из Карповки злым чеченом, оскалишься под луной — а глаза закатились, — быстро-быстро побежишь на четвереньках через булыжную мостовую, через двор в парадную, в тяжелую глухую тьму, голыми руками по ледяным ступеням, по квадратной лестничной спирали, выше, выше, к нашей двери...

Скорей, скорей домой! К нянечке! О нянечка Груша! Дорогая! Скорее к тебе! Я забыла твое лицо! Прижмусь к темному подолу, и пусть твои теплые старенькие руки отогреют мое замерзшее, заблудившееся, запутавшееся сердце!

Нянечка размотает мой шарф, отстегнет впившуюся пуговку, уведет в пещерное тепло детской, где красный ночник, где мягкие горы кроватей, и закапают горькие детские слезы в голубую тарелку с зазнавшейся гречневой кашей, которая сама себя хвалит. И, видя это, нянечка заплачет и сама, и подсядет, и обнимет, и не спросит, и поймет сердцем, как понимает зверь — зверя, старик — дитя, бессловесная тварь — своего собрата.

Господи, как страшен и враждебен мир, как сжалась посреди площади на ночном ветру бесприютная, неумелая душа! Кто же был так жесток, что вложил в меня любовь и ненависть, страх и тоску, жалость и стыд — а слов не дал: украл речь, запечатал рот, наложил железные засовы, выбросил ключи!

Марьиванна, напившись чаю, повеселевшая, заходит в детскую сказать спокойной ночи. Отчего это ребенок так плачет? Ну-ну-ну. Что случилось? Порезалась?.. Живот болит?.. Наказали?..

(Нет, нет, не то, не то! Молчи, не понимаешь! Просто в голубой тарелке, на дне, гуси-лебеди вот-вот схватят бегущих детей, а ручки у девочки облупились, и ей нечем прикрыть голову, нечем удержать братика!)

— Ну-ка, вытри слезы, стыдно, такая большая! Доедай-ка все до конца! А я тебе стихи почитаю!

Толкнув под локоть Марьиванну, приподняв цилиндр, прищурившись, вперед выходит дядя Жорж:

> Не белые тюльпаны
> В венчальных кружевах —
> То пена океана
> На дальних островах.
>
> Поскрипывают снасти
> Над старою кормой.
> Неслыханное счастье
> За пенною каймой.
>
> Не черные тюльпаны —
> То женщины в ночи.
> Полуденные страны
> И в полночь горячи!

Выкатывайте бочку!
Туземки хороши!
Мы ждали эту ночку —
Гуляйте от души!

Не алые тюльпаны
Расплылись на груди —
В камзоле капитана
Три дырки впереди;

Веселые матросы
Оскалились на дне...
Красивы были косы
У женщин в той стране.

«Страсти какие ребенку на ночь...» — ворчит няня.

Дядя поклонился и исчез. Марьиванна закрывает за собой дверь: до завтра, до завтра!

Уйдите все, оставьте меня, вы ничего не понимаете!

В груди вертится колючий шар, и невысказанные слова пузырятся на губах, размазываются слезами. Кивает красный ночник. Да у нее жар! — кричит кто-то из далекого далека, но ему не перекричать шума крыльев — гуси-лебеди обрушились с грохочущего неба!

...Дверь на кухню закрыта. Солнце пробивается сквозь матовое стекло. Полдень облил золотом паркет. Тишина. За дверью Марьиванна, плача, жалуется на нас:

— Больше так не могу! Что ж это — день изо дня все хуже... Все поперек, все назло... Я трудную жизнь прожила, все по чужим людям, всякое, конечно, отношение было... Нет, условия — я не говорю, условия хорошие, но в моем возрасте... и здоровье... откуда такой дух противоречия, и враждебность... хотела немножко поэзии, возвышенного... Бесполезно... больше не выдерживаю...

Она от нас уходит!

Марьиванна уходит от нас. Марьиванна сморкается в крошечный платочек. Пудрит красный нос, глубоко вглядывается в зеркало, медлит, будто что-то ищет в его недоступной, запечатанной вселенной. И правда, там, в сумрачных глубинах, шевелятся забытые занавеси, колеблется пламя свечи, выходит бледный дядя в черном, с листком в руках:

Принцесса-роза жить устала
И на закате опочила.
Вином из смертного фиала
Печально губы омочила.

И принц застыл как изваяние
В глухом бессилье властелина,
И свита шепчет с состраданием,
Как опочившая невинна.

Порфироносные родители
Через герольдов известили,
Чтоб опечаленные жители
На башнях флаги опустили.

Я в похоронную процессию
Вливаюсь траурною скрипкою,
Нарциссы в гроб кладу принцессе я
С меланхолической улыбкою.

И, притворяясь опечаленным,
Глаза потуплю, чтоб не выдали:
Какое ждет меня венчание!
Такого вы еще не видели.

Смертной белой кисеей затягивают люстры, черной — зеркала. Марьиванна опускает густую вуальку на лицо, дрожащими руками собирает развалины сумочки, поворачивается и уходит, шаркая разбитыми туфлями, за порог, за предел, навсегда из нашей жизни.

Весна еще слаба, но снег сошел, только в каменных углах лежат последние черные корки. А на солнышке уже тепло.

Прощай, Марьиванна!

У нас впереди лето.

СВИДАНИЕ С ПТИЦЕЙ

— Мальчики, домо-ой! Ужинать!

Мальчики, по локоть в песке, подняли головы, очнулись: мама стоит на деревянном крылечке, машет рукой: сюда, сюда давайте! Из двери пахнет теплом, светом, домашним вечером.

Действительно, уже темно. Сырой песок холодит коленки. Песочные башни, рвы, ходы в подземелья — все слилось в глухое, неразличимое, без очертаний. Где дорожка, где влажные крапивные заросли, дождевая бочка — не разобрать. Но на западе еще смутно белеет. И низко над садом, колыхнув вершины темных древесных холмов, проносится судорожный, печальный вздох: это умер день.

Петя быстро нашел на ощупь тяжелые металлические машинки — краны, грузовички; мама притопывала ногой от нетерпения, держась за ручку двери, а маленький Ленечка еще покапризничал, но и его подхватили, затащили, умыли, вытерли крепким вафельным полотенцем вырывающееся лицо.

Мир и покой в кругу света на белой скатерти. На блюдечках — веер сыра, веер докторской колбасы, колесики лимона — будто разломали маленький желтый велосипед; рубиновые огни бродят в варенье.

Перед Петей поставили огромную тарелку с рисовой кашей; тающий остров масла плавает в липком Саргассовом море. Уходи под воду, масляная Атлантида. Никто не спасется. Белые дворцы с изумрудными чешуйчатыми крышами, ступенчатые храмы с высокими дверными проемами, прикрытыми струящимися занавесами из павлиньих перьев, золотые огромные статуи, мраморные лестницы, уходящие ступенями глубоко в море, острые серебряные обелиски с надписями на неизвестном языке — все, все уйдет под воду. Прозрачные зеленые океанские волны уже лижут уступы храмов; мечутся смуглые обезумевшие люди, плачут дети... Грабители тащат драгоценные, из душистого дерева, сундуки, роняют; развевается ворох летучих одежд... ничего не пригодится, ничего не понадобится, никто не спасется, все скользнет, накренившись, в теплые прозрачные волны... Раскачивается золотая, восьмиэтажная статуя верховного бога с третьим глазом во лбу, с тоской смотрит на восток...

— Прекрати баловство с едой!

Петя вздрогнул, размешал масло. Дядя Боря, мамин брат, — мы его не любим — смотрит недовольно; борода черная, в белых зубах папироса; курит, придвинувшись к двери, приоткрыв щель в коридор. Вечно он пристает, дергает, насмехается — что ему надо?

— Давайте, пацаны, быстро в постель. Леонид сейчас заснет.

В самом деле, Ленечка опустил носик в кашу, медленно возит ложкой в клейкой гуще. Ну а Петя-то совершенно не собирается спать. Если дяде Боре хочется свободно курить, пусть идет на крыльцо. И пусть не лезет в душу.

Съев погибшую Атлантиду, дочиста выскребя ложкой океан, Петя сунул губы в чашку с чаем — поплыли масляные пятна. Мама унесла заснувшего Ленечку, дядя Боря сел поудобнее, курит открыто. Дым от него идет противный, тяжелый. Тамила — та всегда курит что-то душистое. Дядя Боря прочел Петины мысли, полез выпытывать:

— Опять ходил к своей сомнительной приятельнице?

Да, опять. Тамила — не сомнительная, она заколдованная красавица с волшебным именем, она жила на стеклянной голубой горе с неприступными стенами, на такой высоте, откуда виден весь мир, до четырех столбов с надписями: «Юг», «Восток», «Север», «Запад». Но ее украл красный дракон, полетал с ней по белу свету и завез сюда, в дачный поселок. И теперь она живет в самом дальнем доме, в огромной комнате с верандой, заставленной кадками с вьющимися китайскими розами, заваленной старыми книжками, коробками, шкатулками и подсвечниками, курит тонкие сигаретки из длинного мундштука, звенящего медными колечками, пьет что-то из маленьких рюмочек, качается в кресле и смеется, будто плачет. А на память о драконе носит Тамила черный блестящий халат с широченными рукавами, и на спине — красный злобный дракон. А черные спутанные волосы висят у нее прямо до ручки кресла. Когда Петя вырастет, он женится на Тамиле, а дядю Борю заточит в башню. Но потом, может быть, пожалеет и выпустит.

Дядя Боря опять прочел Петины мысли, захохотал и запел — ни для кого, но обидно:

> А-а-ана была портнихой
> И шила гладью.
> Па-а-атом пошла на сцену
> И стала — актрисой!
> Тарьям-пам-пам!
> Тарьям-пам-пам!

Нет, нельзя его выпускать из башни. Мама вернулась к столу.

— Деда кормили? — Дядя Боря цыкал зубом как ни в чем не бывало.

Петин дедушка лежал больной в задней комнате, часто дышал, смотрел в низкое окно, тосковал.

— Не хочет он, — сказала мама.

— Не жилец, — цыкнул дядя Боря. И опять засвистел тот же гнусный мотивчик: тарьям-пам-пам!

Петя сказал «спасибо», ощупал в кармане спичечный коробок с сокровищем и пошел в кровать — жалеть дедушку и думать о своей жизни. Никто не смеет плохо говорить про Тамилу. Никто ничего не понимает.

...Петя играл в мяч у дальней дачи, спускающейся к озеру. Жасмин и сирень разрослись так густо, что и калитку не найдешь. Мяч перелетел через кусты и пропал в чужом саду. Петя перелез через забор, пробрался — открылась цветочная лужайка с солнечными часами посредине, просторная веранда, — и там он увидел Тамилу. Она раскачивалась на черном кресле-качалке, в ярко-черном халате, нога на ногу, наливала себе из черной бутылки, и веки у нее были черные и тяжелые, а рот красный.

— Привет! — крикнула Тамила и засмеялась, будто заплакала. — А я тебя жду!

Мячик лежал у ее ног, у расшитых цветами тапочек. Она качалась взад-вперед, взад-вперед, и синий дымок поднимался из ее позванивающего мундштука, а на халате был пепел.

— Я тебя жду, — подтвердила Тамила. — Ты меня можешь расколдовать? Нет?.. Что ж ты... А я-то думала. Ну, забирай свой мячик.

Пете хотелось стоять, и смотреть на нее, и слушать, что она еще скажет.

— А что вы пьете? — спросил он.

— Панацею, — сказала Тамила и выпила еще. — Лекарство от всех зол и страданий, земных и небесных, от вечернего сомнения, от ночного врага. А ты лимоны любишь?

Петя подумал и сказал: люблю.

— Ты, когда лимоны будешь есть, косточки для меня

собирай, ладно? Если сто тысяч лимонных косточек собрать и бусы нанизать, можно полететь, даже выше деревьев, знаешь? Хочешь, вместе полетим, я одно место покажу, там клад зарыт, только вот слово забыла, каким клад открывается. Может быть, вместе подумаем.

Петя не знал, верить или не верить, но хотелось смотреть и смотреть на нее, как она говорит, как качается в диковинном кресле, как звенят медные колечки. Она его не поддразнивала, не заглядывала в глаза, проверяя: ну как? интересно я рассказываю, а? нравится? Просто качалась и звенела, черная и длинная, и советовалась с Петей, и он понял: это будет его подруга на веки веков.

Он подошел поближе, посмотреть на удивительные кольца, блестевшие на ее руке. Трижды обвила палец змея с синим глазом, а рядом распласталась мятая серебряная жаба. Змею Тамила сняла и дала посмотреть, а жабу снять не позволила:

— Что ты, что ты, эту снимешь — конец мне. Рассыплюсь черным порошком, разнесет ветром. Она меня бережет. Мне ведь семь тысяч лет, а ты как думал?

Это правда, ей семь тысяч лет, но пусть живет еще, пусть не снимает кольца! Сколько же она всего видела! Она и гибель Атлантиды видела — пролетала над гибнущим миром в бусах из лимонных косточек. Ее и на костре хотели сжечь, за колдовство, уже потащили, а она вырвалась — и под облака: бусы-то на что? А вот дракон украл ее, унес со стеклянной горы, из стеклянного дворца, а бусы там так и остались — висят на зеркале.

— А ты хочешь на мне жениться?

Петя покраснел и сказал: хочу.

— Договорились. Только не подведи! А наш союз мы скрепим честным словом и шоколадными конфетами.

И дала целую вазу конфет. Она только их и ела. И пила из черной бутылки.

— Хочешь книжки посмотреть? Вон там свалены.

Петя пошел к пыльной куче, раскрыл наугад. Открылась цветная картинка: вроде бы лист из книги, но буквы не прочесть, а наверху, в углу, большая цветная буква, вся заплетенная плоской лентой, травами и колокольчиками, и над ней птица — не птица, женщина — не женщина.

— Это что? — спросил Петя.

— Кто их знает. Это не мои, — раскачивалась звенящая Тамила, пуская дым.

— А почему птица такая?

— Покажи. Ах, птица-то. Это птица Сирин, птица смерти. Ты ее бойся: задушит. Слышал вечером, как в лесу кто-то жалуется, кукует? Это она и есть. Это птица ночная. А есть птица Финист. Она часто ко мне летала, а потом я с ней поссорилась. А то есть еще птица Алконост. Та утром встает, на заре, вся розовая, прозрачная, насквозь светится, с искорками. Она гнездо вьет на водяных лилиях. Несет одно яйцо, очень редкое. Ты знаешь, зачем люди лилии рвут? Они яйцо ищут. Кто найдет, на всю жизнь затоскует. А все равно ищут, все равно хочется. Да у меня оно есть — подарить?

Тамила качнулась на черном гнутом кресле, пошла куда-то в глубь дома. Бисерная подушечка свалилась с сиденья. Петя подобрал — она была прохладная. Тамила вернулась — на ладони каталось, позвякивая об изнанку колец, маленькое, стеклянное какое-то, розовое волшебное яичко, туго набитое золотыми искрами.

— Не боишься? Держи! Ну, приходи в гости. — Она засмеялась и упала в гнутое кресло, закачала сладкий, душистый воздух.

Петя не знал, как это — затосковать на всю жизнь, и яичко взял.

Точно, он на ней женится. Раньше он собирался жениться на маме, но раз уж он обещал Тамиле... Маму он тоже с собой обязательно возьмет; можно, в конце концов, и Леночку... а дядю Борю — ни за что. Маму он очень, очень любит, но таких странных, чудесных историй, как у Тамилы, от нее никогда не услышишь. Поешь да умойся — вот и весь разговор. И что купили — луку или там рыбу.

А про птицу Алконост она слыхом не слыхала. И лучше не говорить. А яичко положить в спичечный коробок и никому не показывать.

Петя лежал в кровати и думал, как он будет жить с Тамилой в большой комнате с китайскими розами. Он будет сидеть на ступеньках веранды и стругать палочки для парусника, и назовет его Летучий Голландец. Тамила будет качаться в кресле, пить панацею и рассказывать. А потом они сядут на Летучий Голландец, флаг с драконом — на верхушке мачты, Тамила в черном халате на палубе, — солнце, брызги в лицо, — поедут на поиски пропавшей, соскользнувшей в зеленые зыбкие океанские толщи Атлантиды.

Он раньше жил себе — просто: стругал палочки, копался в песке, читал книжки с приключениями; лежа в кровати, слушал, как ноют, беспокоятся за окном ночные деревья, и думал, что чудеса — на далеких островах, в попугайных джунглях, или в маленькой, суживающейся книзу Южной Америке, с пластмассовыми индейцами и резиновыми крокодилами. А мир, оказывается, весь пропитан таинственным, грустным, волшебным, шумящим в ветвях, колеблющимся в темной воде. По вечерам они с мамой гуляют над озером: солнце садится за зубчатый лес, пахнет черникой, еловой смолой, высоко над землей золотятся красные шишки. Вода в озере кажется холодной, а попробуешь рукой — так даже горячая. По высокому берегу ходит большая седая дама в сливочном платье; ходит медленно, опираясь на трость, улыбается ласково, а глаза у нее темные и взгляд пустой. Много лет назад ее маленькая дочка утонула в озере, а мать ждет ее домой: пора ложиться спать, а дочки все нет и нет. Седая дама останавливается и спрашивает: «Который час?» — и, услышав ответ, качает головой: «Подумайте-ка!» А когда пойдешь назад, она опять остановится и спросит: «Который час?»

Пете жалко даму, с тех пор как он знает ее секрет. Но Тамила говорит, что маленькие девочки не тонут, просто не могут утонуть. У детей есть жабры; попадут под воду — и превращаются в рыбок, правда не сразу. Плавает девочка серебряной рыбкой, высунет головку, хочет позвать мать, а голоса-то нет...

А тут, неподалеку, есть заколоченная дача. Никто в нее не приезжает, крылечко подгнило, ставни наглухо забиты, заросли дорожки. В этой даче было совершено злодейство, и после уж никто там жить не может. Хозяева пробовали уговорить жильцов и даже большие деньги предлагали — только живите; нет, никто не едет. Одни все-таки решились, но и трех дней не прожили: огни сами гаснут, и вода в чайнике кипеть не хочет, не сохнет мокрое белье, сами по себе тупеют ножи, и дети всю ночь не могут закрыть глаза, а сидят белыми столбиками в постельках.

А вон в ту сторону — видишь?.. — ходить нельзя, там темный еловый лес, сумрак, гладко подметенные дорожки, белые поляны с цветами дурмана. Там-то, среди ветвей, и живет птица Сирин, птица смерти, большая, как тетерев. Петин больной дедушка боится птицы Сирин — сядет к нему на грудь и задушит. У нее на каждой ноге по шесть пальцев, кожистые, холодные, мускулистые, а лицо как у спящей девочки. Куу-гу! Куу-гу! — кричит вечерами птица Сирин, копошится в еловой чаще. Не пускайте ее к дедушке, закройте плотнее окна, двери, зажгите лампу, давайте читать вслух! Но дедушка боится, смотрит в тревоге в окно, дышит тяжело, перебирает одеяло руками. Куу-гу! Куу-гу! Что тебе от нас надо, птица? Не трогай нашего дедушку! Дедушка, не смотри так в окно, что ты там видишь? Это лапы елей машут в темноте, это просто ветер волнуется, не может уснуть. Дедушка, вот же мы все тут! Лампа горит, и скатерть белая, и я вырезал кораблик, а Леночка нарисовал петушка! Дедушка?!

— Идите, идите, дети, — мама гонит из дедушкиной комнаты, нахмурилась, слезы на глазах. Черные кислородные подушки лежат в углу на стуле — отгонять птицу Сирин. Всю ночь она летает над домом, царапается в окна, а под утро, найдя щелочку, забирается, тяжелая, на подоконник, на кровать, ходит пешком по одеялу — ищет дедушку. Мама хватает черную страшную подушку, кричит, машет, гонит птицу Сирин... прогнала.

Петя рассказывает Тамиле про птицу: может быть, она знает какое-нибудь снадобье, петушиное слово против птицы Сирин? Но Тамила печально качает головой: нет; было, но все осталось там, на стеклянной горе. Дала бы она дедушке охранное кольцо с жабой — да ведь сама тут же рассыплется черным порошком... И пьет из черной бутылки.

Странная она! Хочется думать про нее, про то, что она говорит, слушать, какие ей сны снятся; хочется сидеть на ступеньках ее веранды — ступеньках дома, где все можно: есть хлеб с вареньем немытыми руками, сутулиться, грызть ногти, ходить ботинками — если вздумается — прямо по клумбам, и никто не закричит, не укажет, не призовет к порядку, чистоте и здравому смыслу. Можно взять ножницы и вырезать из любой книжки понравившуюся картинку — Тамиле все равно, она и сама может вырвать картинку и вырезать, только у нее выходит криво. Можно говорить все, что в голову придет, и не бояться насмешек: Тамила грустно качает головой, понимая; а если и засмеется — как будто заплачет. Попросишь — она и в карты сыграет: в дурачка, в пьяницу, но играет она плохо, путает карты и проигрывает.

И все разумное, скучное, привычное — все остается по ту сторону заросшей цветущим кустарником ограды.

Ах, не хочется уходить! Дома надо молчать и про Тамилу (вырасту, поженимся, тогда и узнаете), и про Сирин, и про искристое яйцо птицы Алконост, владелец которого затоскует на всю жизнь...

Петя вспомнил про яйцо, достал из спичечного коробка, сунул под подушку и поплыл на Летучем Голландце по черным ночным водам.

Утром дядя Боря с опухшим лицом курил натощак на крыльце. Черная борода вызывающе торчала, глаза брезгливо прищурились. Увидев племянника, он опять засвистел вчерашнее, противное... И засмеялся. Зубы — редко видимые из-за бороды — были как у волка. Черные брови поползли вверх.

— Салют юному романтику! — бодро крикнул дядя. — Давай-ка, Петр, седлай велосипед — и в лавку! Матери нужен хлеб, а мне возьмешь две пачки «Казбека». Тебе отпу-устят, отпу-устят! Нинку я знаю, она детям до шестнадцати чего хочешь отпустит!..

Дядя Боря открыл рот и захохотал. Петя взял рубль и вывел из сарая запотевшего «Орленка». На рубле маленькими буковками — непонятные, оставшиеся от атлантов слова: бир сум. Бир сом. Бир манат. А пониже — угроза: «подделка государственных казначейских билетов преследуется по закону», — слова скучные, взрослые. Трезвое утро вымело волшебных вечерних птиц, ушла на дно рыбка-девочка, спят под толщей желтого песка золотые трехглазые статуи Атлантиды. Дядя Боря разогнал громким, оскорбительным смехом хрупкие тайны, вышвырнул сказочный сор, но только не навсегда, дядя Боря, только на время! Солнце начнет склоняться к западу, воздух пожелтеет, лягут косые лучи, и очнется, завозится таинственный мир, плеснет хвостом серебристая немая утопленница, закопошится в еловом лесу серая, тяжелая птица Сирин, и, может быть, где-то в безлюдной заводи уже спрятала в водяную лилию розовое огнистое яичко утренняя птица Алконост, чтобы кто-то затосковал о несбыточном... Бир сум, бир сом, бир манат!

Толстоносая Нинка безропотно дала «Казбек», велела передать дяде Боре привет — противный привет противному человеку, — и Петя покатил назад, звеня звоночком, подскакивая на узловатых корнях, похожих на огромные дедушкины руки. Осторожно объехал дохлую ворону — птицу кто-то раздавил колесом, глаз закрыт белой пленкой, черные свалявшиеся крылья покрыты пеплом, клюв застыл в горестной птичьей улыбке.

За завтраком мама сидела с озабоченным лицом — дедушка опять ничего не ел. Дядя Боря насвистывал, разбивая ложечкой яйцо и посматривая на детей, — к чему бы прицепиться. Ленечка пролил молоко, и дядя Боря обрадовался — вот и повод поговорить. Но Ленечка совершенно равнодушен к дядиному занудству: он еще маленький, и душа у него запечатана, как куриное яйцо: все с нее скатывается. Если он, не дай бог, свалится в воду, то не утонет, а станет рыбкой — лобастым, полосатеньким окунем. Ленечка допил и, не дослушав, побежал к песочнице: песок подсох на утреннем солнце, и башни, должно быть, осыпались. Петя вспомнил.

— Мама, а та девочка давно утонула?

— Какая девочка? — встрепенулась мама.

— Ну, ты знаешь. Дочка той старушки, которая все спрашивает: который час?

— Да у нее не было никакой дочки. Глупости какие. У нее два взрослых сына. Кто тебе сказал?

Петя промолчал. Мама посмотрела на дядю Борю, тот обрадовался и захохотал.

— Пьяные бредни нашей лохматой приятельницы! А?! Девочка, а?!

— Какой приятельницы?

— А, так... Ни рыба ни мясо.

Петя вышел на крыльцо. Дядя Боря хотел все испачкать. Хотел зажарить и схрупать волчьими зубами серебряную девочку-рыбку. Ничего у тебя не выйдет, дядя Боря!

У меня под подушкой сияет огнями яйцо утренней прозрачной птицы Алконост.

Дядя Боря распахнул окно и крикнул в росистый сад:

— Пить надо меньше!

Петя постоял у ограды, поковырял ногтем ветхое серое дерево перекладины. День только начинался.

Вечером дедушка опять ничего не ел. Петя посидел на краю смятой постели, погладил сморщенную дедушкину руку. Дедушка, повернув голову, смотрел в окно. Там поднялся ветер, закачались верхушки деревьев, мама сняла сушившееся белье — оно захлопало, как белые паруса Летучего Голландца. Зазвенело стекло. Темный сад вздымался и опадал, как океан. Ветер согнал с ветвей птицу Сирин, и она, взмахивая отсыревшими крыльями, прилетела к дому и принюхивалась, поводя треугольным личиком с закрытыми глазами: нет ли щели? Мама отослала Петю и легла спать в дедушкиной комнате.

Ночью была гроза. Бушевали деревья. Ленечка просыпался и плакал. Утро пришло серое, грустное, ветреное. Дождем прибило Сирин к земле, и дедушка сел в постели, и его поили бульоном. Петя поболтался на пороге, порадовался дедушке, посмотрел в окно — как поникли под дождем цветы, как сразу запахло осенью. Затопили печку; прикрывшись капюшонами, носили из сарая дрова. На улице делать нечего. Ленечка сел рисовать карандашами, дядя Боря ходил, заложив руки за спину, и насвистывал.

День прошел скучно: ждали обеда, потом ждали ужина. Дедушка съел крутое яйцо. Ночью опять пошел дождь.

Ночью Петя бродил по подземным переходам, по лестницам, по коридорам метро, не мог найти выхода, пересаживался с поезда на поезд: поезда неслись по отвесным лестницам, двери — нараспашку; проезжали по чужим комнатам, заставленным мебелью; Пете непременно нужно было выйти, выбраться наружу, там, наверху, Ленечке и дедушке грозила опасность: забыли закрыть дверь, она так и стояла, разинутая, а птица Сирин пешком поднималась по скрипучим ступенькам, закрыв глаза; Пете мешал школьный портфель, но он тоже был очень нужен. Как выйти? Где здесь выход? Как выбраться наверх? «Нужен билет». Конечно, чтобы выйти, нужен билет! Вон касса. Дайте билет! Казначейский? Да, да, пожалуйста, казначейский! «Подделка казначейских билетов преследуется по закону». Вон они, билеты: длинные, черные листы бумаги. Погодите, в них же дырки! Это преследуется по закону! Дайте другие! Я не хочу! Портфель раскрывается, из него вываливаются длинные черные билеты, все в дырках. Собрать, скорее, скорее, меня преследуют, сейчас поймают! Они расползаются по полу, Петя собирает, запихивает как попало; толпа раздается, кого-то ведут... Не уйти с дороги, сколько билетов, о, вот оно, страшное: под руки ведут огромное, ревущее как сирена, задравшее вверх багровую, распухшую морду, это ни-рыба-ни-мясо, это конец!!!

Петя вскочил с бьющимся сердцем; еще не рассвело. Леночка мирно спит. Добрался босиком до дедушкиной комнаты, толкнул дверь — тишина. Горит ночник. В углу чернеют кислородные подушки. Дедушка лежит с открытыми глазами, руки стиснули одеяло. Подошел, холодея и догадываясь, тронул дедушкину руку, отпрянул. Мама!

Нет. Мама закричит, испугается. Может быть, еще можно исправить. Может быть, Тамила?

Петя бросился к выходу — дверь была распахнута. Сунул голые ноги в резиновые сапоги, на голову — капюшон, загрохотал по ступенькам. Дождь кончился, но с деревьев капало. Небо серело. Добежал разъезжающимися по глине, подгибающимися ногами. Толкнул дверь веранды. Тяжело пахнуло холодным, застоявшимся пеплом. Петя задел на ходу какой-то столик: зазвенело и покатилось. Нагнулся, ощупью нашарил и помертвел: кольцо с серебряной жабой, охранное Тамилино кольцо, валялось на полу. В комнате завозились, Петя распахнул дверь. На кровати в полутьме силуэты двоих: Тамилины черные спутанные волосы разбросаны по подушке, черный халат на табуретке; повернулась и замычала. Дядя Боря вскочил в постели, борода вверх, волосы всклокочены. Набрасывая одеяло на Тамилину ногу, прикрывая свои, быстро завозился, закричал, вглядываясь в темноту:

— А?! Кто, что?! Это кто?! А?!

Петя заплакал, крикнул, дрожа в страшной тоске:

— Дедушка умер! Дедушка умер! Де-ду-шка умер!!!

Дядя Боря отбросил одеяло, выплюнул ужасные, извивающиеся, нечеловеческие слова; Петя затрясся в рыдании, ослеп, выбежал, — ботами по мокрым клумбам; душа сварилась как яичный белок, клочьями повисала на несущихся навстречу деревьях; кислое горе бурлило во рту; добежал до озера, бросился под мокрое, сочащееся дождем дерево; визжа, колотя ногами, тряся головой, выгонял из себя страшные дяди-Борины слова, страшные дяди-Борины ноги.

Привык, затих, полежал. Сверху капали капли. Мертвое озеро, мертвый лес; птицы свалились с деревьев и лежат кверху лапами; мертвый, пустой мир пропитан серой, глухой, сочащейся тоской. Все — ложь.

Он почувствовал в кулаке твердое и разжал руку. Распластанная серебряная охранная жаба выпучила глаза.

Спичечный коробок, мерцающий вечной тоской, лежал в кармане.

Птица Сирин задушила дедушку.

Никто не уберегся от судьбы. Все — правда, мальчик. Все так и есть.

Он еще полежал, вытер лицо и побрел к дому.

ЖЕНСКИЙ ДЕНЬ

У нас дома Восьмое марта презирали: считали государственным праздником. Государственное — значит принудительно-фальшивое, с дудением в духовые инструменты, хождением строем, массовым заполнением карточек, называемых поздравительными открытками. «Желаем успехов в труде!..» Государственное — это когда на тебя кричат, унижают, тыкают в тебя пальцем: стой прямо и не переминайся с ноги на ногу! Это когда все теплое, домашнее, хорошее и уютное вытащено спросонья на мороз, осмеяно, подвергнуто оскорблениям. Государственное — это школа, первая примерка тюрьмы. В школе учат дурному и противоречивому. Говорят: «Сам погибай, а товарища выручай» — и тут же велят доносить. Говорят: «Надо помогать другу», а списывать запрещают. И на уроках пения поют и поют про каких-то мертвых орлят, пионеров, партизан, солдат, якобы храбрых мальчишек, заползающих в тыл непроясненному врагу, чтобы там навредить, а так как известно, что мальчишки всегда вредят, что с них взять, — то и поешь с отвращением, по государственной, холодной обязанности.

Черная школьная зима, вонь чернильниц-непроливаек, неприличное слово, вырезанное на парте, полы, вощенные красной мастикой, кабинет завуча, мимо которого проходишь, холодея: а вдруг выскочит и завопит, тучная, тряся багровыми щеками, полуседыми волосами, заплетенными в косицы «корзиночкой», — ужас — все это государство.

Стены у него коричневые, тоскливые, и одежду тоже нужно носить коричневую, чтобы не отличаться от стен. В волосы — у кого коса — надо заплетать черные или коричневые ленты, а по праздникам — белые. Праздники у них — это когда на каждом этаже музыка и пение из громкоговорителей: «Мечтать! Надо мечтать!» — поет ангельский хор провокаторов, а в классе Валентина Тимофеевна орет, стуча по столу костяшками пальцев: «Я не о том спрашивала!.. Слушать надо!.. Размечталась тут!..» Праздники — это когда государственные цветы гладиолусы засовывают в кефирные бутылки и густо уставляют ими подножие ниши, где, укрытый от воздушной волны, создаваемой пробегающим табуном хулиганов, стоит и слепо блестит масляной краской белый Ильич. На праздники уроков меньше, но домой не отпустят: надо идти в актовый зал, где будет представление. И хорошо еще, если позволят просто сидеть на деревянных откидных стульях, прищемляющих то пальцы, то платье, — а ну как заставят выступать? И тут они обязательно унизят и отомстят. Отомстят за то, что я умею быстро читать и не хочу читать медленно, по слогам, не хочу притворяться, что справляюсь с трудным текстом: «*Тут кот. А там?*» На «празднике азбуки» они заставят меня изображать букву Р — которую я не произношу. «Роет землю черный крот, Удобряет огород». И все будут надо мной смеяться. И толстая тетка, завуч, — не человек, а слипшиеся комья, — всегда одетая в один и тот же приличный синий чехол, тоже разинет из первого ряда свой отремонтированный, подбитый сталью рот: ха-ха-ха.

На переменах мы должны ходить парами, взявшись за

руки, по кругу. Я бы хотела ходить за руку со смуглым мальчиком Даниловым или, на худой конец, с девочкой с чудным именем Роза и с маленькими синими сережками в ушах. Но выбирать не приходится: меня спаривают с Володей, я должна держать его потную лапку, усыпанную бородавками. Мне семь лет, я страдаю. Что-то — не знаю что — оскорблено и бунтует во мне. Я не хочу. Государство (хотя я и не знаю этого слова) давит на меня фикусами в оконных проемах, картинами в золоченых рамах, отключенными от стены («Охотники на привале», «Богатыри на перепутье» — скопище мутных уродов, но и этих слов я не знаю). Ноги медлят и вязнут в красной, густой, государственной мастике. Свет тусклый. Володины бородавки, как сухой горох, впиваются в мою испуганную ладонь. Вдруг с криком, шумом, синим всплеском кто-то большой накатывается на меня потной волной, хватает, отрывает от карликового, мелковеснущатого Володи, тащит, волочит, выкрикивает, — швыряет меня на «середину», выталкивает в особый, позорный ряд посреди зала, где стоят отпетые: двоечники, убийцы, плюющиеся через трубочку жеваной бумагой, террористы, забывшие дома тетрадь, враги рода человеческого, неподшившие воротничок. Меня! Меня!.. Меня?!

Их уже двое, потом трое; они кричат, они воздевают огромные руки, они вращают глазами, огромными как мельничные колеса, секунда — и они растерзают меня в клочья. Женщины, фурии, учительницы. Что, что, почему? что не так?.. Сквозь клокотанье разбираю обвинение и приговор: там, сзади, на моей спине, где мне не видно, у меня в косе красная лента: мама заплела мне красную ленту вместо черной, моя мама — преступница, я — тоже, мы с мамой сокрушили основы, потрясли столпы, задумали свергнуть, подрыли, насмеялись, презрели. Ошеломленная, стою в позорном ряду с убийцами и растлителями: маленькими, испуганными, круглоглазыми от стыда и страха, но презрительно усмехающимися семилетними преступниками; приравненная к ним, низведенная до, стертая в пыль, чудовище в коричневом платьице и отглаженном фартучке. Красная позорная лента — развратная лента, женская лента — невидимо горит у меня на спине кленовым листом, бубновым тузом, огненной отметиной. Красные от крика лица склонились надо мной, рты разинуты, — сквозь лебеду десятилетий не слышу, не помню, не понимаю слов.

...Когда приходит весна, они собирают по три копейки и покупают открытки, а потом раздают их нам, раскладывая на парты: каждому по глянцевой карточке. На одной стороне карточки — восьмерка, петля, лента Мёбиуса, совершенно такая же, какую показывал папа, склеив из бумаги: смотри, вот полоска, так? а вот я ее поворачиваю, так? и соединяю концы... а теперь скажи, где наружная сторона и где внутренняя? Я не понимаю где; голова идет кругом. Я держу бумажную петлю в руках и пробую ее пальцем. Я беру карандаш и провожу по полоске линию: бесполезно, все равно ничего не понять, у всех вещей на свете есть наружная и внутренняя сторона, а у этой — одна, только одна, всегда одна, это какой-то обман, это неправда, так не бывает!

У государственной открытки — две простых стороны: на одной красная лента восьмерки, запрещенная, женская, преступная лента, змея, кусающая саму себя за хвост; под ней веточка мимозы — цыганского, не существующего в природе растения, — оно появляется раз в году, весенними вечерами, оно светит желтыми шариками в питерском сыром мраке, его приносят домой, и оно сейчас же умирает, не выдержав насилия.

На другой стороне картонки — белая, разлинованная поверхность, и на ней, под диктовку краснолицых, толстых надсмотрщиков, пристукивающих костяшками пальцев по столу, мы покорно пишем: «Дорогая мама! Желаю тебе счастья в личной жизни... успехов в труде... мирного неба над головой».

Крупным, как тыквенные семечки, семилетним почерком я вывожу на меловой бумаге государственные, пустые слова. Чужие слова, потому что своих у меня еще нет. Ладони мои покрыты бородавками — бородавки заразны и перебегают от школьника к школьнику, — скоро весь класс, весь «коллектив», все «дружные ребята» покроются ими, потому что все должны быть как один, потому что так говорит огромная женщина с костяшками, и женщина в синем чехле, со стальными зубами, и слепой Ильич, задыхающийся от гладиолусов, — все, все должны быть как один. На спине моей — черный бант в косе; — наверно, черный, должен быть черный, как государственная ночь, но я дергаюсь и проверяю испуганно: точно ли? Не цветет ли там, сзади, между лопаток, беззаконие и беззащитность? Не принесла ли я с собой в эту коричневую, глухую тюрьму милую домашнюю метку, милый домашний цветок на поругание и осмеяние? — но и этих слов у меня еще нет, как нет никаких слов, чтобы крикнуть — кому? — об унижении и поругании — каком? чего? — откуда я знаю!

Я подписываюсь: «Твоя дочь Таня». Я думаю без слов, я представляю, как я понесу эту страшную, государственную карточку, эту заразную бородавку в дом, маме, ни о чем не подозревающей маме, как я принесу ей эти неправильные, лживые слова, — без запаха, без поцелуя, без чувства, без невысказанной нежности, без тех снов с сердцебиением, когда она выпускает мою руку и растворяется в толпе — а я беззвучно кричу ей вслед, — я принесу и поднесу ей эту страшную, бородавчатую, мертвую карточку, и она испуганно уставится на красную восьмерку со стальными государственными зубами... я заражу дом, и мертвая мимоза бородавками расползется по маминым рукам.

...Я иду домой, проходными дворами, мимо почерневших и осевших сугробов, и по Кировскому проспекту, освещенному негаснущей, весенней, желтой зарей, и через мостик, и мимо цыганок, темными тенями стоящих на перекрестках, в сгущающихся сумерках; я не вижу, что они делают, не вижу, что у них в руках, — только запах — райский, желтый, южный — веет мне вслед; мамин запах, мой запах, ничей, свободный, женский, весенний, вечный, невыразимый, без слов.

Я подхожу к дому, высящемуся надо мной серой громадой: окна уже зажглись, хлопья вечерней музыки валятся из форточек, небо охвачено желтым пожаром, смутное чувство томит, и я не знаю, что с ним делать. Я не знаю, что делать с собой, и кто я, и что мне надо думать, и какие бывают слова, и за что наказывают человека, и что ему можно, и что ему нельзя.

В моем ранце — мертвая карточка, чумной билет; мне велели передать его дальше, но почему-то я не хочу, но надо, но я не хочу, но они ждут, но я не хочу. Стая женщин с криком и стуком навалились на меня, стучат в моем мозгу, давят и пихают: передай, передай, пусть она тоже... как мы... И ты тоже... и все... и каждый... никто не уйдет... Желтое небо на влажном западе изнутри наливается тьмой, сгущается, створаживается, горит, не угасая. Что я должна думать? Что? Я сажусь на твердую скамейку — холод через рейтузы, маленькие боты в почерневшем снегу, ранец комком у ног. Я опускаю голову к коленям, я быстро и коротко плачу, а потом подбираю ранец, подбираю себя, прерывисто вздыхаю, вытираю варежкой лицо и, решившись, шагаю в кошачью тьму парадной.

НОЧЬ

Утром Мамочка Алексея Петровича громко-громко зевает: ура, вперед, новое утро прыщет в окно; кактусы блещут, трепещет занавеска; захлопнулись ворота ночного царства; драконы, грибы и страшные карлики снова провалились под землю, жизнь торжествует, герольды трубят: новый день! новый день! ту-ру-ру-ру-у-у-у!

Мамочка быстро-быстро чешет руками лысеющую голову, скидывает синеватые ноги с высокого спального постамента — пусть повисят, подумают: каково им весь день таскать сто тридцать пять килограммов, накопленных Мамочкой за восемьдесят лет?

Алексей Петрович раскрыл глазки; тихо стекает с тела сон; забывается, улетает во мрак последний ворон; ночные гости, собрав свой призрачный, двусмысленный реквизит, прервали пьесу до следующего раза. Сквознячок сладко овевает лысину Алексея Петровича, отросшая щетина покалывает ладошку. Не пора ли вставать? Мамочка распорядится. Мамочка такая громкая, большая, просторная, а Алексей Петрович маленький. Мамочка знает, может, всюду пройдет. Мамочка всевластна. Как она скажет, так и будет. А он — поздний ребенок, маленький комочек, оплошность природы, обсевок, обмылок, плевел, шелуха, предназначавшаяся к сожжению и случайно затесавшаяся среди своих здоровых собратьев, когда Сеятель щедро разбрасывал по земле полнокровные зерна жизни. Уже можно встать или рано? Не пищи. Мамочка совершает утренний обряд: трубит в носовой платок, натягивает на колонны ног цепляющиеся чулки, закрепляет их под распухшими коленями колечками белых резинок. На чудовищную грудь водружает полотняный каркас о пятнадцати пуговках; застегивать их сзади, наверно, неудобно. В Мамочкином зените утвердится седой шиньончик; из чистого ночного стакана порхнут, отряхиваясь, освеженные зубы. Мамочкин фасад укроется под белой, с каннелюрами, манишкой, и, скрывая спинные тесемки, изнанки, тылы, служебные лестницы, запасные выходы, все величественное здание накроет плотный синий кожух. Дворец воздвигнут.

Все хорошо, что ты делаешь, Мамочка. Все правильно.

В квартире уже проснулись, закопошились, заговорили все Мужчины и Женщины. Хлопают дверьми, бурлят водой, дребезжат за стеной. Утренний корабль сошел со стапелей, разрезает голубую воду, паруса наполняются ветром, нарядные путешественники, смеясь, переговариваются на палубе. Какие земли впереди? Мамочка — у руля, Мамочка — на капитанском мостике, Мамочка на верхушке мачты вглядывается в сияющую рябь.

— Алексей, вставай! Бриться, чистить зубы, вымыть уши! Чистое полотенце возьми. Крышечку у пасты завинчивай! Воду спусти, не забудь. И ни к чему там не прикасайся, слышишь?

Хорошо, хорошо, Мамочка. Вот как ты все правильно говоришь. Как все сразу понятно, как распахнулись горизонты, как надежно плавание с опытным лоцманом! Развернуты цветные старинные карты, маршрут прочерчен красным пунктиром, все опасности обозначены яркими, понятными картинками: вот тут грозный лев, а на этом берегу — носорог; здесь кит выпускает игрушечный фонтанчик, а вон там — опаснейшая, глазастая, хвостатая Морская Девушка, скользкая, зловредная и заманчивая.

Сейчас Алексей Петрович умоется, приведет себя в порядок; Мамочка сходит проверить, не напачкал ли там, а то опять соседи заругают; а потом и кушинькать! Что там сегодня Мамочка приготовила? В ванную надо пробираться через кухню. Старухи ворчат у горячих плит, варят яд в ковшиках, подкладывают корни страшных трав, плохими взглядами провожают Алексея Петровича. Мамочка! пусть они меня не обижают.

Немножко набрызгал на пол. Ой.

В коридоре уже толпа: Мужчины и Женщины уходят, шумят, проверяют ключи, кошельки.

Угловая дверь с матовыми стеклами распахнута; на пороге стоит наглая Морская Девушка, ухмыляется, подмигивает Алексею Петровичу; вся набекрень; пыхает Табаком, высунула Ногу, расставила сети: не хочешь ли попасться, а? Но Мамочка спасет, она уже несется локомотивом, стучит красными колесами, гудит: прочь с дороги!

— Бесстыжая морда! Уйди, говорю! Мало тебе... еще к больному человеку!..

— Га-га-га! — не боится Морская Девушка.

Шмыг — в комнату. Спасся. Фу-у-ух. Женщины — очень страшно. Зачем они — неясно, но очень беспокойно. Мимо идут — пахнут так... и у них — Ноги. На улице их очень много, и в каждом доме, и в том, и в том, и в этом, за каждой дверью, притаились, что-то делают, нагибаются, копаются, хихикают в кулак; знают, да не скажут Алексею Петровичу. Вот он сядет за стол и будет думать про Женщин. Однажды Мамочка взяла его с собой за город, на пляж; там их много было. Была там одна такая... волнистая такая фея... как собачка... понравилась Алексею Петровичу. Он близко подошел и стал смотреть.

«Ну, чего не видел? — крикнула фея. — Отзынь отсюда, дебил!»

Мамочка вошла с кипящей кастрюлькой. Заглянул. Там розовые пипочки сосисок. Обрадовался. Мамочка накладывает, двигает, вытирает. Ножик вырывается из пальцев, чиркает куда-то вбок, в клеенку.

— В руку, в руку сосиску возьми!

Ах, Мамочка, путеводная звезда! Золотая! Все ты устроишь, мудрая, распутаешь все клубки! Все закоулки, все лабиринты непонятного, непроходимого мира обрушишь мощной рукой, сметешь переборки — вот ровная, утрамбованная площадка! Смело делай еще один шаг! А дальше — снова бурелом.

У Алексея Петровича свой мир — в голове, настоящий. Там все можно. А этот, снаружи, — дурной, неправильный. И очень трудно запомнить, что хорошо, а что плохо. Они тут условились, договорились, написали Правила, ужасно сложные. Выучили, у них память хорошая. А ему трудно жить по чужим Правилам.

Мамочка налила кофе. У кофе есть Запах. Попьешь — и он переходит на тебя. Почему нельзя вытянуть губы трубочкой, глаза скосить в рот и нюхать самого себя? Пусть Мамочка отвернется!

— Алексей, веди себя прилично!

После завтрака расчистили стол, поставили клей, картон, положили ножницы, обвязали Алексея Петровича салфеткой: он будет клеить коробочки. Сто штук сделает — отнесут в аптеку. Денежку получат. Алексей Петрович очень любит эти коробочки, жалко с ними расставаться. Он хочет незаметно спрятать, оставить себе хоть немножко, но Мамочка зорко смотрит и отбирает.

А потом чужие люди уносят их из аптеки, едят из них белые шарики, а коробочки рвут и выбрасывают! Бросают прямо в урну, да что там — у них в квартире, на кухне, в мусорном ведре он видел растерзанную, изгаженную коробочку с окурком внутри! Страшный черный гнев переполняет тогда Алексея Петровича, он сверкает глазами, брызжет слюной, забывает слова, огненные пятна прыгают перед взором, он может задушить, разорвать в клочья! Кто это сделал?! Кто посмел это сделать?! Выходи, а ну! Засучивает рукава: где он?! Мамочка бежит, успокаивает, уводит разъяренного Алексея Петровича, отбирает нож, вырывает молоток из его судорожно скрюченных пальцев. Мужчины и Женщины тогда боятся и тихо сидят, забившись в свои комнаты.

Солнце передвинулось в другое окно. Алексей Петрович закончил работу. Мамочка заснула в кресле, всхрапывает, булькает щеками, свистит: пщ-щ-щ-щ... Алексей Петрович тихо-тихо берет две коробочки, осторо-ожно, на цы-ыпочках, тупу-ту-пу-тупочки — идет к кровати, аккура-атненько кладет под подушку. Ночью достанет и понюхает. Как пахнет клей! Мягко, кисло, глухо, как буква Ф.

Мамочка проснулась, пора гулять. Вниз по лестнице, но только не в лифте, — нельзя запирать в лифте Алексея Петровича: он забьется, завизжит зайчиком; как вы не понимаете — тянут, тянут за ноги, утаскивают вниз!

Мамочка плывет вперед, раскланивается со знакомыми. Сегодня относим коробочки: неприятно. Алексей Петрович нарочно зацепляет ногу за ногу: не хочет идти в аптеку.

— Алексей, убери язык!

Заря упала за высокие дома. Золотые стекла горят под самой кровлей. Там живут особенные люди, не такие, как мы: белыми голубями летают они, перепархивая с балкона на балкон. Гладкая перистая грудка, человечье лицо — если сядет такая птица на ваши перильца, склонит головку, заворкует — заглядишься в ее глаза, забудешь человечий язык, сам защелкаешь по-птичьи, запрыгаешь мохнатыми ножками по чугунной жердочке.

Под горизонтом, под земной тарелкой заворочались исполинские колеса, наматываются чудовищные ременные приводы, зубчатые колеса тянут солнце вверх, а луну вниз. День устал, сложил белые крылья, летит на запад, большой, в просторных одеждах, машет рукавом, выпускает звезды, благословляет идущих по остывающей земле: до встречи, до встречи, завтра снова приду.

На углу торгуют мороженым. Очень хочется мороженого! Мужчины и Женщины — но особенно Женщины — суют в квадратное окошечко денежку и получают морозный хрустящий бокальчик. Смеются; бросают на землю, налепляют на стену круглые липкие бумажки, разевают рты, облизывают красными языками сладкий игольчатый холодок.

— Мамочка, мороженое!

— Тебе нельзя. У тебя горло простуженное.

Нельзя так нельзя. Но очень, очень хочется!

Ужас как хочется! Если бы иметь такую денежку, как у других Мужчин и Женщин, серебряную, блестящую; или желтенькую бумажку, пахнущую хлебом, — их тоже берут в квадратном окошке! Ой, ой, ой, как хочется, им всем можно, им всем дают!

— Алексей! Не верти головой!

Мамочка лучше знает. Буду слушать Мамочку. Только она знает верную тропку через дебри мира. Но если бы Мамочка отвернулась... Пушкинская площадь.

— Мамочка, Пушкин — писатель?

— Писатель.

— Я тоже буду писателем.

— Обязательно будешь. Захочешь — и будешь.

А почему бы и нет? Захочет — и будет. Возьмет бумажку, карандаш и будет писателем. Все, решено! Он будет писателем. Это хорошо.

Вечерами Мамочка садится в просторное кресло, спускает на нос очки и густо читает:

> Буря мглою небо кроет,
> Вихри снежные крутя,
> То как зверь она завоет,
> То заплачет, как дитя.

Ужасно это нравится Алексею Петровичу! Он широко смеется, обнажая желтые зубы, радуется, топает ногой.

> То как зверь она завоет,
> То заплачет, как дитя!

Так вот слова до конца дойдут — и назад поворачивают, снова дойдут — и снова поворачивают.

> Бурям, глою, небак, роет,
> Вихрись, нежны, екру, тя!
> Токаг, зверя, наза, воет,
> Тоза, плачет, кагди, тя!

Очень хорошо! Вот так она завоет: у-у-у-у-у!

— Тише, тише, Алексей, успокойся!

Небо все засыпано звездами. Они знакомы Алексею Петровичу: маленькие сияющие бисеринки, сами по себе висящие в черной пустоте. Когда Алексей Петрович лежит в постели и хочет заснуть, ноги у него сами начинают расти вниз, вниз, а голова — вверх, вверх, до черного купола, все вверх, и раскачивается, как верхушка дерева в грозу, а звезды песком скребутся о его череп. А второй Алексей Петрович, внутри, все съеживается, съеживается, сжимается, пропадает в маковое зернышко, в острый кончик иголки, в микробчика, в ничто, и если его не остановить, он совсем туда уйдет. Но внешний, гигантский Алексей Петрович корабельной сосной раскачивается, растет, чиркает лысиной по ночному куполу, не пускает маленького уйти в точку. И эти два Алексея Петровича — одно и то же. И это понятно, это правильно.

Дома Мамочка раздевается, разрушает свой дневной корпус, надевает красный халат, становится проще, теплее, понятней. Алексей Петрович хочет к Мамочке на ручки! Глупости какие! Мамочка уходит на кухню. Что-то ее долго нет. Алексей Петрович проверил, на месте ли коробочки, понюхал клеенку, рискнул — вышел в коридор. Угловая дверь, где по ночам хихикают гости Морской Девушки, приоткрыта. Видна белая кровать. Где же Мамочка? Может быть, там? Алексей Петрович осторожно заглядывает в щелочку. Никого. Может быть, Мамочка спряталась за шкафом? Войти? Комната пуста. На столе у Морской Девушки — открытые консервы, хлеб, надкусанный огурец. И еще — желтая бумажка и серебряные кругляши. Деньги! Взять деньги, кинуться вниз по темной лестнице, в лабиринты улиц, разыскать квадратное окошечко, там дадут сладкий холодный стаканчик!

Алексей Петрович хватает, звякает, опрокидывает, бежит, хлопает дверью, шумно, торопливо дышит, спотыкается. Улица. Мрак. Куда идти? Туда? Или сюда? Что у него в кулаке? Деньги! Чужие деньги! Деньги просвечивают сквозь волосатый кулак. Сунуть руку в карман. Нет, все равно просвечивают. Чужие деньги! Он взял чужие деньги! Прохожие оборачиваются, шепчут друг другу: «Он взял чужие деньги!» Люди прильнули к окнам, толкают друг друга: пустите посмотреть! Где он? Вон там! У него деньги! А-а, ты взял?! Алексей Петрович бежит во тьму. Чвак, чвак, чвак, чвак — монеты в кармане. Весь город высыпал на улицу. Ставни распахиваются. Из каждого окна тычут руки, сверкают глаза, высовываются длинные красные языки: «Он взял деньги!» Спускайте собак! Ревут пожарные машины, разматываются шланги: где он? Вон там! За ним!

Мечется обезумевший Алексей Петрович! Бросить их, отодрать от рук, прочь, прочь, вот их, вот! Ногой! Ногой! Рассс-топпп-таттттт! Вот так... Все... Не дышат. Замолчали. Потухли. Вытер лицо. Так. Куда теперь? Ночь. Пахнет. Где Мамочка? Ночь. В подворотнях черными шеренгами стоят волки: ждут. Пойду задом наперед. Обману. Хорошо. Душно. Расстегну. Всё расстегну... Хорошо. Теперь? Прошли Женщины с Ногами. Обернулись. Фыркнули. Ах так?! Что-о-о? Меня?! Я — волк! Я иду задом наперед!!! Ага, испугались? Сейчас догоню, накинусь, посмотрим, что у вас за Ноги такие! Бросился. Крик. А-а-а-а! Удар. Не бейте! Удар. Мужчины пахнут Табаком, бьют в живот, в зубы! Не надо!.. Плюнь, брось его — видишь... Пошли.

Алексей Петрович привалился к водосточной трубе, плюет черным, скулит. Маленький, маленький, одинокий, заблудился на улице, по ошибке пришел ты в этот мир! Уходи отсюда, он не для тебя! Громким лаем плачет Алексей Петрович, подняв к звездам изуродованное лицо.

Мамочка, Мамочка, где ты? Мамочка, черен путь, молчат голоса, в глухое болото ведут тропинки! Мамочка, плачет, умирает твое дитя, единственное, ненаглядное, долгожданное, выстраданное!..

Мамочка бежит, Мамочка задыхается, протягивает руки, кричит, хватает, прижимает к груди, ощупывает, целует. Мамочка рыдает — нашла, нашла!

Мамочка ведет под уздцы Алексея Петровича в теплую нору, в мягкое гнездо, под белое крыло.

Умыто распухшее лицо. Алексей Петрович всхлипывает за столом, обвязанный салфеткой.

— Хочешь яичко всмятку? Всмятку, жидкое такое?

Алексей Петрович кивает головой: да, хочу. Тикают ходики. Покой. Вкусное горячее молоко, мягкое, как буква Н. Что-то просветляется в голове. Да! Он же хотел...

— Мамочка, дай бумагу и карандаш! Скорее! Я буду писателем!

— Господи! Горе мое! Да куда тебе... Ну, не плачь, успокойся, дам; погоди, высморкаться надо.

Белая бумага, острый карандаш. Скорей, скорей, пока не забыл! Он все знает, он понял мир, понял Правила, постиг тайную связь событий, постиг законы сцепления миллионов обрывков разрозненных вещей! Молния озаряет мозг Алексея Петровича! Он беспокоится, ворчит, хватает лист, отодвигает локтем стаканы и, сам изумленный своим радостным обновлением, торопливо, крупными буквами записывает только что обретенную истину: «Ночь. Ночь. Ночь. Ночь. Ночь. Ночь. Ночь. Ночь. Ночь. Ночь».

СОНЯ

Жил человек — и нет его. Только имя осталось — Соня. «Помните, Соня говорила...» «Платье, похожее как у Сони...» «Сморкаешься, сморкаешься без конца, как Соня...» Потом умерли и те, кто так говорил, в голове остался только след голоса, бестелесного, как бы исходящего из черной пасти телефонной трубки. Или вдруг раскроется, словно в воздухе, светлой живой фотографией солнечная комната — смех вокруг накрытого стола, и будто гиацинты в стеклянной вазочке на скатерти, тоже изогнувшиеся в кудрявых розовых улыбках. Смотри скорей, пока не погасло! Кто это тут? Есть ли среди них тот, кто тебе нужен? Но светлая комната дрожит и меркнет, и уже просвечивают марлей спины сидящих, и со страшной скоростью, распадаясь, уносится вдаль их смех — догони-ка.

Нет, постойте, дайте вас рассмотреть! Сидите, как сидели, и назовитесь по порядку! Но напрасны попытки ухватить воспоминания грубыми телесными руками. Веселая смеющаяся фигура оборачивается большой, грубо раскрашенной тряпичной куклой, валится со стула, если не подоткнешь ее сбоку; на бессмысленном лбу — потеки клея от мочального парика, а голубые стеклянистые глазки соединены внутри пустого черепа железной дужкой со свинцовым шариком противовеса. Вот чертова перечница! А ведь притворялась живой и любимой! А смеющаяся компания порхнула прочь и, поправ тугие законы пространства и времени, щебечет себе вновь в каком-то недоступном закоулке мира, вовеки нетленная, нарядно бессмертная, и, может быть, покажется вновь на одном из поворотов пути — в самый неподходящий момент, и, конечно, без предупреждения.

Ну раз вы такие — живите как хотите. Гоняться за вами — все равно что ловить бабочек, размахивая лопатой. Но хотелось бы поподробнее узнать про Соню.

Ясно одно — Соня была дура. Это ее качество никто никогда не оспаривал, да теперь уж и некому. Приглашенная в первый раз на обед — в далеком, желтоватой дымкой подернутом тридцатом году, — истуканом сидела в торце длинного накрахмаленного стола, перед конусом салфетки, свернутой как было принято — домиком. Стыло бульонное озерцо. Лежала праздная ложка. Достоинство всех английских королей, вместе взятых, заморозило Сонины лошадиные черты.

— А вы, Соня, — сказали ей (должно быть, добавили и отчество, но теперь оно уже безнадежно утрачено), — а вы, Соня, что же не кушаете?

— Перцу дожидаюсь, — строго отвечала она ледяной верхней губой.

Впрочем, по прошествии некоторого времени, когда уже выяснились и Сонина незаменимость на кухне в предпраздничной суете, и швейные достоинства, и ее готовность погулять с чужими детьми и даже посторожить их сон, если все шумной компанией отправляются на какое-нибудь неотложное увеселение, — по прошествии некоторого времени кристалл Сониной глупости засверкал иными гранями, восхитительными в своей непредсказуемости. Чуткий инструмент, Сонина душа улавливала, очевидно, тональность настроения общества, пригревшего ее вчера, но, зазевавшись, не успевала перестроиться на сегодня. Так, если на поминках Соня бодро вскрикивала: «Пей до дна!» — то ясно было, что в ней еще живы недавние именины, а на свадьбе от Сониных тостов веяло вчерашней кутьей с гробовыми мармеладками.

«Я вас видела в филармонии с какой-то красивой дамой: интересно, кто это?» — спрашивала Соня у растерянного мужа, перегнувшись через его помертвевшую жену. В такие моменты насмешник Лев Адольфович, вытянув губы трубочкой, высоко подняв лохматые брови, мотал головой, блестел мелкими очками: «Если человек мертв, то это надолго, если он глуп, то это навсегда!» Что же, так оно и есть, время только подтвердило его слова.

Сестра Льва Адольфовича, Ада, женщина острая, худая, по-змеиному элегантная, тоже попавшая однажды в неловкое положение из-за Сониного идиотизма, мечтала ее наказать. Ну, конечно, слегка — так, чтобы и самим посмеяться, и дурочке доставить небольшое развлечение. И они шептались в углу — Лев и Ада, — выдумывая что поостроумнее.

Стало быть, Соня шила... А как она сама одевалась? Безобразно, друзья мои, безобразно! Что-то синее, полосатое, до такой степени к ней не идущее! Ну вообразите себе: голова как у лошади Пржевальского (подметил Лев Адольфович), под челюстью огромный висячий бант блузки торчит из твердых створок костюма, и рукава всегда слишком длинные. Грудь впалая, ноги такие толстые — будто от другого человеческого комплекта, и косолапые ступни. Обувь набок снашивала. Ну, грудь, ноги — это не одежда... Тоже одежда, милая моя, это тоже считается как одежда! При таких данных надо особенно соображать, что можно носить, чего нельзя!.. Брошка у нее была — эмалевый голубок. Носила его на лацкане жакета, не расставалась. И когда переодевалась в другое платье — тоже обязательно прицепляла этого голубка.

Соня хорошо готовила. Торты накручивала великолепные. Потом вот эту, знаете, требуху, почки, вымя, мозги — их так легко испортить, а у нее выходило — пальчики оближешь. Так что это всегда поручалось ей. Вкусно и давало повод для шуток. Лев Адольфович, вытягивая губы, кричал через стол: «Сонечка, ваше вымя меня сегодня просто потрясает!» — и она радостно кивала в ответ. А Ада сладким голоском говорила: «А я вот в восторге от ваших бараньих мозгов!» — «Это телячьи», — не понимала Соня, улыбаясь. И все радовались: ну не прелесть ли?!

Она любила детей, это ясно, и можно было поехать в отпуск, хоть в Кисловодск, и оставить на нее детей и квартиру — поживите пока у нас, Соня, ладно? — и, вернувшись, найти все в отменном порядке: и пыль вытерта, и дети румяные, сытые, гуляли каждый день и даже ходили на экскурсию в музей, где Соня служила каким-то там научным хранителем, что ли; скучная жизнь у этих музейных хранителей, все они старые девы. Дети успевали привязаться к ней и огорчались, когда ее приходилось перебрасывать в другую семью. Но ведь нельзя же быть эгоистами и пользоваться Соней в одиночку: другим она тоже могла быть нужна. В общем, управлялись, устанавливали какую-то разумную очередь.

Ну что о ней еще можно сказать? Да это, пожалуй, и все! Кто сейчас помнит какие-то детали? Да за пятьдесят лет никого почти в живых не осталось, что вы! И столько было действительно интересных, по-настоящему содержательных людей, оставивших концертные записи, книги, монографии по искусству. Какие судьбы! О каждом можно говорить без конца. Тот же Лев Адольфович, негодяй в сущности, но умнейший человек и в чем-то миляга. Можно было бы порасспрашивать Аду Адольфовну, но ведь ей, кажется, под девяносто, и — сами понимаете... Какой-то там случай был с ней во время блокады. Кстати, связанный с Соней. Нет, я плохо помню. Какой-то стакан, какие-то письма, какая-то шутка.

Сколько было Соне лет? В сорок первом году — там ее следы обрываются — ей должно было исполниться сорок. Да, кажется, так. Дальше уже просто подсчитать, когда она родилась и все такое, но какое это может иметь значение, если неизвестно, кто были ее родители, какой она была в детстве, где жила, что делала и с кем дружила до того дня, когда вышла на свет из неопределенности и села дожидаться перцу в солнечной, нарядной столовой.

Впрочем, надо думать, что она была романтична и по-своему возвышенна. В конце концов, эти ее банты, и эмалевый голубок, и чужие, всегда сентиментальные стихи, не вовремя срывавшиеся с губ, как бы выплюнутые длинной верхней губой, приоткрывавшей длинные, костяного цвета зубы, и любовь к детям — причем к любым, — все это характеризует ее вполне однозначно. Романтическое существо. Было ли у нее счастье? О да! Это — да! Уж что-что, а счастье у нее было.

И вот надо же — жизнь устраивает такие штуки! — счастьем этим она была обязана всецело этой змее Аде Адольфовне. (Жаль, что вы ее не знали в молодости. Интересная женщина.)

Они собрались большой компанией — Ада, Лев, еще Валериан, Сережа, кажется, и Котик, и кто-то еще — и разработали уморительный план (поскольку идея была Адина, Лев называл его «адским планчиком»), отлично им удавшийся. Год шел что-нибудь такое тридцать третий. Ада была в своей лучшей форме, хотя уже и не девочка, — фигурка прелестная, лицо смуглое с темно-розовым румянцем, в теннис она первая, на байдарке первая, все ей смотрели в рот. Аде было даже неудобно, что у нее столько поклонников, а у Сони — ни одного. (Ой, умора! У Сони — поклонники?!) И она предложила придумать для бедняжки загадочного воздыхателя, безумно влюбленного, но по каким-то причинам никак не могущего с ней встретиться лично. Отличная идея! Фантом был немедленно создан, наречен Николаем, обременен женой и тремя детьми, поселен для переписки в квартире Адиного отца — тут раздались было голоса протеста: а если Соня узнает, если сунется по этому адресу? — но аргумент был отвергнут как несостоятельный: во-первых, Соня дура, в том-то вся и штука; ну а во-вторых, должна же у нее быть совесть — у Николая семья, неужели она ее возьмется разрушить? Вот, он же ей ясно пишет — Николай то есть: дорогая, ваш незабываемый облик навеки отпечатался в моем израненном сердце (не надо «израненном», а то она поймет буквально, что инвалид), но никогда, никогда нам не суждено быть рядом, так как долг перед детьми... ну и так далее, но чувство, — пишет далее Николай, — нет, лучше: истинное чувство — оно согреет его холодные члены («То есть как это, Адочка?» — «Не мешайте, дураки!») путеводной звездой и всякой там пышной розой. Такое вот письмо. Пусть он видел ее, допустим, в филармонии, любовался ее тонким профилем (тут Валериан просто свалился с дивана от хохота) и вот хочет, чтобы возникла такая возвышенная переписка. Он с трудом узнал ее адрес. Умоляет прислать фотографию. А почему он не может явиться на свидание, тут-то дети не помешают? А у него чувство долга. Но оно ему почему-то ничуть не мешает переписываться? Ну тогда пусть он парализован. До пояса. Отсюда и хладные члены. Слушайте, не дурите! Надо будет — парализуем его попозже. Ада брызгала на почтовую бумагу «Шипром», Котик извлек из детского гербария засушенную незабудку, розовую от старости, совал в конверт. Жить было весело!

Переписка была бурной с обеих сторон. Соня, дура, клюнула сразу. Влюбилась так, что только оттаскивай. Пришлось слегка сдержать ее пыл: Николай писал примерно одно письмо в месяц, притормаживая Соню с ее разбушевавшимся купидоном. Николай изощрялся в стихах: Валериану пришлось попотеть. Там были просто перлы, кто понимает, — Николай сравнивал Соню с лилеей, лианой и газелью, себя — с соловьем и джейраном, причем одновременно. Ада писала прозаический текст и осуществляла общее руководство, останавливая своих резвившихся приятелей, дававших советы Валериану: «Ты напиши ей, что она — гну. В смысле антилопа. Моя божественная гну, я без тебя иду ко дну!» Нет, Ада была на высоте: трепетала Николаевой нежностью и разверзала глубины его одинокого мятущегося духа, настаивала на необходимости сохранять платоническую чистоту отношений и в то же время подпускала намек на разрушительную страсть, время для проявления коей еще почему-то не приспело. Конечно, по вечерам Николай и Соня должны были в назначенный час поднять взоры к одной и той же звезде. Без этого уж никак. Если участники эпистолярного романа в эту минуту находились поблизости, они старались помешать Соне раздвинуть занавески и украдкой бросить взгляд в звездную высь, звали ее в коридор: «Соня, подите сюда на минутку... Соня, вот какое дело...», наслаждаясь ее смятением: заветный миг надвигался, а Николаев взор рисковал проболтаться попусту в окрестностях какого-нибудь там Сириуса или как его — в общем, смотреть надо было в сторону Пулкова.

Потом затея стала надоедать: сколько же можно, тем более что из томной Сони ровным счетом ничего нельзя было вытянуть, никаких секретов; в наперсницы к себе она никого не допускала и вообще делала вид, что ничего не происходит, — надо же, какая скрытная оказалась, а в письмах горела неугасимым пламенем высокого чувства, обещала Николаю вечную верность и сообщала о себе все-превсе: и что ей снится, и какая пичужка где-то там прощебетала. Высылала в конвертах вагоны сухих цветов, и на один из Николаевых дней рождения послала ему, отцепив от своего ужасного жакета, свое единственное украшение: белого эмалевого голубка. «Соня, а где же ваш голубок?» — «Улетел», — говорила она, обнажая костяные лошадиные зубы, и по глазам ее ничего нельзя было прочесть. Ада все собиралась умертвить наконец обременявшего ее Николая, но, получив голубка, слегка содрогнулась и отложила убийство до лучших времен. В письме, приложенном к голубку, Соня клялась непременно отдать за Николая свою жизнь или пойти за ним, если надо, на край света.

Весь мыслимый урожай смеха был уже собран, проклятый Николай каторжным ядром путался под ногами, но бросить Соню одну, на дороге, без голубка, без возлюбленного, было бы бесчеловечно. А годы шли; Валериан, Котик и, кажется, Сережа по разным причинам отпали от участия в игре, и Ада мужественно, угрюмо, одна несла свое эпистолярное бремя, с ненавистью выпекая, как автомат, ежемесячные горячие почтовые поцелуи. Она уже сама стала немного Николаем, и порой в зеркале при вечернем освещении ей мерещились усы на ее смугло-розовом личике. И две женщины на двух концах Ленинграда, одна со злобой, другая с любовью, строчили друг другу письма о том, кого никогда не существовало.

Когда началась война, ни та ни другая не успели эвакуироваться. Ада копала рвы, думая о сыне, увезенном с детским садом. Было не до любви. Она съела все, что было можно, сварила кожаные туфли, пила горячий бульон из обоев — там все-таки было немного клейстера. Настал декабрь, кончилось все. Ада отвезла на саночках в братскую могилу своего папу, потом Льва Адольфовича, затопила печурку Диккенсом и негнущимися пальцами написала Соне прощальное Николаево письмо. Она писала, что все ложь, что она всех ненавидит, что Соня — старая дура и лошадь, что ничего не было и что будьте вы все прокляты. Ни Аде, ни Николаю дальше жить не хотелось. Она отперла двери большой отцовской квартиры, чтобы похоронной команде легче было войти, и легла на диван, навалив на себя пальто папы и брата.

Неясно, что там было дальше. Во-первых, это мало кого интересовало, во-вторых, Ада Адольфовна не очень-то разговорчива, ну, и, кроме того, как уже говорилось, время! Время все съело. Добавим к этому, что читать в чужой душе трудно: темно и дано не всякому. Смутные домыслы, попытки догадок — не больше.

Вряд ли, я полагаю, Соня получила Николаеву могильную весть. Сквозь тот черный декабрь письма не проходили или же шли месяцами. Будем думать, что она, возведя полуслепые от голода глаза к вечерней звезде над разбитым Пулковом, в этот день не почувствовала магнетического взгляда своего возлюбленного и поняла, что час его пробил. Любящее сердце — уж говорите, что хотите, — чувствует такие вещи, его не обманешь. И, догадавшись, что пора, готовая испепелить себя ради спасения своего единственного, Соня взяла все, что у нее было — баночку довоенного томатного сока, сбереженного для такого вот смертного случая, — и побрела через весь Ленинград в квартиру умирающего Николая. Сока там было ровно на одну жизнь.

Николай лежал под горой пальто, в ушанке, с черным страшным лицом, с запекшимися губами, но гладко побритый. Соня опустилась на колени, прижалась глазами к его отекшей руке со сбитыми ногтями и немножко поплакала. Потом она напоила его соком с ложечки, подбросила книг в печку, благословила свою счастливую судьбу и ушла с ведром за водой, чтобы больше никогда не вернуться. Бомбили в тот день сильно.

Вот, собственно, и все, что можно сказать о Соне. Жил человек — и нет его. Одно имя осталось.

...— Ада Адольфовна, отдайте мне Сонины письма!

Ада Адольфовна выезжает из спальни в столовую, поворачивая руками большие колеса инвалидного кресла. Сморщенное личико ее мелко трясется. Черное платье прикрывает до пят безжизненные ноги. Большая камея приколота у горла, на камее кто-то кого-то убивает: щиты, копья, враг изящно упал.

— Письма?

— Письма, письма, отдайте мне Сонины письма!

— Не слышу!

— Слово «отдайте» она всегда плохо слышит, — раздраженно шипит жена внука, косясь на камею.

— Не пора ли обедать? — шамкает Ада Адольфовна.

Какие большие темные буфеты, какое тяжелое столовое серебро в них, и вазы, и всякие запасы: чай, варенья, крупы, макароны. Из других комнат тоже виднеются буфеты, буфеты, гардеробы, шкафы — с бельем, с книгами, со всякими вещами. Где она хранит пачку Сониных писем, ветхий пакетик, перехваченный бечевкой, потрескивающий от сухих цветов, желтоватых и прозрачных, как стрекозиные крылья? Не помнит или не хочет говорить? Да и что толку — приставать к трясущейся парализованной старухе! Мало ли у нее самой было в жизни трудных дней? Скорее всего, она бросила эту пачку в огонь, встав на распухшие колени в ту ледяную зиму, во вспыхивающем кругу минутного света, и, может быть, робко занявшись вначале, затем быстро чернея с углов, и, наконец, взвившись столбом гудящего пламени, письма согрели, хоть на краткий миг, ее скрюченные, окоченевшие пальцы. Пусть так. Вот только белого голубка, я думаю, она должна была оттуда вынуть. Ведь голубков огонь не берет.

ОГОНЬ И ПЫЛЬ

Интересно, где теперь безумная Светлана по прозвищу Пипка, та, про которую одни с беспечностью молодости говорили: «Да разве Пипка — человек?», а другие возмущались: «Что вы ее к себе пускаете? Книги бы поберегли! Она же все растащит!» Нет, они были не правы: всего-то и числится на Пипкиной совести, что светло-синий Сименон да белая шерстяная кофточка с вязаными пуговичками, да и у той локоть был уже штопаный. И бог с ней, с кофточкой! Куда большие ценности улетучились с той поры: Риммина сияющая молодость, детство ее детей, свежесть надежд, голубых, как утреннее небо; тайное, радостное доверие, с каким Римма вслушивалась в шептавший для нее одной голос будущего — уж какие только венки, цветы, острова и радуги ей не были обещаны, и где все это? А кофточку не жаль, Римма сама силком всунула Светлану в эту мало нужную кофточку, когда выталкивала ее, безумную, как всегда полураздетую, в осеннее бушевание, в холодную, мотавшую ветвями московскую полночь. Римма, уже в ночной рубашке, нетерпеливо переминалась на пороге, поджимая зябнущие ноги, поспешно кивала, наступая, выпроваживая Светлану, а та все пыталась что-то договорить, досказать — с нервным хохотком, с быстрым пожиманием плеч, и на белом и миловидном ее лице безумным провалом горели черные глаза, и мокрый провал рта бубнил торопливым трепетом, — ужасный черный рот, где пеньки зубов наводили на мысли о застарелом пожарище. Римма наступала, отвоевывая пядь за пядью, а Светлана говорила-говорила, говорила-говорила, махая во все стороны руками, будто делая зарядку — позднюю, ночную, невозможную, и тут, изображая огромный размер чего-то — а Римма не слушала, — так размахнулась, что разбила костяшки пальцев о стенку и на мгновение удивленно замолчала, прижав солоноватые суставы к губам, к опаленному бессвязными речами рту. В этот момент и была ею сунута вязаная кофточка: в такси согреешься, — дверь хлопнула, и Римма, досадуя и смеясь, побежала к Феде под теплое одеяло. «Насилу выпроводила». Дети ворочались во сне. Завтра рано вставать. «Ну и оставила бы ее ночевать», — бормотал Федя сквозь сон, сквозь тепло, и очень он был красивый в красном свете ночника. Ночевать? Вот уж никогда! И где? В комнате старичка Ашкенази? Старичок все ворочался у себя на прохудившемся диване, курил густое и вонючее, кашлял, среди ночи ходил на кухню попить воды из-под крана, но, в общем, ничего, не раздражал. Когда собирались гости, одалживал стулья, выносил баночку маринованных грибков, детям отклеивал колтун слипшихся леденцов из жестянки; его сажали за стол, с краю, и он посмеивался, болтал ногами, не достававшими до пола, покуривал в кулачок: «Ничего, молодежь, терпите: скоро помру, вся квартира ваша будет». — «Живите до ста лет, Давид Данилыч», — успокаивала Римма, а все-таки приятно было помечтать о том времени, когда она станет хозяйкой целой квартиры, не коммунальной, собственной, сделает большой ремонт, нелепую пятиугольную кухню покроет сверху донизу кафелем и плиту сменит. Федя защитит диссертацию, дети пойдут в школу, английский,

94

музыка, фигурное катание... ну что бы еще представить? Им многие заранее завидовали. Но, конечно, не кафель, не хорошо развитые дети сияли из просторов будущего цветным радужным огнем, искристой аркой бешеного восторга (и Римма честно желала старичку Ашкенази долгих лет жизни: все успеется); нет, что-то большее, что-то совсем другое, важное, тревожное и великое шумело и сверкало впереди, будто Риммин челн, плывущий темной протокой сквозь зацветающие камыши, вот-вот должно было вынести в зеленый, счастливый, бушующий океан.

А пока жизнь шла не совсем настоящая, жизнь в ожидании, жизнь на чемоданах, небрежная, легкая — с кучей хлама в коридоре, с полуночными гостями: Петюня в небесном галстуке, бездетные Эля с Алешей, еще кто-то; с ночными Пипкиными визитами и дикими ее разговорами. Уж на что она была страшна, Пипка, с этими черными озубышами, а ведь многим нравилась, и часто к концу веселого вечера одного из мужчин недосчитывались: Пипка под шумок увозила его — всегда на такси — к себе в Перловку. Там она ютилась, снимала по дешевке деревянную хибарку с палисадничком. Римма одно время даже опасалась за Федю — он был легкомысленным, а Пипка — сумасшедшей и способной на все. Если бы не эти гнильцы в ее торопливом рту, впору было бы призадуматься и не пускать ее в семейный дом. Тем более что Федя загадочно говаривал: «Если бы Светланка не разевала рта, с ней можно было бы и поболтать!..» И вечно-то она дрожала, полуодетая или одетая не с того конца: на босу ногу — детские задубелые ботиночки среди зимы, руки — красные, в цыпках.

Неизвестно, куда подевалась Пипка, как неизвестно, откуда она вообще взялась — возникла, и все тут. Рассказы ее были дики и путаны: будто она хотела поступить в театральное училище и даже была принята, но на рынке познакомилась с торговцами моченой черемшой и была увезена с кляпом во рту на белой «Волге» без номеров в Баку. Там

над ней будто надругались, выбили половину зубов и бросили голую на берегу моря в луже нефти; наутро ее якобы нашел дикий горец, ехавший через Баку транзитом, увез в
свою высокогорную саклю и продержал там все лето, кормя
ее сквозь щели хижины дыней с ножа, а осенью обменял на
часы без стрелок заезжему этнографу. С этнографом, назы-
вавшим ее Светка-Пипетка, откуда, в общем-то, и прозви-
ще, она, все еще совершенно голая, ютилась в заброшенной
дозорной башне времен Шамиля, устланной гнилыми пер-
сидскими коврами, — этнограф изучал узоры через лупу.
По ночам на них гадили орлы. «Кыш, кыш, проклятые!» —
изображала Пипка, гоняясь по комнате с возмущенным лицом, пугая детей. К зиме этнограф ушел выше в горы, а
Светлана по первому снежку спустилась в долину, где счет
времени вели по лунному календарю, а в учительниц стреля-
ли через окно школы, причем количество убитых принарод-
но отмечали зарубками на столбе посередь базарной площади. Зарубок было больше восьмисот, роно не справлялось,
несколько пединститутов работали исключительно на долину. Там Светлана завела роман с завмагом. Но быстро бросила его, сочтя недостаточно мужественным: вместо того
чтобы спать, как полагается джигиту, на спине, с саблей и в
папахе, свирепо развернув широкие мускулистые плечи,
завмаг свертывался калачиком, посапывал носом и скулил
во сне, перебирая ногами: объяснял, оправдываясь, что ему
снятся выстрелы. К весне Пипка дошла до Москвы, ночуя в
стогах и избегая большаков, несколько раз ее поели собаки.
Шла она почему-то через Урал. Впрочем, география дава-
лась ей еще хуже, чем интимная жизнь: Уралом она называла Кавказ, а Баку располагала на Черном море. Может
быть, и была какая-то правда в ее кошмарных рассказах,
кто знает. Римма привыкла и почти не слушала, думая о
своем, предаваясь своим неторопливым мечтаниям. Да ее
почти никто и не слушал, Пипку, разве она была человеком?
Только иногда кто-нибудь новенький из гостей, прислушав-

шись к Пипкиной чертовщине, к извергаемым фонтаном сюжетам, изумленно и радостно восклицал: «Ну дает! Тысяча и одна ночь!» — такого обычно и увозила Пипка в свою полуфантастическую Перловку, если таковая вообще существовала: можно ли поверить, что Светлана нанялась к хозяевам окапывать георгины, а ела вместе с курами рыбную муку? Как всегда, на Римму посреди незатейливого застолья, под шум болтовни и звяканье вилок, вдруг наваливалась мечтательная дремота, дивные сновидения наяву, виделись розовые и голубые туманы, белые паруса, слышался гул океана, далекий и манящий, как тот ровный гул, что исходил из огромной раковины, украшавшей сервант. Римма любила закрыть глаза и приложить раковину к уху — тогда из чудовищной, лососевого цвета пасти слышался зов далекой страны, такой далекой, что ей уже и на глобусе не находилось места, и она плавно приподнималась, эта страна, и располагалась в небе со всеми своими озерами, попугаями и прибрежным прибоем. И Римма тоже парила в небе среди розовых перистых облачков — все, что жизнью обещано, сбудется. Не надо шевелиться, не надо торопиться, все придет само. Тихо плыть по темным протокам... слушать приближающийся шум океана... Римма открывала глаза и смотрела, улыбаясь, сквозь табачный дым и мечты на гостей, на ленивого, довольного Федю, на болтающего ножками Давида Данилыча, медленно опускалась на землю. А начнется с малого... начнется понемногу... Ослабевшими от полета ногами она нащупывала почву. О, сначала все-таки квартира. В комнате старичка будет спальня. Голубые шторы. Нет, белые. Белые, шелковые, пышные, сборчатые. И кровать белая. Воскресное утро. Римма в белом пеньюаре, с распущенными волосами (волосы нужно начать отращивать, а пеньюар уже тайно куплен: не удержалась...) пройдет по квартире на кухню... Пахнет кофе... Новым знакомым она будет говорить: «А вот в этой комнате, где теперь спальня, раньше жил старичок... Такой милый... Совсем не мешал. А после его смерти мы заняли... Жалко: такой чудесный старичок!» Римма раскачивалась на стуле, улыбалась еще живому старичку: «Много курите, Давид Данилыч. Поберегли бы себя». Старичок только кашлял и рукой махал: ничего, мол. Не жилец уже. Чего там.

Как приятно было плыть и струиться сквозь время — а время струится сквозь тебя и тает позади; а шум моря все манит; надо съездить на юг и вдохнуть морской запах, и постоять на берегу, раскинув руки и слушая ветер; как сладко тает жизнь — дети, и любящий Федя, и ожидание белой спальни. Гости завидуют, да, милые мои, завидуйте, огромное счастье ждет меня впереди, какое — не скажу, не знаю сама, но голоса шепчут: жди, жди! Вон Петюня сидит и завидует и грызет ногти. У него нет ни жены, ни квартиры, он хилый, честолюбивый, он хочет быть журналистом, он любит яркие галстуки, надо подарить ему наш, оранжевый, нам он не нужен, нас ждет счастье. Вон Эля с Алешей тоже завидуют, у них нет детей, они завели собаку, какая скука. Вон старичок Ашкенази сидит, завидует моей молодости, моей белой спальне, моему океанскому шуму; прощай, старичок, тебе скоро уходить, зажмурив глаза под медными пятаками. Вот Светлана... она-то не завидует никому, у нее есть все, да только придуманное, глаза ее и страшный рот горят пожаром — отсадить Федю подальше, — речь безумна, десятки царств воздвигаются и рушатся в ее голове за один вечер. Отсадить Федю подальше. Федя! Сядь-ка сюда. Она завралась, а ты и уши развесил?

Весело жилось и легко, посмеивались над Петюней, над его страстью к галстукам, прочили ему большое журналистское будущее, заранее просили не зазнаваться, если поедет за границу; Петюня смущался, морщил мышиное личико: да что вы ребята, дай бог институт кончить! Славный был Петюня, но жеваный какой-то, а еще пытался за Риммой ухаживать, правда, косвенно: резал для нее на кухне лук и намекал, что у него, честно говоря, планы на жизнь — ого-го!

Римма смеялась: какие планы, ее саму ждет такое! Поухаживай лучше за Элей, она все равно Алешу бросит. Или вон за Светкой-Пипеткой. Пипетка замуж собралась, говорил Петюня. За кого же, интересно знать?

Вскоре открылось, за кого: за старичка Ашкенази. Старичок, жалея Пипкины ножки в детских ботиночках, озябшие ручки, сокрушаясь о ее тратах на ночные такси, да и вообще поддавшись слезливому старческому альтруизму, задумал — за Римминой спиной! — жениться на пылающей черным огнем бродяжке и прописать ее, естественно, на обещанную Римме с Федей жилплощадь. Состоялся скандал с валидолом. «Стыдитесь! Стыдитесь!» — кричала Римма сорванным голосом. «А нечего мне стыдиться», — отвечал старик с дивана, лежа среди рваных пружин с запрокинутой головой, чтобы остановить кровь из носа. Римма ставила старику холодные компрессы и продежурила всю ночь у его постели. Когда старик забылся, тонко и прерывисто дыша, — обмерила окно в его комнате. Да, белый материал по ширине пройдет. Сюда обойчики голубые. Утром мирились, Римма простила старика, он плакал, она подарила ему Федину рубашку и дала горячих оладьев. Светлана что-то узнала и долго не появлялась. Потом пропал и Петюня, догадывались, что Светлана увезла его в Перловку. Все, кто туда попадал, исчезали надолго и по возвращении бывали какое-то время не в себе.

Петюня пришел через полгода, к ночи, с блуждающим взглядом, в брюках, измазанных глиной до пояса. Римма с трудом вытягивала из него слова. Да, он был там. Помогал Пипке с хозяйством. Очень трудная жизнь. Все очень сложно. Из Перловки шел пешком. Почему в глине? А, это... Вчера всю ночь вместе с Пипкой блуждали по Перловке с керосиновыми фонарями, искали нужный дом. Там черкес родил щеночка. Да, вот так. Да, я знаю, — Петюня прижимал руки к груди, — знаю, что в Перловке черкесов нет. Это последний. Светлана сказала, что точно знает.

И очень хороший случай для газеты в рубрику «Только факты». «Ты что, тоже свихнутый?» — спросила Римма, моргая. «Ну почему же. Я сам видел щенка». — «А черкеса?» — «К нему не пустили. Ночь все-таки». — «Проспись», — сказала Римма. Петюню положили в коридоре, среди хлама. Римма промучилась, ворочаясь, всю ночь и к утру решила, что Черкес — кличка собаки.

Но за завтраком она не решилась умножать бред расспросами, да и Петюня был мрачен и быстро ушел.

Потом Светлане понадобилось перевозить вещи из Перловки куда-то в другое место — географию выяснять было бесполезно; конечно же, на такси, и почему-то совершенно необходима была помощь Феди. Поколебавшись, Римма отпустила. Было десять утра, и вряд ли что-нибудь могло... Он вернулся в три часа ночи, очень странный. «Где ты был?» — Римма в ночной рубашке ждала в коридоре. «Видишь ли, масса обстоятельств... Пришлось ехать в Серпухов, там у нее близнецы в Доме малютки». — «Какие близнецы?» — закричала Римма. «Крошечные совсем, годик вроде. Сиамские. Они головами срослись. Карина и Анджела». — «Какими головами?! Ты в своем уме?! Она к нам сто лет ходит, ты видел, чтобы она рожала?!» Нет, он, конечно, не видел, чтобы она рожала или что-нибудь такое, но ведь они же ездили в Серпухов, отвозили передачу: мороженый хек. Да, хек близнецам. Он сам пробил в кассе за рыбу. Римма зарыдала и хлопнула дверью, Федя остался в коридоре, скрестись в комнату и клясться, что он сам ничего не понимает, но что Карина и Анджела — это он помнит точно.

Пипка после этого опять надолго исчезла, и эпизод забылся. Но что-то надорвалось впервые в Римме — она оглянулась и увидела, что время все плывет, а будущее все не наступает, а Федя не так уж и хорош собой, а дети научились на улице нехорошим словам, а старик Ашкенази кашляет да живет, а морщинки уже поползли к глазам и ко рту, а хлам в коридоре все лежит да лежит. И шум океана стал глуше, и на юг они так и не съездили, все откладывали на будущее, которое не хочет наступать.

Смутные пошли дни. У Риммы опускались руки, она пыталась понять, в какой момент ошиблась тропинкой, ведущей к далекому поющему счастью, и часто сидела, задумавшись, а дети росли, а Федя сидел у телевизора и не хотел писать диссертацию, а за окном то валила ватная метель, то проглядывало сквозь летние облака пресное городское солнце. Друзья постарели, стали тяжелы на подъем, Петюня и вовсе исчез куда-то, яркие галстуки вышли из моды, Эля с Алешей завели новую капризную собаку, которую вечерами не на кого было оставить. На работе у Риммы появились новые сослуживицы, Люся-большая и Люся-маленькая, но они не знали о Римминых планах на счастье и не завидовали ей, а завидовали Кире из планового отдела, которая дорого и разнообразно одевалась, меняла шапки на книги, книги на мясо, мясо на лекарства или на билеты в труднодоступные театры и раздраженно говорила кому-то по телефону: «Но ведь ты прекрасно знаешь, как я люблю заливной язык».

И однажды вечером, когда Федя сидел у телевизора, а Римма сидела, положив голову на стол, и слушала, как кашляет старик за стеной, ворвалась Пипка, вся огонь и пламя, с розовыми щеками, помолодевшая, как это случается с сумасшедшими, и улыбнулась пылающим ртом, полным сверкающих белых зубов. «Тридцать шесть!..» — крикнула она с порога и стукнула кулачком по притолоке. «Что тридцать шесть?» — подняла голову со стола Римма. «Тридцать шесть зубов!» — сказала Пипка. И рассказала, что нанялась юнгой на пароход, идущий в Японию, и поскольку пароход был уже сверхукомплектован, ей пришлось спать в котле с мясом и рисом, что капитан отдавал ей честь, а помощник капитана — отбирал, что по пути в нее влюбился богатый японец и хотел оформить брак по телеграфу, не откладывая, но не нашлось где-то там нужных иероглифов, и дело развалилось, а потом — пока в одном из портов мыли котлы из-под мяса и риса — ее украла пиратская джонка и продала богатому плантатору, и она год работала на плантациях малайской конопли, откуда ее выкупил богатый англичанин за советский юбилейный рубль, который, как известно, дорого ценится среди малайских нумизматов; англичанин увез ее в туманный Альбион, сначала потерял ее в густом тумане, но потом нашел и на радостях вставил ей за свой счет самый дорогой и модный набор из тридцати шести зубов, что могут позволить себе исключительно толстосумы. На дорогу он дал ей с собой копченого пони, и вот теперь она, Пипка, едет наконец в Перловку за своими вещами. «Открой рот», — сказала Римма с ненавистью. И в разинутом с готовностью Светланином рту насчитала, борясь с головокружением, все тридцать шесть — как они там помещались, непонятно, но это были точно зубы. «Я теперь стальной прут перекусываю, хотите — карниз перекушу», — начало было чудовище, и Федя посмотрел с большим интересом, но Римма замахала руками: все, все, поздно, мы спать хотим, и совала деньги на такси, и подталкивала к двери, и пихнула ей томик Сименона: ради бога, на ночь почитаешь, только уходи! И Пипка ушла, напрасно цепляясь за стены, и больше ее никто не видел. «Федя, поедем на юг?» — спросила Римма. «Обязательно», — с готовностью, как много раз за эти годы, ответил Федя. Вот и хорошо. Значит, все-таки поедем. На юг! И она прислушалась к голосу, который все еще чуть слышно шептал что-то о будущем, о счастье, о долгом, крепком сне в белой спальне, но слова уже трудно было различить. «Эй, смотри-ка: Петюня!» — удивленно сказал Федя. На экране телевизора, под пальмами, маленький и хмурый, с микрофоном в руках стоял Петюня и клял какие-то плантации какао, а проходившие негры оборачивались на него, и огромный его галстук нарывал африканской зарей, но счастья на его лице тоже что-то не было видно.

Теперь Римма знала, что их всех обманули, но кто и когда это сделал, не могла вспомнить. Она перебирала день за днем, искала ошибку, но не находила. Все как-то подернулось пылью. Иногда ей хотелось — странно — поговорить на этот счет с Пипкой, но та больше не появлялась.

Опять было лето, пришла жара, и сквозь густую пыль вновь зашептал что-то голос из будущего. Дети у Риммы выросли, один женился, а другой ушел в армию, квартира была пуста, и по ночам плохо спалось: старичок за стеной кашлял не переставая. Римме больше не хотелось устроить спальню в комнате старичка, и белого пеньюара у нее больше не было: съела моль, выйдя из хлама в коридоре, даже не посмотрев, что ест. Придя на работу, Римма пожаловалась Люсе-большой и Люсе-маленькой, что моль уже ест даже немецкие вещи, и маленькая ахала, прижимая ладони к щекам, а большая злилась и мрачнела. «Если хотите прибарахлиться, девочки, — сказала опытная Кира, оторвавшись от телефонных махинаций, — могу отвезти. Тут у меня есть одна. У нее дочь из Сирии вернулась. Деньги можно потом. Вещи хорошие. Вера Есафовна в субботу на семьсот рублей взяла. Они там, в Сирии, хорошо жили. В бассейне плавали, хотят еще поехать». — «Давайте, что ли», — сказала Люся-большая. «Ой, у меня долгов столько», — шептала маленькая.

«Быстро, быстро, девочки, берем такси, — торопила Кира. — За обеденный перерыв обернемся». И они, чувствуя себя девочками, сбежавшими с уроков, набились в машину, обдавая друг друга запахами духов и зажигаемых сигарет, и закружили по горячим летним переулочкам, засыпанным солнечной липовой шелухой, пятнами теплой тени; дул южный ветер и доносил сквозь бензиновые дуновения торжество и сияние далекого юга: голубое полыхание небес, зеркальный блеск огромных морей, дикое счастье, дикую свободу, безумие сбывающихся надежд — на что? а бог их знает! И по квартире, куда они вошли, замирая и предвкушая счастливое промтоварное приключение, тоже ходил теплый ветер, колыша и вздувая белый тюль на окнах, на дверях, распахнутых на просторный балкон, — все тут было просторное, крупное, свободное. Римма позавидовала квартире. Могучая баба — хозяйка продажного добра — быстро распахнула заветную комнату. Добро было навалено, помятое, в коробки из-под телевизоров, на вздымающуюся двуспальную постель, отражалось в зеркале могучего гардероба. «Ройтесь», — распорядилась Кира, стоя на пороге. Женщины, трепеща, погрузили руки в короба с шелковым, бархатным, полупрозрачным, расшитым золотыми нитями; вытаскивали вещи, дергая, путаясь в лентах и воланах; руки выуживали, а глаза уже нашаривали другое, поманившее бантом или оборкой, внутри у Риммы мелко дрожала какая-то жилочка, уши пылали, и во рту пересохло. Все было как во сне. И, как и полагается по жестокому сценарию сна, скоро наметился и начал разрастаться некий сбой в гармонии, тайный дефект, грозящий прогреметь катастрофой. Вещи — да что же это такое? — были не те, не те, что померещились вначале, глаз уже различал вздорность этих клюквенных марлевых юбок, годных разве для кордебалета, претенциозность лиловых индюшачьих жабо и немодные линии толстых бархатных жакетов; это отбросы; нас пригласили на объедки с чужого пира; здесь уже порылись, потоптались; чьи-то жадные руки уже осквернили волшебные короба, вырвали и унесли то самое, настоящее, ради чего билось сердце и дрожала та особая жилочка. Римма наваливалась на другие ящики, шарила по развороченной двуспальной постели, но и там, и там... А то, что она в отчаянии выхватывала из куч и прикладывала к себе, тревожно всматриваясь в зеркало, было смехотворно мало, коротко или глупо. Жизнь ушла, и голос будущего поет для других. Баба, владелица товара, сидела как Будда и смотрела зорко и с презрением. «А это?» — Римма тыкала в то, что висело на плечиках вдоль стен, развеваясь на теплом ветру. «Продано. Это тоже продано». — «А на мой размер... есть что-нибудь?» — «Дай ты ей», — сказала бабе Кира, подпиравшая стенку. Баба, подумав, вытянула из-за спины что-то серое, и Римма, торопливо обнажаясь, открывая подругам все тайны своего дешевого белья, ужом пролезла в полагающиеся отверстия; прилаживая и обдергивая, всмотрелась в беспощадно яркое свое отражение. Теплый ветер все гулял по солнечной комнате, равнодушный к совершаемому торгу. Она не поняла толком, что надела, с тоской смотрела на свои белые, с черными волосками ноги, словно отсыревшие или пролежавшие всю зиму в темных сундуках, на испуганно вытянутую шею с гусиной кожей, на прилипшие волосы, на живот, на морщины, на темные круги под глазами. От платья пахло чужими людьми — его уже мерили. «Очень хорошо. Твое. Бери», — давила Кира, тайная союзница бабы. Баба смотрела молча и брезгливо. «Сколько?» — «Двести». — Римма задохнулась, пытаясь сорвать отравленную одежду. «Это же очень модно, Риммочка», — виновато сказала Люся-маленькая. И в довершение унижения ветер распахнул дверь в соседнюю комнату и показал райское видение: молодую, загорелую до орехового блеска, божественно точеную дочь бабы — ту, что приехала из Сирии, что выпорхнула из белых бассейнов с прозрачной голубой водой, — сверкнула белая одежда, голубые очи, баба встала и прикрыла дверь. Это зрелище не для смертных.

Южный ветер заносил в старый подъезд мусор цветущих лип, нагревал потертые стены. Люся-маленькая спускалась по лестнице боком, обняв гору выбранных вещей, чуть не плача, — опять залезла в страшные долги. Люсябольшая злобно молчала. Римма тоже шла стиснув зубы: летний день почернел, судьба раздразнила и посмеялась. И она уже знала, что купленная ею в последний момент, в отчаянном порыве блузка — дрянь, прошлогодние листья,

золото сатаны, которому суждено наутро обернуться гни-
лушками, шелуха, обсосанная и сплюнутая голубоокой си-
рийской гурией.

Она ехала в притихшем, загрустившем такси и говорила
себе: зато у меня есть Федя и дети. Но утешение было фальшивым и слабым, ведь все кончено, жизнь показала свой
пустой лик — свалявшиеся волосы да провалившиеся глазницы. И вожделенный юг, куда она рвалась столько лет,
представился ей желтым и пыльным, с торчащими пучками
жестких сухих растений, с мутными, несвежими волнами,
покачивающими плевки и бумажки. А дома — старая, за-
пселая коммуналка, и бессмертный старичок Ашкенази, и
знакомый до воя Федя, и весь вязкий поток будущих, еще
непрожитых, но известных наперед лет, сквозь которые
брести и брести, как сквозь пыль, засыпавшую путь по колени, по грудь, по шею. И пение сирен, обманно шепчущих
глупому пловцу сладкие слова о несбыточном, умолкло навеки.

Нет, еще были разные события — у Киры отсохла рука,
Петюня приезжал в гости и долго рассказывал о ценах на
нефть, Эля с Алешей похоронили собаку и завели новую,
старичок Ашкенази помыл наконец окна с помощью фирмы
«Заря», но Пипка больше не появлялась. Одни точно знали, что она вышла замуж за слепого сказителя и укатила в
Австралию — сверкать там новыми белыми зубами среди
эвкалиптов и утконосов над коралловыми рифами, а другие
клялись и уверяли, что она разбилась и сгорела в такси на
Ярославском шоссе, в дождливую скользкую ночь, и что
пламя было видно издалека и стояло столбом до неба. Еще
говорили, что сбить огонь не удалось и когда все прогорело,
то на месте катастрофы ничего не нашли. Так, одни уголь́ки.

КРУГ

Мир конечен, мир искривлен, мир замкнут, и замкнут он на Василии Михайловиче.

В шестьдесят-то лет шуба тяжела, ступени круты, а сердце днем и ночью с тобой. Шел себе и шел, с горки на горку, мимо сияющих озер, мимо светлых островов, над головой — белые птицы, под ногами — пестрые змеи, а пришел вот сюда, а очутился вот здесь; сумрачно тут и глухо, и воротник душит, и хрипло ходит кровь. Здесь — шестьдесят.

Все это, все уже. Трава тут не растет. Земля промерзла, дорога узка и камениста, а впереди светится только одна надпись: «Выход».

И Василий Михайлович был не согласен.

Он сидел в коридоре парикмахерской и ждал жену. Через раскрытую дверь видна была тесная, перегороженная зеркальными барьерами зала, где три... где три его ровесницы корчились в руках могучих белокурых фурий. Можно ли назвать дамами то, что множилось в зеркалах? С возрастающим ужасом вглядывался Василий Михайлович в то, что сидело ближе к нему. Кудрявая сирена, крепко упершись ногами в пол, схватила *это* за голову и, оттянув ее назад, на придвинутый жестяной желоб, плеснула кипятком — взвился пар; бешено взмылила пену; снова пар, и не успел Василий Михайлович привстать и крикнуть, как она уже, навалившись, душила свою жертву белой вафельной простыней. Он перевел взгляд. В другом кресле — боже мой — к побагровевшей, очень довольной, впрочем, голове, утыканной, словно бы штырями, триодами, сопротивлениями, тянулись длинные провода... В третьем кресле он, вглядевшись, узнал Евгению Ивановну и пошел в ее сторону. То, что дома казалось ее волосами, теперь съежилось, кожа обнажилась, и женщина в белом халате тыкала туда жижицей на палочке. Удушливо пахло.

— Куда в пальто!!! — крикнуло несколько голосов.

— Женя, я все-таки пока пройдусь, сделаю кружочек, — махнул рукой Василий Михайлович. С утра он чувствовал слабость в ногах, бухало сердце и хотелось пить.

В фойе в больших кастрюлях росли какие-то жесткие зеленые сабли эфесами в землю, со стен глядели фотографии небывалых существ с нехорошими намеками во взгляде, а на головах-то! — башни, торты, крученые рога или, как на пюре в столовках, — волны. Вот одной из таких хочет быть Евгения Ивановна.

Дул холодный ветер и мелко, сухо сыпало с неба. День был темный, пустой, короткий, вечер родился уже на рассвете. В маленьких магазинчиках ярко, уютно горел свет. На углу прилепилась крохотная, сияющая, благоуханная лавчонка, коробка с чудесами. Да разве войдешь: все навалились друг на друга, тянутся с чеками через головы, хватают маленькое что-то. Толстуху задавили в дверях, она цепляется за притолоку, ее сносит встречным потоком.

— Датте вытти! Да датте же вытти!

— Что там?

— Блеск для губ!

Василий Михайлович вклинился в толчею. Женщина,

женщина, есть ли ты?.. Что ты такое?.. Высоко на вершине на сибирском дереве испуганно блестит глазами твоя шапка; корова в муках рожает дитя — тебе на сапоги; с криком оголяется овца, чтобы ты могла согреться ее волосами; в предсмертной тоске бьется кашалот, рыдает крокодил, задыхается в беге обреченный леопард. Твои розовые щеки — в коробках с летучей пыльцой, улыбки — в золотых футлярах с малиновой начинкой, гладкая кожа — в тюбиках с жиром, взгляд — в круглых прозрачных банках... Он купил для Евгении Ивановны пачку ресниц.

...Все предрешено, и в сторону не свернуть — вот что мучило Василия Михайловича. И жен не выбирают, они сами, неизвестно откуда взявшись, возникают рядом с вами, и вот вы уже бьетесь в сетях с мелкими ячейками, опутаны по рукам и ногам, и вас, стреноженного, с кляпом во рту, обучают тысячам тысяч удушающих подробностей преходящего бытия, ставят на колени, подрезают крылья, и тьма сгущается, а солнце и луна все бегут и бегут, догоняя друг друга, по кругу, по кругу, по кругу.

Василию Михайловичу открылось, чем чистить ложки и какова сравнительная физиология котлеты и тефтели; он помнил наизусть печально короткий срок жизни сметаны, и в его обязанности входило уничтожить ее при первых же признаках начинающейся агонии; он знал месторождения мочалок и веников, профессионально различал крупы, держал в голове все залоговые цены на стеклянную посуду и каждую осень протирал оконные стекла нашатырем, чтобы в корне уничтожить морозные вишневые сады, что собирались вырасти к зиме.

Иногда Василий Михайлович представлял себе, что вот он доживет эту жизнь и начнет новую, в другом обличье. Он придирчиво выбирал себе возраст, эпоху, внешность; то ему хотелось родиться пламенным южным юношей, то средневековым алхимиком, то дочкой миллионера, то любимым котом вдовы, то персидским царем. Василий Михайлович прикидывал, выбирал, капризничал, ставил условия, ударялся в амбицию, забраковывал все предложенные варианты, требовал гарантий, дулся, уставал, терял ход мысли и, откинувшись в кресле, долго глядел в зеркало на себя — одного-единственного.

Ничего не происходило. Не являлся Василию Михайловичу ни шестикрылый серафим, ни другое пернатое с предложением сверхъестественных услуг, ничего не разверзалось, не слышался глас с неба, никто не искушал, не возносил, не расстилал. Трехмерность бытия, финал которого все приближался, душила Василия Михайловича, он пытался сойти с рельсов, провертеть дырочку в небосклоне, уйти в нарисованную дверь. Как-то, сдавая в стирку простыни, Василий Михайлович загляделся на цветущий клевер хлопчатобумажных просторов, заметил, что семизначная метка, пришитая на северо-востоке, похожа на номер телефона, тайно позвонил по этому телефону, был благосклонно принят и завел скучный, безрадостный роман с женщиной Кларой. У Клары дома все было такое же, как у Василия Михайловича, такая же чистая кухня, разве что окна на север, такая же тахта, и, ложась в крахмальную Кларину постель, Василий Михайлович видел в уголку подушки еще один телефонный номер; вряд ли там ждала его судьба, но, наскучив Кларой, он все же позвонил и обрел женщину Светлану с девятилетним сыном; в Светланином шкафу стопочкой тоже лежало, переложенное кусками хорошего мыла, чистое белье.

Евгения Ивановна что-то чувствовала, искала следы, рылась в его карманах, разворачивала бумажки, не подозревая, что спит как бы в страницах большой записной книжки, испещренной номерами Клариного телефона, а Клара дремала в телефонах Светланы, а Светлана покоилась, как выяснилось, в телефонах бухгалтерии райсобеса.

Женщины Василия Михайловича так и не узнали о существовании друг друга, впрочем, и с подробностями о себе самом Василий Михайлович не навязывался. Да и откуда бы у него взяться фамилии, должности, адресу, почтовому, скажем, индексу — у него, у пододеяльного, наволочного фантома, порожденного капризной случайностью прачечной канцелярии?

Василий Михайлович приостановил эксперимент не из-за райсобеса. Просто он понял, что попытка вырваться из системы координат не удалась. Не новый, небывалый путь с захватывающими дух возможностями открывался ему, не тайная тропинка в запредельное, нет; он попросту нашарил впотьмах и ухватил обычное очередное колесо судьбы и, перехватывая обод обеими руками, по дуге, по кругу добрался бы в конце концов до себя самого — с другой стороны.

Ведь где-то в толще городского клубка, в тугом мотке переулков безымянная старуха вбрасывает в маленькое деревянное окошко тючок с потрепанным бельишком, помеченным семизначной криптограммой; это ты в ней зашифрован, Василий Михайлович. По справедливости-то ты — старухин. У нее все права на тебя — а ну как предъявит? Не хочешь?.. И Василий Михайлович — нет, нет, нет, — не хотел чужой старухи, боялся ее чулок, и ступней, и дрожжей каких-нибудь, и скрипа пружин под ее белым пожилым туловищем, и еще у нее будет чайный гриб в трехлитровой банке — скользкий, безглазый молчун, что годами тихо-тихо живет на подоконнике и ни разу даже не всплеснет.

А тот, кто держит в руках свиток судьбы, кто предрешает встречи, кто посылает алгебраических путников из пункта А в пункт Б, кто наполняет бассейны из двух труб, уже пометил красным крестиком перекресток, где он должен был встретить Изольду. Теперь ее, конечно, давно уже нет.

Он увидел Изольду на рынке и пошел за ней следом. Глянув сбоку в ее голубое от холода лицо, в прозрачные виноградные глаза, он решил: пусть она и будет той, кто выведет его из тесного пенала, именуемого мирозданием.

На ней была потертая шубейка с ремешком, худосочная вязаная шапочка — такие шапочки десятками протягивали приземистые, плотные женщины, запрудившие подходы к рынку; этим женщинам, как и самоубийцам, возбраняется пребывание в ограде, отказано в упокоении за дощатыми столами, и тени их, твердые от мороза, бродят толпой вдоль голубого штакетника, держа на вытянутых руках стопки ворсистых блинов — малиновых, зеленых, канареечных, шевелящихся на ветру, а ранняя ноябрьская манка сыплется, сыплется, метет и посвистывает, торопится укутать город к зиме.

И Василий Михайлович, со стиснутым от надежд сердцем, смотрел, как робкая Изольда, продрогшая до сердцевины, до ледяного хруста тонких косточек, бредет сквозь черную толпу, и заходит в ограду, и ведет пальчиком вдоль длинных пустынных прилавков, высматривая, не осталось ли чего вкусненького.

Северные бури развеяли, выдули изнеженных торговцев летним капризным товаром, теми сладкими чудесами, что сотворены в вышине теплым воздухом из розовых и белых цветов. Но неколебимо стоят, примерзнув к деревянным столам, последние верные слуги земли, угрюмо раскинув холодную свою подземную добычу; ибо перед лицом ежегодной смерти природа пугается, переворачивается и растет вниз головою, рождая напоследок грубые, суровые, корявые творения — черный купол редьки, чудовищный белый нерв хрена, потайные картофельные города.

И бредет разочарованная Изольда прочь, вдоль голубого забора, мимо галош и фанерных ящиков, мимо замусоленных журналов и проволочных мочалок, мимо пьяницы, протягивающего белые фарфоровые штепсели, мимо парня, равнодушно разложившего веер раскрашенных фотографий, мимо и мимо, печалясь и дрожа, и настырная баба уже крутит, и нахваливает, и чешет перед ее голубоватым личиком яркое шерстяное колесо, терзая его зубастой железной щеткой.

Василий Михайлович взял Изольду за руку и предложил выпить вина, и винным блеском сверкнули его слова. Он повел ее в ресторан, и толпа расступалась перед ними, и гардеробщик принял ее одежды как волшебное лебединое оперение феи-купальщицы, спустившейся с небес на маленькое лесное озеро. Мягкий мраморный аромат источали колонны, в полумраке мерещились розы, Василий Михайлович был почти молод, и Изольда была как диковинная серебряная птица, изготовленная природой в единственном экземпляре.

Евгения Ивановна почуяла Изольдину тень, и рыла ямы, и натягивала колючую проволоку, и выковала цепь, чтобы Василий Михайлович не мог уйти. Лежа с сердцебиением под боком у Евгении Ивановны, он видел внутренним взором, как на полночных улицах сияет снежный прохладный покой. Нетронутая белизна тянется, тянется, и вот — плавно повернула за угол, а на углу — розовым светом полное венецианское окно, и за ним Изольда не спит, вслушиваясь в невнятную городскую метельную мелодию, в темные зимние виолончели. И Василий Михайлович, задыхаясь во мраке, мысленно посылал Изольде свою душу, зная, что она дойдет до нее по сверкающей дуге, что соединяет их через полгорода, невидимая для непосвященных:

Ночными вагонами в горле стучит,
Накатит — и схватит — и вновь замолчит.
Распятый повис над слепою дырой,
Где ангелы смерти звенят мошкарой:
«Сдавайся! Ты заперт в квадрате ночном,
Накатим — отпустим — и снова начнем».
О женщина! Яблоня! Пламя свечи!
Прорвись, прогони, огради, закричи!
И стиснуты руки, и скрючило рот,
И черная дева из мрака поет.

Василий Михайлович перегрыз цепь и убежал от Евгении Ивановны; они сидели с Изольдой, взявшись за руки, и он широко распахивал для нее двери своей душевной сокровищницы. Он был щедр, как Али-Баба, а она удивлялась и трепетала. Изольда ничего не просила у Василия Михайловича: ни тувалета хрустального, ни цветного кушака царицы шемаханской; все бы ей сидеть у его изголовья, все бы ей гореть венчальной свечой, гореть, не сгорая, ровным тихим пламенем.

Скоро Василий Михайлович выложил все, что у него было. Теперь очередь была за Изольдой: она должна была обвить его своими слабыми голубыми руками и шагнуть с ним вместе в новое измерение, чтобы молния, сверкнув, расколола обыденный мир, как яичную скорлупу. Но ничего похожего не происходило. Изольда все трепетала да трепетала, и Василию Михайловичу было скучновато. «Ну что, Ляля?» — говорил он, зевая.

Ходил по комнате в носках, чесал в голове, курил у окна, совал окурки в цветочные горшки, укладывал бритву в чемодан: собирался назад к Евгении Ивановне. Часы тикали, Изольда плакала, ничего не понимая, обещала умереть, под окном была слякоть. И чего нюни распускать? Вон взяла бы лучше и прокрутила мяса, котлет бы нажарила. Сказал: уйду, — значит, уйду. Что тут неясного?

Евгения Ивановна на радостях испекла пирог с морковью, помыла голову, натерла полы. Сорокалетие свое он отпраздновал сначала дома, а потом в ресторане, недоеденную рыбу и заливное они собрали в полиэтиленовые мешочки, и еще на завтрак хватило. Получил хорошие подарки: радиолу, часы с деревянным орлом и фотоаппарат ФЭД. Евгения Ивановна как раз давно хотела сфотографироваться на пляже в набегающей волне. Изольда не удержалась, подпортила юбилей: прислала какую-то дрянь в бумажке и стишки без подписи, детским почерком:

Вот на прощанье для тебя подарок:

Свечи огарок,

Шнурки от туфелек и косточка от сливы.

Вглядишься пристально и усмехнешься криво:

Такой была

Твоя любовь, пока не умерла:

Огонь, и легкий бег, и сладкие плоды

Над пропастью, на краешке беды.

Теперь-то ее давно нет.

И вот ему шестьдесят, и ветер дует в рукава, задувает в сердце, и ноги идти не хотят. Ничего, ничего не происходит, ничего нет впереди, да и позади, в общем-то, тоже ничего. Шестьдесят лет он ждет, что придут и позовут, и откроют тайное тайных, что полыхнет зарево на полмира, встанет лестница из лучей от неба до земли, и архангелы с тромбонами и саксофонами, или что там у них полагается, завопят неземными голосами, приветствуя избранника. Ну что же они медлят? Он ждет всю жизнь.

Он ускорил шаги. Пока Евгении Ивановне бреют шею, варят голову и загибают волосы железными крючками, он успеет дойти до рынка, выпить теплого пива. Холодно, шуба-то паршивая, одно название, что шуба, — фальшивая шкура на ложном меху, купленная Евгенией Ивановной у спекулянтки. «Для себя-то крокодилов обдирает», — подумал Василий Михайлович. К спекулянтке — за крокодиловой обувью, шубой и другими мелочами — ходили под вечер, долго искали нужный дом. На лестничной площадке была тьма, шарили ощупью, спичек не нашлось. Василий Михайлович тихо ругался. С изумлением нащупал на одной из дверей глазок на уровне колена. «Правильно, значит, сюда», — шептала жена. «Что же она, на четвереньках ходит?» — «Она карлица, цирковой лилипут». С замиранием сердца он ощутил близкое присутствие чуда: за дерматиновой дверью, может быть, той самой, единственной дверью на свете, зияет провал в иную вселенную, дышит живая тьма

115

и среди звезд парит, дрожа на стрекозиных крылышках, крошечный полупрозрачный эльф, звенящий, как колокольчик.

Карлица оказалась старой, бешеной, злой, руками трогать вещи не позволяла. Василий Михайлович искоса разглядывал кроватку с приставной лесенкой, детские стульчики, низко, над самым полом висящие фотографии, свидетельствующие о минувшей прелести лилипутки. Там, на снимках, стоя на крупе расфуфыренной лошади, в балетных пачках, в стеклянных цирковых алмазах, счастливая, крошечная, махала ручкой юная спекулянтка через стекло, через время, через прошедшую жизнь. А здесь, выхватывая из шкафов морщинистыми ручонками огромные взрослые вещи, метался взад-вперед злобный тролль, страж подземного золота, и от висящего над полом абажура Гулливером металась по стенам тень. Евгения Ивановна купила у страшной деточки и шубу, и крокодиловые туфли, и подмигивающий японский кошелек, и платок с люрексом, и шкурку песца на шапку, и пока, поддерживая друг друга, они нашаривали ногами путь вниз по темной лестнице, объясняла Василию Михайловичу, что песцовый мех надо чистить манной крупой, раскаленной на сухой сковородке, и что мездра воды боится, и что теперь надо купить полметра простой тесьмы. Василий Михайлович, стараясь ничего не запомнить, думал о том, какой была лилипуточка в юности, и можно ли лилипутам жениться, и о том, что если ее посадят за спекуляцию, какой большой и страшной покажется ей тюремная камера, и каждая крыса будет как конь, и представлял себе, как молодая спекулянточка сидит в мрачном зарешеченном замке, где лишь совы да летучие мыши, и как она заламывает кукольные ручки, и как стемнело, и как он крадется к замку с веревочной лестницей на плече через зловещий парк, и лишь луна серебряным яблоком бежит за черными сучьями, и лилипуточка припала к решетке окна и протиснулась между прутьев, прозрачная, как леденец в лунном свете, и как он карабкается, обдирая пальцы о замшелые средневековые камни, а стража уснула, опершись на алебарды, а вороной конь внизу храпит и бьет копытом, готовый скакать по усыпанной опилками арене, по красному ковру, по кругу, по кругу, по кругу.

Время, отпущенное Василию Михайловичу, иссякало. Океан остался позади, а неизведанный континент так и не преградил ему путь, новые земли не выплыли из тумана, и он уже с тоской различал впереди унылые пальмы и знакомые минареты Индии, которых так жаждал просчитавшийся Колумб и которые означали конец пути для Василия Михайловича. Кругосветное путешествие, по всем признакам, заканчивалось: его каравелла, обогнув жизнь, подплывала с обратной стороны и уже вновь бороздила знакомые просторы. Проплыл знакомый райсобес, где на флагштоках развевались пенсионные, проплыл оперный театр, где Светланин сын, наклеив театральные брови, густо пропел о быстротечности жизни под громкие аплодисменты Евгении Ивановны. «Если встречу Изольду, — загадывал Василий Михайлович, — путь окончен». Но он хитрил: Изольды давно уже не было.

Еще иногда доносились сигналы: ты не одинок. Есть в чаще людей светлые полянки, где в отшельнических хижинах обитают подвижники, избранные, отринувшие суету, ищущие заветную лазейку из темницы.

Приходили известия: в мире появились странные предметы, с виду никчемные, бесполезные, но исполненные некоего тайного смысла; указатели, ведущие в никуда. Таков был Чебурашка — дерзкий вызов школьному дарвинизму, непарное мохнатое звено эволюции, выпавшее из расчисленной цепи естественного отбора. Таков был кубик Рубика, ломкий, изменчивый, но вечно единый гексаэдр. Простояв четыре часа на морозе вместе с тысячей угрюмых собратьев-сектантов, Василий Михайлович стал владельцем чудесного кубика и неделями, до красных глаз, крутил и крутил его скрипучие подвижные грани, тщетно ожидая, что блеснет наконец свет из окошка другой вселенной. Но, почувствовав как-то ночью, что из них двоих настоящий-то хозяин — кубик, что это он выделывает что хочет с беспомощным Василием Михайловичем, он встал, пошел на кухню и капустной сечкой зарубил гадину.

В ожидании откровения он листал слепые машинописные страницы, учившие, как надо на рассвете вдыхать одной ноздрей зеленый квадрат и гонять его мысленным усилием по кишкам туда и обратно. Он часами стоял на голове, скрестив ноги, в чужой квартире у вокзала, между двух небритых, тоже перевернутых инженеров, и от перестука поездов за стеной, уносившихся в дальние странствия, дрожали их поднятые ввысь полосатые носки. И все было напрасно.

Впереди показался рынок, облепленный будками. Сумерки, сумерки. Озарилась изнутри ледяная витрина ларька, где зима торгует снежным, облитым шоколадом мякишем на занозистых щепочках, и того, пестрого, как домик-пряник, где можно купить разного ядовитого дыму, и складную ложку, и витые цепи из особого, очень дешевого народного золота; и того, вожделенного, где сгрудилась толпа черных людей с потеплевшими от счастья сердцами и где в толстом стекле кружек блуждающими огнями прозрачно светится пивная заря. Василий Михайлович занял очередь и обвел взглядом снежную площадь.

Там стояла Изольда, расставив ноги. Она сдувала пену себе на войлочные боты, страшная, с треснувшим пьяным черепом, с красной морщинистой мордой. Загорались огни, и всходили первые звезды, белые, синие, зеленые. Морозный ветер долетал от звезд до земли, развевал ее непокрытые волосы и, покружившись над головой, уходил в темные подворотни.

— Лялечка, — сказал Василий Михайлович.

Но она смеялась с новыми приятелями, спотыкалась,

подставляя кружку: черный мужик раскупоривал бутылку, другой бил сухой рыбой об угол ларька, им было хорошо.

— Ра-адостно сее-еее-ердцу, — пела Изольда. — О, если б навеки так быы-ыыло!

Василий Михайлович стоял и слушал ее пение и не понимал слов, а когда очнулся, дерущуюся Изольду поспешно уводили милиционеры. Впрочем, это не могла быть Изольда: ведь ее давно уже не было.

А он, кажется, еще был. Но теперь это не имело никакого смысла. К сердцу подступала тьма. Пробил час уходить. И он оглянулся назад в последний раз и увидел лишь длинный холодный туннель с заиндевелыми стенками и себя, ползущего с протянутой рукой и угрюмо затаптывающего все вспыхивающие на пути искры. А очередь подталкивала его и торопила, и он шагнул вперед, уже не чувствуя ног, и с благодарностью принял из ласковых рук заслуженную чашу с цикутой.

СПИ СПОКОЙНО, СЫНОК

У Сергеевой тещи в сорок восьмом году сперли каракулевую шубу.

Шуба была, понятно, чудесная — кудрявая, теплая, подкладка трофейная: тканые ландыши по лиловому; век бы из такой шубы не вылезать: ноги в ботики, в руки муфту — и пошла, и пошла! И как сперли — по-хамски, нагло, грубо, просто из-под носа выдернули! Теща — прелестное дитя, бровки выщипаны, каблучки стучат — поехала на барахолку, взяв с собой Паню, домработницу, — ты, Леночка, ее уже не помнишь. Нет, что-то такое Леночка помнила, — да бог с тобой, ты же пятидесятого года? Ты Клаву путаешь, Клаву, еще гребенка розовая, круглая такая — забыла? Как она все: «Грехи мои тяжки, грехи мои тяжки», боялась, что пригорит. А готовила — дай бог всякому, и меня обучила. Потом еще обувь ей в деревню отдавали, для внуков. Сейчас никто старую обувь не берет, не знаешь, куда девать.

Так вот, с Паней на барахолку. Эта Паня!.. Теща хотела купить еще одну шубку, беличью, на каждый день. Дамочка одна продавала — приличная, заплаканная, носик синенький, вот как сейчас перед глазами... Теща — каракуль

120

Пане на руки, влезла в беличью, повернулась, а дамочки и след простыл, и каракуля нет! Паня, шуба?! Визг, слезы: да хозяйка, да я сама не знаю как, да вот же сейчас в руках держала! Глаза отвели, окаянные! Ну, глаза или не глаза, а не было ли тут сговора? Время послевоенное, глухое, шайки всякие, и кто ее, эту Паню, знает?.. И конечно, зависть, глухое неодобрение к таким, как теща, Марья Максимовна, — хорошеньким, вертлявым, тепло и богато укутанным. А за что? Можно подумать, что они жили как райские птицы, теща с Павлом Антонычем, — да ничего подобного. Вечное напряжение, тревога, разлуки, ночная работа. Военный медик был Павел Антоныч, борец с чумой, человек пожилой, сложный, скорый на решения, в гневе страшный, в работе честный. Тут предлагалось посмотреть на фотографию Пал Антоныча, каким он был в последние годы жизни, уже обиженный, отставленный, уязвленный классической ситуацией: отшатнувшиеся ученики, хапнув самое ценное из трудов учителя, переступают через него и несут слегка замаранное знамя дальше, ни единой строчечкой, ни сносочкой не почтив имя основоположника.

Сергей возводил очи горе и различал высоко на стене, в шелковой теплой тени, очки, усы и ордена. Леночка, папу-то помнишь? Конечно. Марья Максимовна шла на кухню за булочками, Сергей тянулся погладить Леночкину руку, та, суя ее как предмет посторонний, объясняла, что вообще-то отца почти не помнит, это уж она так, для мамы... Помнит осевший, ноздреватый мартовский снег, лаковый блеск «ЗИЛа», и как пахло внутри, и оловянные зубы шофера, кепку его... Облако отцовского одеколона, скрип сиденья, сердитый затылок и замелькавшие за окном голые деревья — куда-то поехали... И еще один день — майский, золотой, с резким сладким ветром в форточку, в квартире какой-то разброд, то ли ковры в чистку, то ли зимние вещи в нафталин, все переставлено, бегают. И гневный, ужасный крик Пал Антоныча в коридоре, буханье ногой в пол, он швыряет что-то тяжелое, врывается и, мощный и красный, прет через комнату, топча ногой медвежонка, топча кукольный обед, и майское солнце негодует, трясется и брызжет из стекол его очков. Причина будто бы была пустяковая — собака, что ли, напачкала у входа. На самом-то деле собака — ерунда, предлог, просто жизнь начала поворачиваться к Пал Антонычу не лучшей стороной. И ездить стало уж не на чем.

Теща возвращалась с булочками, со свежим чаем, Леночка клала свою руку на место, как использованную. Прохладновата была Леночка для молодой супруги, улыбалась слишком вежливо, горела вполнакала, и что там скрывалось, какие мысли мелькали за этими акварельными глазами? Бледные щеки, волосы — водорослями вдоль щек, слабые руки, легкие ноги — все завораживало, и хотя Сергей вообще-то любил женщин крепких, ярких, чернобровых, как вятская игрушка, но перед водянистой прелестью Леночки устоять не смог. А она обвилась вокруг него, нежаркая, душой зыбкая и недоступная, со слабенькими женскими проблемками: ка-ашель, ту-уфельки велики, сюда гвоздик вбей, Сережа, — и он вбивал гвоздики, вертел мелкие, как блюдца, туфли, — со Снегурочки все сваливается, — растирал скипидаром узкую Леночкину спину.

Женился со страхом и восторгом, наугад, ничего не понимая, — что Леночка, почему Леночка, ну да там видно будет! Она — нежная девочка, он — защитник, опора, теща — милейшая дама, добродушная, в меру вздорная, преподает в школе домоводство. Учит девочек кроить фартучки, обметывать края какие-то. Теория шитья, основы пожарной безопасности. «Стежок есть переплетение нитки с тканью между двумя проколами иглы». «Пожар есть загорание предметов, не подлежащих загоранию». Уютное, женское дело. И дома — семейный уют, семейный очаг, скромный и солидный простор трехкомнатной квартиры — наследство после сурового Пал Антоныча. Коридор уставлен книгами, в кухне все что-то печется и варится, а за кухней — крошечная комната, закуток, — это раньше так строили, Сереженька, специально для прислуги; здесь и эта жуткая Паня жила, и Клава с розовой гребенкой, а хотите, мы здесь ваш кабинет устроим, мужчине нужен отдельный кабинет. Конечно, ему хотелось! Маленькая, но совершенно своя комната — да что же может быть лучше? Стол — к окну, сюда стул, за спиной — полка с книгами. Летом в распахнутые окна полетит тополиный пух, а птичье пение, а детские голоса... Ручку, Марья Максимовна! Позвольте поцеловать. Ну, вот как все хорошо.

Да она даже представить себе не может, как все замечательно, какое чудо, какой подарок судьбы для него эта комната, эта семья, — для него, детдомовца, мальчика без имени, без отчества, без матери. Все, все придумали ему в детдоме: имя, фамилию, возраст. Детства не было, детство сгорело, разбомбленное на неведомой станции, чьи-то руки вытащили его из огня, бросили на землю, катали, шапкой били по голове, сбивая пламя... Не понимал, что шапкой-то и спасли, черной, вонючей, — шапка отбила память, она снилась в кошмарах, кричала, взрывалась, оглушала, он долго потом заикался, рыдал, закрывал руками голову, когда воспитательницы пытались его одевать. Сколько ему было — три года, четыре? И сейчас, в середине семидесятых годов, у него, взрослого человека, екало сердце, когда проходил мимо магазина, где на полках круглились меховые шары. Останавливался, смотрел, преодолевая себя, напрягал память: кто я? откуда? чей я сын? Ведь была же мама, кто-то меня родил, любил, вез куда-то?

Летом на вытоптанных площадках играл с такими же обожженными, безымянными, вытащенными из-под колес. Брались за руки, становились в две цепи. «Али-Баба!» — «О чем, слуга?» — «Тяни рукава!» — «С какого конца?» — «Слева направо, Сережу сюда!» — и он бежал в серых казенных шароварах из одной цепи в другую, из своей

123

семьи в чужую, чтобы горлом разорвать худые сцепленные руки, и, если это удавалось, присоединялся к тем, чужим, гордясь своей силой и немножко чувствуя себя изменником.

Длинные зимы, голодные глаза, бритые головы, кто-нибудь из взрослых торопливо погладит по голове, пробегая; мышиный запах казенных простыней, тусклый свет. Старшие мальчики били, требовали, чтобы воровал, соблазняли, вертя перед носом куском сырого хлеба, — поделимся с тобой, лезь вон в ту форточку, ты тощий, протиснешься. Но кто-то невидимый и неслышный как будто непреклонно качал головой, закрывая глаза: нельзя, не бери. Мать ли то подавала знак из темного, разбитого времени, с той стороны, из-за шапки, бесплотные ли силы оберегали? Кончил школу — выдали характеристику: «морально устойчив, опрятен». Тихо ела его тоска по матери, которой не было нигде. Соображение, что все, в конце концов, произошли от обезьяны, как-то не утешало. Он выдумывал себе матерей, воображал себя сыном любимой учительницы — будто бы у нее потерялся маленький мальчик и она ищет его, спрашивает у всех — не встречался ли? Тощенький такой, шапки боится? А он — вот он, тут, на первой парте сидит, а она и не знает! Сейчас она всмотрится и крикнет: «Сережа, ты? Что ж ты молчишь?» Он был сыном поварихи — помогал резать хлеб на кухне, посматривал на ее белый колпак и быстрые руки, замирал, ожидая озарения, узнавания; он вглядывался в женщин на улице — напрасно, все бежали мимо.

Теперь же, тайно от Леночки, он хотел быть сыном Марьи Максимовны. А не было ли у нее сына, загоревшегося на далекой, безымянной станции? Загорание предметов, не подлежащих загоранию?.. Закут за кухней, снег за окном, желтый абажур, старые обои с кленовыми листьями, старый дом — вспомнить бы... Как будто бы он тут жил, как будто бы что-то узнаёт?..

Чушь какая, не было у Марьи Максимовны пропавшего мальчика, только шуба у нее и пропала, хорошая, трофейная шуба на шелковой подкладке, затканной лиловыми ландышами. Пал Антоныч, большой человек в многозвездных чинах, снял эту роскошь с крючка в немецком доме — ему сразу понравилось, церемониться не стал. Снял — и в посылку. За наши города и села!

Какая шуба была! Обидно, Сереженька! Вам это, наверное, знакомо — гадкое чувство, что тебя обокрали. И не успела даже повернуться, ахнуть не успела — подменили! Беличью дешевку подсунули, да еще и не новую, как потом выяснилось: расползлась по швам. Да она небось тоже краденая была?!

Это вы представляете ситуацию — жена Павла Антоныча обкрадена и сама в ворованной шубе... Что хуже всего — пришлось признаться, что ездила на барахолку: это ведь в тайне от него делалось... Ох, на него было страшно смотреть: какой-то гейзер гнева! Обокрали... Он таких вещей не терпел. Он, военный медик, заслуженный человек, всю жизнь отдал науке — и людям, конечно, — и вдруг такое. С ним же тогда страшно считались, это уж после на него наговорили, оскорбили, вышвырнули на пенсию, в отставку, его, заслуженного инфекциониста! Забыли все его заслуги, смелость, бесстрашие, принципиальность, забыли, как он в двадцатые-тридцатые годы боролся с чумой — и побеждал, Сереженька! Сам жизнью рисковал ежеминутно и трусов не терпел.

Страшное дело — чума. Сейчас о ней как-то не слыхать, ну, там-сям отдельные случаи — это, кстати, заслуга Пал Антоныча! — а ведь тогда это же шло как эпидемия. Зараженные степи, села, целые районы... Пал Антоныч и его коллеги ставили опыты: кто же разносит чуму? Хорошо, крысы, но какие? Так оказалось, вообразите, что всякие! Домашние, чердачные, корабельные, канализационные, бродячие, полевые. Больше того, все эти с виду невинные зайчики, суслики, даже маленькие мышки... Тушканчики, хорьки, землеройки! Да что там, я ушам своим не поверила, когда узнала, но Павел Антоныч особо подчеркивал: верблюды! Вы понимаете? Никому верить нельзя. Кто бы мог подумать? Да, да, и среди верблюдов чума. А вы представляете, каково это — опыты на верблюде? Он же огромный! А его ловят, заражают, берут у него, зараженного, анализы, причем все сами, своими руками. Держат в загоне, сами кормят, сами навоз вывозят. А он анализы давать не хочет, а он в вас же еще и плюет — чумной-то. И норовит попасть в лицо.

Нет, врачи святые, я всегда говорю. А потом? Ну, потом, убедившись, что заразен, умерщвляют, конечно. Что ж? Он же других перезаразит?

Потом началась война. Пал Антоныча перебросили на другой профиль. Да, работы только прибавилось. Война, война... Да что я вам рассказываю, вы сами все пережили.

Во время войны они и познакомились, теща с Пал Антонычем. Поженились, виделись урывками. Ему нравилось, что она такая молоденькая, живая... Хотел приодеть ее, шубу вот эту прислал... Он и сам был доволен: надень-ка шубу, Машенька... Беспокоился, на лето нафталин доставал. И вот такой удар...

Мягкая, чудесная, понимающая женщина — Марья Максимовна. Странный этот пунктик — не может забыть шубу. Все-таки женщина, им это важно. У каждого свои воспоминания. Она ему о шубе, Сергей ей — о шапке. Сочувствовала. Леночка улыбалась обоим, витая в своих неясных мыслях. Ровный, бесстрастный характер у Леночки, будто не жена ему, а сестра. Мать и сестра — о чем еще мечтать потерявшемуся мальчику?

Сергей прибил полочку в своем закуте, расставил любимые книги. Сюда бы еще раскладушку. Но спать ходил в спальню, к Леночке. Ночью лежал без сна, смотрел в ее тихое личико с розовыми тенями у глаз, удивлялся: кто такая? О чем думает, что ей снится? Спросишь — пожмет плечами, помалкивает. Голоса никогда не повысит, наследит Сергей снегом — не заметит, курит Сергей в спальне — на здоровье... Читает, что под руку подвернется. Камю так Камю, Сергеев-Ценский — тоже хорошо. Какой-то холодок от нее. Дочка усатого, очкастого Павла Антоныча... Странно.

Пал Антоныч... Висит на стене в столовой, в раме, ночные тени ходят по его лицу. Рос дуб и рухнул. Давно рухнул, вот и Леночка его не помнит. А все же он тут — бродит по коридору взад-вперед, поскрипывает половицами, трогает ручку двери.

Пальцем проводит по обоям, по кленовым листочкам, по книжным полкам — хорошее наследство оставил дочери. Слушает, не пискнет ли крыса? Домашняя, чердачная, полевая, корабельная, бродячая... Ах ты, зверь ты, зверина, ты скажи свое имя: ты не смерть ли моя? Ты не съешь ли меня? Я не смерть твоя, я не съем тебя: ведь я заинька, ведь я серенький... Зайцы — тоже разносчики чумы. Особо опасная инфекция... Прогноз крайне неблагоприятен... В случае подозрения на заболевание чумой посылается экстренное донесение... Больные и все лица, бывшие с ними в контакте, изолируются. Сам-то боялся ли? Все-таки большой человек. В гневе страшен, в работе честен. Зачем вот только с шубой?..

А вдруг Пал Антоныч — Сергеев отец? Вдруг у него, пожилого, была другая жена — еще до Марьи Максимовны? Вынырнуть из небытия, обрести прочную цепь предков — Павел Антонович, Антон Феликсович, Феликс Казимирович... Почему бы и нет? Вариант реальный...

Снял шубу с крючка, вывернул — мехом внутрь, ландышами наружу, зашуршала шелковая бумага. Веревочку! Битте. Коленом наступил, подтянул потуже, затянул узел чистыми медицинскими пальцами. И еще раз. Подергал — не развяжется. Взял, не побрезговал. За развороченные рельсы, за взрыв, за опаленную голову сына, за вспыхнувшую факелом маму, за шапку, выбившую детскую память. Всплывает лицо с закрытыми глазами, кто-то качает голо-

127

вой: нельзя, не бери. Отец, не бери! Через три года сперли на рынке. Как он кричал! Паня, домработница, конечно, была в сговоре. Подумайте сами — чтобы вот так, в мгновение ока... Безусловно, шайка работала. Марья Максимовна бы еще ладно, махнула рукой, но Пал Антоныч по своему характеру просто не мог стерпеть. Паню — под суд! Да, да! Кому вы передали шубу? Кто ваши сообщники? Когда вы вступили в преступный сговор? Сколько вам причиталось за сделку? Паня — баба глупая, темная, несла какую-то ересь, путалась в показаниях, противно было слушать. Короче — засудили. Но шубы так и не нашли. Пропала. Теплая, кудрявая, подкладка скользящая, шелковая...

«Я это уже пятый раз слушаю», — сказал Сергей, сердито укрываясь одеялом. «Ну и что ж? Мама переживает». — «Да, но сколько же можно? Подумаешь, Акакий Акакиевич!» — «Я тебя не понимаю, ты что, ворам сочувствуешь?» — «При чем тут... А он что, не украл?» — «Папа?! Папа был честнейший человек!» Темная баба — Паня. Сгинула, пропала, исчезла. Засудили. Деревенская тетка, муж погиб на фронте. Розовый гребень. Нет, гребень у Клавы. Ни лица, ни голоса — сплошное белое пятно. Он — Панин сын. Возможно, возможно. Отец погиб, а она бежала с ним болотами, проваливалась, продиралась через леса, побиралась, просила кипятку на станциях, выла. Поезд, взрыв, рельсы винтом, шапкой по лицу, черной шапкой, чтоб отшибло память. Лежишь, вглядываешься во тьму — глубже, глубже, до предела, — нет, там стена. Паня потеряла его на станции. Ее увезли без сознания. Она очнулась — где Сережа? Или Петя, Витя, Егорушка? Кто-то видел, как тушили горевшего мальчика. Она идет, ищет его по городам. Открывает все двери, стучит во все окна: не видали ли? Темный платок, и глаза ввалились... В прислуги к Пал Антонычу. Ты не смерть ли моя, ты не съешь ли меня? Нет, я заинька, нет, я серенький. «Паня, поедемте со мной, подержите шубу». Погоди, не езди! «Хозяйка, я сына потеряла, до вашей ли шубы мне?» И чтобы осталась дома. И чтобы еще двадцать пять лет в закуте. Тут Сергей женится на Леночке, приходит в дом, Паня всматривается, узнает... Да не могла она украсть, она же закрывала глаза и качала головой: не бери. В случае подозрения посылается экстренное донесение. Домашняя, чердачная, бродячая, полевая. Подкладка шелковая. Сережа, вбейте гвоздик.

Хорошо, пусть она украла! Нищая, голодная, как эти воровавшие мальчики, дом сожжен, сын потерян, муж погиб в болотах. Пусть она соблазнилась лиловыми ландышами. Я не вобью в нее гвоздик. Я ее сын. Паня — моя мать, это решено, чтоб вы знали. А зачем он снял шубу с крючка? Эта шуба — Паниного мужа, это он должен был дойти, доползти, протянуть к крючку обгорелую руку — нет, не взял бы, побрезговал. А вы, ясновельможный пане, не побрезговали. А я женат на вашей дочери. Пал Антоныч мой отец. Иначе зачем он мучает меня пропавшей шубой, шевелит орденами, вздыхает за стеной? Скажи свое имя! Крепко взявшись за руки, цепь предков уходит вглубь, погружаясь в темный студень времени. Становись к нам, безымянный, присоединяйся! Отыщи свое звено в цепи! Павел Антоныч, Антон Феликсович, Феликс Казимирович. Ты наш наследник, ты валялся на нашей кровати, любил Леночку, ты не моргнув глазом ел наши булочки — каждая изюминка в них вырвана нами у домашних, бродячих, чердачных; для тебя мы кашляли страшной мокротой, вздувались бубонами, для тебя заражали верблюдов, плевавших нам в лицо, — не отмараешься от нас. Мы построили тебе, безымянному, чистенькому, дом, очаг, кухню, коридор, спальню, закут, зажгли лампы и расставили книги. Мы наказали поднявших руку на наше имущество. Али-Баба! — О чем, слуга? — Тяни рукава! — С какого конца?..

Паня брала у своих. А Пал Антоныч — у чужих. Паня призналась. А Пал Антоныч пострадал от наветов. Чаши весов выровнялись. А ты что сделал? Пришел, поел, осу-

129

дил? В противочумных очках, в резиновых бахилах, с огромным шприцем шел Пал Антоныч на верблюда. Уж я смерть твоя, уж я съем тебя! И мыши болеют, и зайцы. Все болеют, все. Не надо кичиться.

Леночка не желала больше слышать про Сергееву шапку. Как будто нет других разговоров. И вообще... Дети, не кричите! Я не понимаю, кто она такая? Зачем она вышла за меня замуж? Если ей на все наплевать... Как в воде вымоченная... Не человек, а мыльная пена какая-то! Сережа, как громко вы кричите! Вылитый Павел Антоныч. Тихо, тихо. Леночке в ее положении нужен покой.

Леночка, не сердись на меня. Хорошо, хорошо, Сереженька. Вбей гвоздик — пеленки надо повесить. Ты бы лег в закуте, а то тебе Антошка спать не даст. Тень листьев падает на крошечное личико, на кружевную простыню; младенец спит, подняв стиснутые кулачки, лобик наморщен — силится что-то понять. Рыбки уснули в пруду. Птички уснули в саду. Кто там вздохнул за стеной? Что нам за дело, родной!

Спи спокойно, сынок, уж ты-то ни в чем не повинен. Чумные кладбища засыпаны известью, степные маки навевают сладкие сны, верблюды заперты в зоопарках, теплые листья шелестят над твоей головой — о чем? Не все ли тебе равно!

ПЛАМЕНЬ НЕБЕСНЫЙ

Этот Коробейников, он приходил на дачу из соседнего санатория. Его там оперировали по поводу язвы. Так врачи всегда говорят: по поводу язвы. Ведь просто так, за здорово живешь, человека не разрежешь, хотя, я знаю, многим интересно, чтобы их разрезали и посмотрели на всякий случай: что у них внутри. Но так же нельзя, без повода. Поэтому режут по поводу: скажем, по поводу язвы, а уж там как бог пошлет, умирать гражданин будет совсем по другому поводу, и врачи тут совершенно ни при чем.

Так вот, он приходил на дачу из своего санатория. Прогулка хорошая, нетрудная, километра два среди холмов, по березовому лесочку. Август, птички уже не поют, но все равно благодать. Сухо, лист желтеет и валится, кое-где гриб торчит. Коробейников срывал этот гриб и приносил на дачу.

Из одного гриба ничего не сваришь, но все-таки подарок. Приношение в дом. Ольга Михайловна стояла на крыльце, смотрела, как он выходит из-за частокола белых стволов, говорила: «Вот Коробейников идет, гриб несет». И от этих ее слов всем хорошо становилось, спокойно, как в детстве: тихо светит солнце, тихо скользят времена года, ти-

131

хо, без крика и паники, подступает осень. Идет милый человек, несет кусочек природы. Симпатично.

Чего он повадился к ним ходить, почему привязался — кто его знает. Ну, они были рады. Дачные гости — это не то, что городские. Какая-то приятная необязательность. В городе гость просто так не заглянет, сначала позвонит по телефону: хочу, мол, вас навестить. Хозяйка быстро оглядит пол — много ли пыли, сообразит, не всклокочена ли с утра постель, пробежит нервной мыслью по полкам холодильника, — в общем, это напряжение. Стресс. А на даче это все равно: и на что сесть, и что пить, и из каких чашек. И даже ничего страшного, если гостя оставить на пять минут одного — в городе это смертный грех, а тут нет. Тут это разновидность гостеприимства. Сидит гость в плетеном кресле, курит себе или так молчит, смотрит сквозь окна вдаль, на небо, а там закат играет всеми цветами, то красную полосу пустит, то лиловую, потом золотая корочка загорится на туче или все морозной зеленью подернется, лимоном, блеснет звезда... Лучше телевизора.

Тут хозяйка возвращается, несет чайник под ватным колпаком, режет кекс, включает свет. Ночные бабочки летят из сада, шуршат. Разговоры, ля-ля, ля-ля, посмеются, поспорят, так посидят, повздыхают. Коробейникову курить не стоило бы, с его-то язвой, но он курит, заводит беседы о таинственном. Он верит в пришельцев, в зеленых человечков, его волнуют гигантские пауки и треугольники пустыни Наска. Он читал в газете «Труд», что над Свердловском висела летающая тарелочка, что под Ленинградом небо светилось, почему — неизвестно. Его это волнует. Ольгу Михайловну это тоже волнует, она давно хочет познакомиться с зелеными человечками, у нее на них свои планы. Коробейников говорит, что в Южной Америке одну женщину, Долорес, человечки взяли с собой на свою тарелочку, покатали, показали ей землю с птичьего полета, потом спустили назад посреди города Бостона. Долорес, простая крестьянка, страшно растерялась — языка не знает, куда идти — не понимает. У нее дома шестнадцать детишек ревмя ревут, есть просят, а она мечется как курица посреди города Бостона, в то время как ее муж, Хосе, простой крестьянин, тоже там у себя ничего не понимает, точит в ярости свой нож-наваху и грозит расправиться с неверной женой, пусть только она переступит порог дома. Ольга Михайловна и верит, и не верит, но страшно досадует: она бы отлично разобралась там, в городе Бостоне, она, со своим здравым смыслом и ясным разумом, сразу бы сориентировалась, вечно эти человечки берут не того, кого надо. Все смеются, дают Ольге Михайловне поручения, что везти из города Бостона, если с ней приключатся такие дела, муж Ольги Михайловны говорит: пусть она только попробует, он тоже наточит свой нож-наваху, он никаких таких человечков не потерпит; кто-то говорит, что в Бостон пришельцы возят только из Южной Америки, а из Подмосковья, должно быть, переправляют куда-нибудь в Тюмень или на Маточкин Шар, вот что будет Ольга Михайловна делать в таком случае? Муж Ольги Михайловны говорит, что все это чушь собачья, тоже мне авторитет — газета «Труд», и что никаких пришельцев нет, а это все болиды. Какие болиды? Ну, он не может точно сказать, он не астроном, но это болиды. Вот вечно муж Ольги Михайловны со своим дешевым материализмом, вечно он сводит мечту всего прогрессивного человечества к какой-нибудь какашке. Один остряк тут же придумывает: «У кого что болид, тот о том и говорид». Что у кого болид, товарищи? У Коробейникова болид язва. Но ему тут хорошо, на этой даче, так все непринужденно, что он про свои боли как-то забывает. Один час общения с приятными людьми, один вечерний час стоит всех лекарств, которыми его пичкают в санатории.

Коробейников с удовольствием курит прощальную папиросу, — постукивает ею об стол, сминает мундштук, зажигает спичку; бледное пламя освещает его желтоватое лицо, толстые стекла очков, выпуклый лоб с прядями густых черных волос. Удивительные волосы у Коробейникова: человеку под шестьдесят — и вдруг такие патлы. У всех остальных уже плеши разнообразных фасонов, кроме молодежи, конечно. Муж Ольги Михайловны, поглядев на Коробейникова, с огорчением проводит по своей оголяющейся голове. Ну, каждому свое. Зато у него язвы нет.

Но вот стемнело за окном — в августе рано темнеет, — Коробейникову пора, его ждут к ужину в санатории; его кусок творожной запеканки с нищенской лужицей сметаны уже остыл, и титан с чаем остыл, и огни пригашены, он посидит в полупустой санаторской столовой, задумчиво смахивая крошки со скатерти, поглядывая в черные стекла на свое лохматое отражение, прислушиваясь к горчичной боли где-то внутри, к боли, что просыпается с темнотой и гудит, гудит, как далекий трансформатор.

Долорес, то бишь Ольга Михайловна, проводит Коробейникова до крыльца, остальные тоже привстанут, кивая головами, пожимая руку: не холодно вам? может быть, пиджак возьмете? нет? — а то смотрите, — он осторожно сойдет с крыльца, блеснув очками, зажжет карманный фонарик, светлый круг запляшет под ногами, выхватывая еще зеленую траву, колья забора, вытоптанную дорожку, белые испуганные стволы деревьев. Коробейников направляет луч в небеса, но слабый свет рассеивается, и небеса остаются такими же темными, как и были, разве только верхние веточки да вороньи гнезда освещаются на миг; балуясь, он направляет фонарь к крыльцу, и тогда ничего уж не видно в ночи, только белая звезда на том месте, где стоял Коробейников.

Тут как-то Ольга Михайловна узнаёт, что Дмитрий Ильич тоже снял дачку в их поселке, — Дмитрий Ильич, с которым они в городе были слегка знакомы, встречались в общих гостях и даже испытывали какую-то взаимную симпатию. Ольга Михайловна считает, что это естественно — испытывать к ней симпатию, она числится хорошенькой и, с точки зрения Дмитрия Ильича, еще совсем молодой. Дмитрий Ильич тоже человек интересный, он скульптор и знает кучу всяких историй и казусов, вроде того, как открыли памятник, а он без головы, ну и так далее. Дмитрий Ильич прихрамывает, ходит с палочкой, и это ему идет. Он говорит: «Нет, я не Байрон, я другой», и как бы получается, что он все-таки отчасти Байрон — и хромает, и стишки пописывает, и в Греции был полтора дня во время круиза. Он видел Европу, и это невольно вызывает уважение, он говорит: «Италия — тьфу, а Греция — это да», и хотя все понимают, что Италия, наверное, все-таки не совсем тьфу, но он там был, а они нет, поэтому спорить трудно. Ну, много еще чего он говорит, много с ним было в жизни приключений, он был капельку на фронте и в лагере — присел на два года, как он выражается, ни за что ни про что, естественно, — но зла ни на кого не держит, верит в судьбу и ко всему относится с юмором. Так что, встретив его в поселке, Ольга Михайловна говорит: «Захаживайте к нам вечерком», и он благодарит и говорит: «Непременно приковыляю». Вообще он роскошный мужчина — играет, конечно, в богему, ну и пусть, — волосы до плеч, с проседью, глаза ястребиные, желтые, лицо рябоватое, носит блузу. Он говорит Ольге Михайловне: «Я должен вас лепить».

Так что он действительно приходит к ним как-то вечером, и они режут кекс и ставят чайник на плиту. Дмитрий Ильич рассказывает про свой круиз и про то, как один пенсионер из их группы спустил всю валюту в первый же день, а когда они уже возвращались домой через Турцию, он вдруг спохватился, что ничего своей жене не везет, и тогда он быстренько сбегал на турецкий рынок и сменял свой слуховой аппарат, выдав его за радиоприемник, на монисто. И повез своей бабульке монисто. Все хохочут, муж Ольги Михайловны тоже хохочет, а Ольга Михайловна выглядывает в окно и говорит: «Вот Коробейников идет, гриб несет.

Ой, он такой чудный, у него такие истории забавные, про Долорес и вообще!»

Дмитрий Ильич говорит: «Коробейников?! Какой Коробейников? Это уж не тот ли самый Коробейников?» А что он имеет в виду, он не объясняет. Ольга Михайловна, конечно, заинтригована и вертит головой, тут входит Коробейников со своим грибом и со своими рассказами, как всегда, милый и приветливый, — хорошо ему тут, и день хороший, и воздух хороший, и роща, и люди, и уезжать совсем не хочется.

Гостей знакомят друг с другом, пьется чай, начинаются вечерние тары-бары. Коробейников, прямо скажем, в ударе, Ольга Михайловна просто в восторге, но Дмитрий Ильич смотрит как-то пристально, и в его желтых глазах мелькает какая-то мысль. Ольга Михайловна умирает от любопытства узнать, что он имел в виду; глаза у нее блестят, и всем она, как и всегда, впрочем, нравится.

«Н-да. Ничего себе, — говорит Дмитрий Ильич после того, как язвенник, играя фонариком, скрывается в роще. — Кто бы мог подумать?» — «Ну что? Что такое?» — «Нет, кто бы мог подумать?» И барабанит пальцами по столу. И выкладывает все, что он про этого Коробейникова знает. Они вместе учились, между прочим. На разных курсах. Тот-то, конечно, забыл Дмитрия Ильича, ну, сорок лет прошло, это естественно. А Дмитрий Ильич не забыл, не забыл, потому что этот Коробейников ему в свое время такую подлянку устроил! Дмитрий Ильич в молодости писал стихи, он и сейчас этим грешит. Ну, стихи слабые, он и сам это знает, никуда с ними не суется, — так, для себя, для души упражняется в изящной словесности. Не в том дело. А в свое время, когда с Дмитрием Ильичом случился этот юридический казус и он присел на два года, рукописи его незрелых стишков попали к этому Коробейникову. И тот их издал под своим именем. Вот такие дела. Судьба, конечно, все расставила по своим местам. Дмитрий Ильич даже рад, что у этих стихов ложный автор, сейчас он такой хлам постыдился бы своей собаке показать, не надо ему такой славы. Да и Коробейникову счастья это не принесло, ни хулы, ни хвалы не воспоследовало, так все и кануло. И художника из Коробейникова не вышло, он сменил профессию и сейчас, кажется, какой-то технарь. Вот такие пироги.

«Ничего себе», — говорит Ольга Михайловна. «Ничего себе, — говорит муж Ольги Михайловны. — Сволочь какая». — «Ну, я бы не сказал, что сволочь, — смягчает Дмитрий Ильич, — тогда иначе на это смотрели. Кто мог знать, что я вернусь, а так вроде бы скромное творчество мое не погибло, увидело свет. Может быть, им даже благородные побуждения двигали». — «Но он мог бы после вашего возвращения извиниться перед вами, — говорит Ольга Михайловна. — Я бы, во всяком случае, так и сделала». — «Другие времена, дитя мое», — снисходительно объясняет Дмитрий Ильич. Ольге Михайловне приятно, что ее называют дитя. В сорок лет это приятно. «Другие времена. Да и откуда он знал, что я вернулся? Я ему не докладывал. Да мы толком и знакомы не были. Бог простит, а я простил. Вот прямо сейчас и простил».

Вот опять наступает вечер, из лесу идет гнусный Коробейников, несет свой поганый гриб. Все уже знают о его предательстве, о каиновой печати. Ольга Михайловна стоит на крыльце. «Надо прощать», — говорил Дмитрий Ильич, но ей прощать не хочется. «Не судите, да не судимы будете», — говорил Дмитрий Ильич. Но пусть, пусть она будет судима, но зато осудит сама. Она любит правду, тут уж ничего не поделаешь, ее организм так устроен. Она не станет, конечно, травить Коробейникова, у него все-таки язва, но внутри себя, в чистом доме своей души, она вправе сама наводить порядок. И мусорному ведру место на кухне, а не в гостиной.

Вот он сидит в плетеном кресле и плетет свою чушь про чудеса. Вот он хлюпает чаем и чавкает кексом. Вот он разливается соловьем, что, мол, в пирамиде Хеопса нашли какие-то пустоты и что бы это могло означать. «Сам ты пирамида Хеопса», — думает Ольга Михайловна. «У кого что болит», — хмыкает муж Ольги Михайловны. И каждый тоже думает что-нибудь неприязненное. И Коробейников не может этого не почувствовать.

Коробейников смущен, Коробейников бормочет о том, что вот случай был: над Петрозаводском в один прекрасный ясный вечер исказились небеса и сошел пламень небесный, нестерпимой силы столп, и стало светло как днем, а в небе метались багровые полосы, и все это хозяйство сверкало и трепетало, и что бы это могло значить? Но, зная то, что они знают о Коробейникове, и хозяева и гости, постоянные и случайные, больше уж не ахают, не хохочут, не возмущаются. И Ольга Михайловна вымученно улыбается, хотя улыбнуться ей не легче, чем поднять гирю, и сама клянет себя за эту фальшивую улыбку, за женскую трусость: ей бы как-то дать понять Коробейникову, что всё уже, всё, больше приходить не нужно, достаточно, мы больше не хотим. Мы про вашу подлость знаем. И ваша язва — не оправдание! Ваша язва — пламень небесный, посланный вам в наказание, вот именно! Зла мы вам не желаем, лечитесь себе на здоровье, кушайте витаминчики, пейте кефир в своем санатории, а сюда не ходите. И грибов не носите.

Коробейников чувствует, конечно, что температура на даче отчего-то упала, он нервничает, курит одну папиросу за другой, глаза его за толстыми стеклами смотрят испуганно и беспокойно, ему кажется, что причина неудовольствия — в его рассказах, может быть, он повторяется, может быть, им это не интересно? Он спешит поведать про филиппинских целителей — не помогает, он вспоминает замечательную историю про бердичевского костоправа, поднимающего на ноги безнадежных паралитиков, — бесполезно, лед остается льдом, они глядят на него пристально, твердыми, как орехи, глазами. Наконец он собирается уходить, и они кивают головами, но не привстают, не выходят на крыльцо, не смотрят вслед, они словно бы отвердели в суставах. Ольга Михайловна, правда, не может не выполнить хозяйский долг, она открывает входную дверь, ждет, пока он спустится с крыльца, зажжет свой фонарик и углубится в березовую рощу, — ровно, задумчиво плывет луч среди строгих белых стволов, не взлетает вверх, не шарит по сторонам, не пляшет в темноте.

Пепельница Коробейникова полна окурков, ишь, сколько накурил, все многозначительно провожают пепельницу глазами, когда муж Ольги Михайловны идет опорожнять ее, эта горка пустых вонючих трубочек — словно мера вины нечистого человека.

Коробейников идет неприютной рощей, стволы берез озябли, и земля холодит сквозь ботинки, впереди тлеют огни санатория, юдоли скорби; кровати там белые, и тумбочки белые, и стены выкрашены белой масляной краской, и белые лампы свисают с потолков, а на лестничной площадке, куда Коробейников ходит покурить, в белом стеклянном шкафу свернулся пожарный шланг. Шланг бурый, плоский, длинный, бесконечно длинный, длиннее жизни, и ночью, когда Коробейников заснет, в палату вплывут, не касаясь пола, безголовые санитары и велят Коробейникову проглотить шланг — так уж полагается перед операцией, — и он будет заглатывать, давясь, эти долгие, долгие метры тупой шершавой ленты.

На другой день Коробейников сидит за скучным обедом, вяло трогает вилкой рыбные кнели, смотрит в просторные санаторские окна, где август горит золотом, зеленью и синевой, — он пойдет на свою обычную прогулку, а потом все-таки зайдет в тот дом, ведь ему просто показалось, он, должно быть, сам был не в настроении, это всего лишь болезнь, это боль, это гул, это ложка огня, проглоченного по ошибке, а люди здесь ни при чем. Он идет через рощу, трогает холодные кусты, он склоняется очками к земле, ищет гриб, но гриба нет, тут многие собирают.

Он сидит на веранде, он пробует шутить и развлекать, но Ольга Михайловна только щурит глаза, а муж Ольги Михайловны, который как услышит удачную шутку, так и норовит повторить ее снова и снова, спрашивает: «Ну как там ваш болид? Все болит?», хотя, право же, в этом вопросе никакой нужды нет. И разговор вянет, замолкает, жухнет, словно все на свете уже сказано.

Им, должно быть, скучно слушать одно и то же. Как же он об этом не подумал. Вот когда этот желтоглазый скульптор распинается — все они радуются и хохочут. Но старый друг лучше новых двух, смутно думается Коробейникову. Ничего, он его переговорит. Он что-нибудь приготовит к завтрему. О загробной жизни, например. О том, что видит человек, лежа в обмороке, в коме, в клинической смерти. О, тут много захватывающего. Свидетельства совершенно достоверные. Он говорил с одним таким. Там, — говорил этот человек, — все голубое и прозрачное, но воздуха нет, и дышать не нужно, да и не тянет. И такое чувство, знаете, словно ты молодой, или демобилизовался, или сын у тебя родился — хорошее такое чувство. И появляется некто — его не видно, но он появляется и говорит с тобой, но без голоса. «Еще не пора», — говорит. Этот некто к тебе будто бы с уважением или вроде того. И ты уже — раз! — и опять в операционной, все вокруг тебя колготятся, суетятся, а ты лежишь и думаешь: «Да что вы все понимаете!» Да, это хорошая история. Только рассказывать надо с подъемом, побо́дрее. Расшевелить аудиторию, верно ведь? ...Нет, больше я сюда не приду, думает Коробейников, бредя назад, спотыкаясь о корни. Это унизительно, в конце концов! Но если бы не белизна больницы, не тусклый блеск линолеума, не стерильное смертельное ведро для окурков! Если бы не подкрадывался вечерами пожарный шланг, не присасывался члениками, не впивался жвалами в самую сердцевину!..

140

Желтый Коробейников идет по вечерней тропинке. Дмитрий Ильич обнимает Ольгу Михайловну в березовом лесу.

«Ну что он все к нам таскается», — негодует Ольга Михайловна вослед тощей фигуре. «Да вы не обращайте внимания, дитя мое», — целует ее Дмитрий Ильич. «Как вы его терпите, Дима, вы просто святой!» — «Бросьте, дитя мое, чего там! Он и так плох, пусть доживает спокойно! Ему время тлеть, а вам цвести. Вон у меня и костыль зацвел, глядя на вас». У Ольги Михайловны голова идет кругом, если бы ее никто не видел, она бы подпрыгивала и пританцовывала. Надо же, какой роман затеялся! Дмитрий Ильич причесывается пятерней, сверкает ястребиными глазами, любуется Ольгой Михайловной.

Темнеет. Черный Коробейников волочит ноги из поселка в санаторий, комочек света подпрыгивает на корнях. У Дмитрия Ильича нет тайн от Ольги Михайловны. «Я, между прочим, пошутил, дитя мое, — говорит он, сшибая палочкой листья с куста. — Пошутил, казните меня. Не было этой истории со стихами, и Коробейникова вашего я первый раз в жизни вижу». — «Как же так, Димочка?» — пугается Ольга Михайловна. «Черт попутал. А может, я его к вам приревновал. Что еще за Коробейников, думаю? А похоже вышло, да?» — «Ну-у, Димочка, какой вы нехороший, — дуется Ольга Михайловна. — Что с вами делать, идемте чай пить. А то мой муж небось уже свою наваху точит».

За чаем они хихикают, как заговорщики. «Что это вы?» — удивляется муж Ольги Михайловны. Приходится рассказать, как Дмитрий Ильич подшутил над Коробейниковым. Дмитрий Ильич забавно кается, заламывает руки и просит его простить. Он даже хочет встать на колени перед всем обществом, вот только хромая нога ему мешает. «Да бросьте вы!» — кричат все. Нет, он встанет! Хотя бы на одно колено. Он раскаялся, раскаялся! На одно колено, а вторую ногу — пистолетом! Вы как предпочитаете: вперед ногу? Или назад? Все хохочут: до чего артистичный этот Дмитрий Ильич! А Коробейников, хоть он теперь вроде и обелен, все равно зануда. Да и как-то уже привычно думать о нем плохо. Ну его к чертям собачьим! «Пламень небесный»! «Болид»! Поболид и перестанед! «Слышите? — кричит муж Ольги Михайловны. — Поболид и перестанед!» Вообще он столько чепухи и вранья тут нагородил, вы заметили? А завтра он опять притащится! Постыдился бы — видит такое к себе отношение, так и сидел бы в санатории! Да ему плюй в глаза — все божья роса!

На другой день Ольге Михайловне очень неловко. Ну, во-первых, перед мужем, который ни о чем не догадывается, ну да это ладно, а во-вторых, перед Коробейниковым. Лучше бы он не приходил. Неловко же смотреть в глаза человеку, которого мы зазря обгадили, а признаться не можем. Ну, зато он оправдан. И теперь можно избавиться от противного ощущения, что ты принимаешь в своем доме подлеца. Конечно, Дима нехорошо поступил. Но он раскаялся, причем сам, никто его за язык не тянул. А это — поступок, как хотите. Это мужественно.

Но Коробейников, конечно, приходит. И очень старается. Ну чего он старается? Все прошло! И Ольга Михайловна терпит его, загаженного, и заботливо, подчеркнуто заботливо поит чаем и кормит кексом. «Вам небось в санатории все протертое дают? Поешьте хоть здесь по-человечески». Коробейников пугается, недоуменно смотрит сквозь толстые очки. Он не понимает: что это было на прошлой неделе? Что это происходит сейчас? Какое-то напряжение висит в воздухе. А кому оно нравится, это напряжение, оно никому не нравится. Тяжело с ним как-то, с Коробейниковым. Он совсем уже желтый. И хорошо бы ему догадаться, что, поскольку конфликт исчерпан и все выяснилось, лучше ему сюда больше не приходить. Потому что с ним тяжело! Тяжело с ним! И когда он всматривается в их лица, пытаясь что-то понять, это тоже тяжело! И всматриваться нечего!

Это его, как выяснилось, совершенно не касается. Он оправдан и может идти.

Ольга Михайловна с ненавистью смотрит на Коробейникова. Ее просто бесят эти ежевечерние визиты. И всех остальных в доме они тоже бесят. Мы что — не вправе пожить как люди? Среди своих? Лучше бы он умер, честное слово! Да так, наверно, скоро и будет. Это не язва у него, о нет, это не язва, вон он какой лимонный и постарел прямо на глазах! И эта нечуткость, эта бестактность, это тупое упрямство тоже свидетельствуют о близком конце, когда больному уже на все приличия наплевать и он цепляется за жизнь, за людей, за что попало. Да, она, как честный человек, откровенно признается самой себе: она хочет, чтобы он умер. Вот так. И всем будет спокойнее.

Ночи холодны, она выходит на крыльцо, она предлагает Коробейникову пиджак, зная, что он не возьмет, она ждет, пока он зажжет фонарик, спустится с крыльца, она жадно слушает, как шаркают по опавшей листве его ослабевшие ноги. Она надеется, что верно угадала симптомы. Скоро, уже скоро. Хорошо бы до конца лета. Она долго стоит и смотрит, как бледный огонь фонаря пересчитывает больничные стволы берез, как смыкается световой коридор, как сгущается тьма, как во тьме пламень небесный вслепую нашаривает свою жертву.

МИЛАЯ ШУРА

В первый раз Александра Эрнестовна прошла мимо меня ранним утром, вся залитая розовым московским солнцем. Чулки спущены, ноги — подворотней, черный костюмчик засален и протерт. Зато шляпа!.. Четыре времени года — бульденежи, ландыши, черешня, барбарис — свились на светлом соломенном блюде, пришпиленном к остаткам волос вот такущей булавкой! Черешни немного оторвались и деревянно постукивают. Ей девяносто лет, подумала я. Но на шесть лет ошиблась. Солнечный воздух сбегает по лучу с крыши прохладного старинного дома и снова бежит вверх, вверх, туда, куда редко смотрим — где повис чугунный балкон на нежилой высоте, где крутая крыша, какая-то нежная решеточка, воздвигнутая прямо в утреннем небе, тающая башенка, шпиль, голуби, ангелы, — нет, я плохо вижу. Блаженно улыбаясь, с затуманенными от счастья глазами движется Александра Эрнестовна по солнечной стороне, широким циркулем переставляя свои дореволюционные ноги. Сливки, булочка и морковка в сетке оттягивают руку, трутся о черный, тяжелый подол. Ветер пешком пришел с юга, веет морем и розами, обещает дорогу по легким лестницам в райские голубые страны. Александра Эрнестовна улыбается утру, улыбается мне. Черное одеяние, светлая шляпа, побрякивающая мертвыми фруктами, скрываются за углом.

Потом она попадалась мне на раскаленном бульваре — размякшая, умиляющаяся потному, одинокому, застрявшему в пропеченном городе ребенку — своих-то детей у нее никогда не было. Страшное белишко свисает из-под черной замурзанной юбки. Чужой ребенок доверчиво вывалил песочные сокровища на колени Александре Эрнестовне. Не пачкай тете одежду. Ничего... Пусть.

Я встречала ее и в спертом воздухе кинотеатра (снимите шляпу, бабуля! ничего же не видно!). Невпопад экранным страстям Александра Эрнестовна шумно дышала, трещала мятым шоколадным серебром, склеивая вязкой сладкой глиной хрупкие аптечные челюсти.

Наконец она закрутилась в потоке огнедышащих машин у Никитских ворот, заметалась, теряя направление, вцепилась в мою руку и выплыла на спасительный берег, на всю жизнь потеряв уважение дипломатического негра, залегшего за зеленым стеклом низкого блестящего автомобиля, и его хорошеньких кудрявых детишек. Негр взревел, пахнул синим дымком и умчался в сторону консерватории, а Александра Эрнестовна, дрожащая, перепуганная, выпученная, повисла на мне и потащила меня в свое коммунальное убежище — безделушки, овальные рамки, сухие цветы, — оставляя за собой шлейф валидола.

Две крошечные комнатки, лепной высокий потолок; на отставших обоях улыбается, задумывается, капризничает упоительная красавица — милая Шура, Александра Эрнестовна. Да, да, это я! И в шляпе, и без шляпы, и с распущенными волосами. Ах, какая... А это ее второй муж, ну а это третий — не очень удачный выбор. Ну что уж теперь говорить... Вот, может быть, если бы она тогда решилась убежать к Ивану Николаевичу... Кто такой Иван Николаевич? Его здесь нет, он стиснут в альбоме, распялен в четырех картонных прорезях, прихлопнут дамой в турнюре, задавлен какими-то недолговечными белыми собачками, подохшими еще до японской войны.

Садитесь, садитесь, чем вас угостить?.. Приходите, конечно, ради бога, приходите! Александра Эрнестовна одна на свете, а так хочется поболтать!

...Осень. Дожди. Александра Эрнестовна, вы меня узнаете? Это же я! Помните... ну, неважно, я к вам в гости. Гости — ах, какое счастье! Сюда, сюда, сейчас я уберу... Так и живу одна. Всех пережила. Три мужа, знаете? И Иван Николаевич, он звал, но... Может быть, надо было решиться? Какая долгая жизнь. Вот это — я. Это — тоже я. А это — мой второй муж. У меня было три мужа, знаете? Правда, третий не очень...

А первый был адвокат. Знаменитый. Очень хорошо жили. Весной — в Финляндию. Летом — в Крым. Белые кексы, черный кофе. Шляпы с кружевами. Устрицы — очень дорого... Вечером в театр. Сколько поклонников! Он погиб в девятнадцатом году — зарезали в подворотне.

О, конечно, у нее всю жизнь были рома-а-аны, как же иначе? Женское сердце — оно такое! Да вот три года назад — у Александры Эрнестовны скрипач снимал закуток. Двадцать шесть лет, лауреат, глаза!.. Конечно, чувства он таил в душе, но взгляд — он же все выдает! Вечером Александра Эрнестовна, бывало, спросит его: «Чаю?..», а он вот так только посмотрит и ни-че-го не говорит! Ну, вы понимаете?.. Ков-ва-арный! Так и молчал, пока жил у Александры Эрнестовны. Но видно было, что весь горит и в душе прямо-таки клокочет. По вечерам вдвоем в двух тесных комнатках... Знаете, что-то такое в воздухе было — обоим ясно... Он не выдерживал и уходил. На улицу. Бродил где-то допоздна. Александра Эрнестовна стойко держалась и надежд ему не подавала. Потом уж он — с горя — женился на какой-то — так, ничего особенного. Переехал. И раз после женитьбы встретил на улице Александру Эрнестовну и кинул такой взгляд — испепелил! Но опять ничего не сказал. Все похоронил в душе.

Да, сердце Александры Эрнестовны никогда не пустовало. Три мужа, между прочим. Со вторым до войны жили в огромной квартире. Известный врач. Знаменитые гости. Цветы. Всегда веселье. И умер весело: когда уже ясно было, что конец, Александра Эрнестовна решила позвать цыган. Все-таки, знаете, когда смотришь на красивое, шумное, веселое — и умирать легче, правда? Настоящих цыган раздобыть не удалось. Но Александра Эрнестовна — выдумщица — не растерялась, наняла ребят каких-то чумазых, девиц, вырядила их в шумящее, блестящее, развевающееся, распахнула двери в спальню умирающего — и забренчали, завопили, загундосили, пошли кругами, и колесом, и вприсядку: розовое, золотое, золотое, розовое! Муж не ожидал, он уже обратил взгляд *туда*, а тут вдруг врываются, шалями крутят, визжат; он приподнялся, руками замахал, захрипел: уйдите! — а они веселей, веселей, да с притопом! Так и умер, царствие ему небесное. А третий муж был не очень...

Но Иван Николаевич... Ах, Иван Николаевич! Всего-то и было: Крым, тринадцатый год, полосатое солнце сквозь жалюзи распиливает на брусочки белый выскобленный пол... Шестьдесят лет прошло, а вот ведь... Иван Николаевич просто обезумел: сейчас же бросай мужа и приезжай к нему в Крым. Навсегда. Пообещала. Потом, в Москве, призадумалась: а на что жить? И где? А он забросал письмами: «Милая Шура, приезжай, приезжай!» У мужа тут свои дела, дома сидит редко, а там, в Крыму, на ласковом песочке, под голубыми небесами, Иван Николаевич бегает как тигр: «Милая Шура, навсегда!» А у самого, бедного, денег на билет в Москву не хватает! Письма, письма, каждый день письма, целый год — Александра Эрнестовна покажет.

Ах, как любил! Ехать или не ехать?

На четыре времени года раскладывается человеческая

жизнь. Весна!!! Лето. Осень... Зима? Но и зима позади для Александры Эрнестовны — где же она теперь? Куда обращены ее мокнущие бесцветные глаза? Запрокинув голову, оттянув красное веко, Александра Эрнестовна закапывает в глаз желтые капли. Розовым воздушным шариком просвечивает голова через тонкую паутину. Этот ли мышиный хвостик шестьдесят лет назад черным павлиньим хвостом окутывал плечи? В этих ли глазах утонул — раз и навсегда — настойчивый, но небогатый Иван Николаевич? Александра Эрнестовна кряхтит и нашаривает узловатыми ступнями тапки.

— Сейчас будем пить чай. Без чая никуда не отпущу. Ни-ни-ни. Даже и не думайте.

Да я никуда и не ухожу. Я затем и пришла — пить чай. И принесла пирожных. Я сейчас поставлю чайник, не беспокойтесь. А она пока достанет бархатный альбом и старые письма.

В кухню надо идти далеко, в другой город, по бесконечному блестящему полу, натертому так, что два дня на подошвах остаются следы красной мастики. В конце коридорного туннеля, как огонек в дремучем разбойном лесу, светится пятнышко кухонного окна. Двадцать три соседа молчат за белыми чистыми дверьми. На полпути — телефон на стене. Белеет записка, приколотая некогда Александрой Эрнестовной: «Пожар — 01. Скорая — 03. В случае моей смерти звонить Елизавете Осиповне».

Елизаветы Осиповны самой давно нет на свете. Ничего. Александра Эрнестовна забыла.

В кухне — болезненная, безжизненная чистота. На одной из плит сами с собой разговаривают чьи-то щи. В углу еще стоит кудрявый конус запаха после покурившего «Беломор» соседа. Курица в авоське висит за окном, как наказанная, мотается на черном ветру. Голое мокрое дерево поникло от горя. Пьяница расстегивает пальто, опершись лицом о забор. Грустные обстоятельства места, времени и

148

образа действия. А если бы Александра Эрнестовна согласилась тогда все бросить и бежать на юг к Ивану Николаевичу? Где была бы она теперь? Она уже послала телеграмму (еду, встречай), уложила вещи, спрятала билет подальше, в потайное отделение портмоне, высоко заколола павлиньи волосы и села в кресло, к окну — ждать. И далеко на юге Иван Николаевич, всполошившись, не веря счастью, кинулся на железнодорожную станцию — бегать, беспокоиться, волноваться, распоряжаться, нанимать, договариваться, сходить с ума, вглядываться в обложенный тусклой жарой горизонт. А потом? Она прождала в кресле до вечера, до первых чистых звезд. А потом? Она вытащила из волос шпильки, тряхнула головой... А потом? Ну что — потом, потом! Жизнь прошла, вот что потом.

Чайник вскипел. Заварю покрепче. Несложная пьеска на чайном ксилофоне: крышечка, крышечка, ложечка, крышечка, тряпочка, крышечка, тряпочка, тряпочка, ложечка, ручка, ручка. Длинен путь назад по темному коридору с двумя чайниками в руках. Двадцать три соседа за белыми дверьми прислушиваются: не капнет ли своим поганым чаем на наш чистый пол? Не капнула, не волнуйтесь. Ногой отворяю готические дверные створки. Я вечность отсутствовала, но Александра Эрнестовна меня еще помнит.

Достала малиновые надтреснутые чашки, украсила стол какими-то кружавчиками, копается в темном гробу буфета, колыша хлебный, сухарный запах, выползающий из-за его деревянных щек. Не лезь, запах! Поймать его и прищемить стеклянными гранеными дверцами; вот так; сиди под замком.

Александра Эрнестовна достает *чудное* варенье, ей подарили, вы только попробуйте, нет, нет, вы попробуйте, ах, ах, ах, нет слов, да, это что-то необыкновенное, правда же, удивительное? правда, правда, сколько на свете живу, никогда такого... ну, как я рада, я знала, что вам понравится, возьмите еще, берите, берите, я вас умоляю! (О, черт, опять у меня будут болеть зубы!) Вы мне нравитесь, Александра Эрнестовна, вы мне очень нравитесь, особенно вон на той фотографии, где у вас такой овал лица, и на этой, где вы откинули голову и смеетесь изумительными зубами, и на этой, где вы притворяетесь капризной, а руку забросили куда-то на затылок, чтобы резные фестончики нарочно сползли с локтя. Мне нравится ваша никому больше не интересная, где-то там отшумевшая жизнь, бегом убежавшая молодость, ваши истлевшие поклонники, мужья, проследовавшие торжественной вереницей, все, все, кто окликнул вас и кого позвали вы, каждый, кто прошел и скрылся за высокой горой. Я буду приходить к вам и приносить и сливки, и очень полезную для глаз морковку, а вы, пожалуйста, раскрывайте давно не проветривавшиеся бархатные коричневые альбомы — пусть подышат хорошенькие гимназистки, пусть разомнутся усатые господа, пусть улыбнется бравый Иван Николаевич. Ничего, ничего, он вас не видит, ну что вы, Александра Эрнестовна!.. Надо было решиться тогда. Надо было. Да она уже решилась. Вот он — рядом, — руку протяни! Вот, возьми его в руки, держи, вот он, плоский, холодный, глянцевый, с золотым обрезом, чуть пожелтевший Иван Николаевич! Эй, вы слышите, она решилась, да, она едет, встречайте, всё, она больше не колеблется, встречайте, где вы, ау!

Тысячи лет, тысячи дней, тысячи прозрачных непроницаемых занавесей пали с небес, сгустились, сомкнулись плотными стенами, завалили дороги, не пускают Александру Эрнестовну к ее затерянному в веках возлюбленному. Он остался там, по ту сторону лет, один, на пыльной южной станции, он бродит по заплеванному семечками перрону, он смотрит на часы, отбрасывает носком сапога пыльные веретена кукурузных обглодышей, нетерпеливо обрывает сизые кипарисные шишечки, ждет, ждет, ждет паровоза из горячей утренней дали. Она не приехала. Она не приедет. Она обманула. Да нет, нет, она же хотела! Она готова, и саквояжи уложены! Белые полупрозрачные платья поджали колени в тесной темноте сундука, несессер скрипит кожей, посверкивает серебром, бесстыдные купальные костюмы, чуть прикрывающие колени — а руки-то голые до плеч! — ждут своего часа, зажмурились, предвкушая... В шляпной коробке — невозможная, упоительная, невесомая... ах, нет слов — белый зефир, чудо из чудес! На самом дне, запрокинувшись на спину, подняв лапки, спит шкатулка — шпильки, гребенки, шелковые шнурки, алмазный песочек, наклеенный на картонные шпатели, — для нежных ногтей; мелкие пустячки. Жасминовый джинн запечатан в хрустальном флаконе — ах, как он сверкнет миллиардом радуг на морском ослепительном свету! Она готова — что ей помешало? Что нам всегда мешает? Ну, скорее же, время идет!.. Время идет, и невидимые толщи лет все плотнее, и ржавеют рельсы, и зарастают дороги, и бурьян по оврагам все пышней. Время течет, и колышет на спине лодку милой Шуры, и плещет морщинами в ее неповторимое лицо.

...Еще чаю?

А после войны вернулись — с третьим мужем — вот сюда, в эти комнатки. Третий муж все ныл, ныл... Коридор длинный. Свет тусклый. Окна во двор. Все позади. Умерли нарядные гости. Засохли цветы. Дождь барабанит в стекла. Ныл, ныл — и умер, а когда, отчего — Александра Эрнестовна не заметила.

Доставала Ивана Николаевича из альбома, долго смотрела. Как он ее звал! Она уже и билет купила — вот он, билет. На плотной картонке — черные цифры. Хочешь — так смотри, хочешь — переверни вверх ногами, все равно: забытые знаки неведомого алфавита, зашифрованный пропуск туда, на тот берег.

Может быть, если узнать волшебное слово... если догадаться... если сесть и хорошенько подумать... или где-то поискать... должна же быть дверь, щелочка, незамеченный кривой проход туда, в тот день; все закрыли, ну а хоть щелочку-то — зазевались и оставили; может быть, в каком-нибудь старом доме, что ли; на чердаке, если отогнуть доски... или в глухом переулке, в кирпичной стене — пролом, небрежно заложенный кирпичами, торопливо замазанный, крест-накрест забитый на скорую руку... Может быть, не здесь, а в другом городе... Может быть, где-то в путанице рельсов, в стороне, стоит вагон, старый, заржавевший, с провалившимся полом, вагон, в который так и не села милая Шура?

«Вот мое купе... Разрешите, я пройду. Позвольте, вот же мой билет — здесь все написано!» Вон там, в том конце — ржавые зубья рессор, рыжие, покореженные ребра стен, голубизна неба в потолке, трава под ногами — это ее законное место, ее! Никто его так и не занял, просто не имел права!

...Еще чаю? Метель.

...Еще чаю? Яблони в цвету. Одуванчики. Сирень. Фу, как жарко. Вон из Москвы — к морю. До встречи, Александра Эрнестовна! Я расскажу вам, что там — на том конце земли. Не высохло ли море, не уплыл ли сухим листиком Крым, не выцвело ли голубое небо? Не ушел ли со своего добровольного поста на железнодорожной станции ваш измученный, взволнованный возлюбленный?

В каменном московском аду ждет меня Александра Эрнестовна. Нет, нет, все так, все правильно! Там, в Крыму, невидимый, но беспокойный, в белом кителе, взад-вперед по пыльному перрону ходит Иван Николаевич, выкапывает часы из кармашка, вытирает бритую шею; взад-вперед вдоль ажурного, пачкающего белой пыльцой карликового заборчика, волнующийся, недоумевающий; сквозь него проходят, не замечая, красивые мордатые девушки в брюках, хипповые пареньки с закатанными рукавами, оплетенные наглым транзисторным ба-ба-ду-баканьем; бабки в белых платочках, с ведрами слив; южные дамы с пластмассовыми аканфами клипсов; старички в негнущихся синтетических шляпах; насквозь, напролом, через Ивана Николаевича, но он ничего не знает, ничего не замечает, он ждет, время сбилось с пути, завязло на полдороге, где-то под Курском, споткнулось над соловьиными речками, заблудилось, слепое, на подсолнуховых равнинах.

Иван Николаевич, погодите! Я ей скажу, я передам, не уходите, она приедет, приедет, честное слово, она уже решилась, она согласна, вы там стойте пока, ничего, она сейчас, все же собрано, уложено — только взять; и билет есть, я знаю, клянусь, я видела — в бархатном альбоме, засунут там за фотокарточку; он пообтрепался, правда, но это ничего, я думаю, ее пустят. Там, конечно... не пройти, что-то такое мешает, я не помню; ну уж она как-нибудь; она что-нибудь придумает — билет есть, правда? — это ведь важно: билет; и, знаете, главное, она решилась, это точно, точно, я вам говорю!

Александре Эрнестовне — пять звонков, третья кнопка сверху. На площадке — ветерок: приоткрыты створки пыльного лестничного витража, украшенного легкомысленными лотосами — цветами забвения.

— Кого?.. Померла.

То есть как это... минуточку... почему? Но я же только что... Да я только туда и назад! Вы что?..

Белый горячий воздух бросается на выходящих из склепа подъезда, норовя попасть по глазам. Погоди ты... Мусор, наверно, еще не увозили? За углом, на асфальтовом пятачке, в мусорных баках кончаются спирали земного существования. А вы думали — где? За облаками, что ли? Вон они, эти спирали, — торчат пружинами из гнилого разверстого дивана. Сюда все и свалили. Овальный портрет милой Шуры — стекло разбили, глаза выколоты. Старушечье барахло — чулки какие-то... Шляпа с четырьмя временами года. Вам не нужны облупленные черешни? Нет?.. Почему? Кувшин с отбитым носом. А бархатный альбом, конечно, украли. Им хорошо сапоги чистить. Дураки вы все, я не плачу — с чего бы? Мусор распарился на солнце, растекся черной банановой слизью. Пачка писем втоптана в жижу. «Милая Шура, ну когда же...», «Милая Шура, только скажи...» А одно письмо, подсохшее, желтой разлинованной бабочкой вертится под пыльным тополем, не зная, где присесть.

Что мне со всем этим делать? Повернуться и уйти. Жарко. Ветер гонит пыль. И Александра Эрнестовна, милая Шура, реальная, как мираж, увенчанная деревянными фруктами и картонными цветами, плывет, улыбаясь, по дрожащему переулку за угол, на юг, на немыслимо далекий сияющий юг, на затерянный перрон, плывет, тает и растворяется в горячем полдне.

ПОЭТ И МУЗА

Нина была прекрасная, обычная женщина, врач и, безусловно, заслужила, как и все, свое право на личное счастье. Она это очень хорошо сознавала. К тридцати пяти годам после длительного периода невеселых проб и ошибок — не стоит о них говорить — она ясно поняла, что ей нужно: нужно ей безумную, сумасшедшую любовь, с рыданиями, букетами, с полуночными ожиданиями телефонного звонка, с ночными погонями на такси, с роковыми препятствиями, изменами и прощениями, нужна такая звериная, знаете ли, страсть — черная ветреная ночь с огнями, чтобы пустяком показался классический женский подвиг — стоптать семь пар железных сапог, изломать семь железных посохов, изгрызть семь железных хлебов — и получить в награду как высший дар не золотую какую-нибудь розу, не белый пьедестал, а обгорелую спичку или автобусный, в шарик скатанный билетик — крошку с пиршественного стола, где поел светлый король, избранник сердца. Ну, естественно, очень многим женщинам нужно примерно то же самое, так что Нина была, как уже сказано, в этом смысле самая обычная женщина, прекрасная женщина, врач.

Побывала она замужем — все равно что отсидела долгий, скучный срок в кресле междугородного поезда и вышла усталая, разбитая, одолеваемая зевотой в беззвездную ночь чужого города, где ни одной близкой души.

Потом какое-то время пожила отшельницей, увлекалась мытьем и натиркой полов в своей чистенькой квартирке, поинтересовалась кройкой и шитьем и опять заскучала. Вяло тлел роман с дерматологом Аркадием Борисычем, имевшим две семьи, не считая Нины. После работы она заходила за ним в его кабинет — никакой романтики: уборщица вытряхивает урны, шваркает мокрой шваброй по линолеуму, а Аркадий Борисыч долго моет руки, трет щеточкой, подозрительно осматривает свои розовые ногти и с отвращением смотрит на себя в зеркало. Стоит, розовый, сытый, тугой, яйцевидный, Нину не замечает, а она уже в пальто на пороге. Потом высунет треугольный язык и вертит его так и сяк — боится заразы. Тоже мне Финист — Ясный сокол! Какие такие страсти могли у нее быть с Аркадием Борисычем — никаких, конечно.

А она заслужила право на счастье, она имела все основания занять очередь туда, где его выдают: лицо у нее было белое и красивое, брови широкие, черные гладкие волосы низко начинались на висках, и сзади — пучок. И глаза были черные, так что мужчины в транспорте принимали ее за молдаванку, и даже как-то привязался к ней в метро, в переходе на «Кировской», человек, уверявший, что он скульптор и чтобы она сейчас же шла с ним позировать якобы для головки гурии, срочно: у него глина сохнет. Конечно, она не пошла по естественному недоверию к лицам творческих профессий, так как у нее уже был печальный опыт, когда она согласилась выпить кофе с одним будто бы кинорежиссером и еле унесла ноги, — большая такая была квартира с китайскими вазами и косым потолком в старом доме.

...А времечко-то бежало, и при мысли о том, что у нас в стране примерно сто двадцать пять миллионов мужчин, а ей судьба отслюнила от своих щедрот всего лишь Аркадия Борисыча, Нине иногда становилось не по себе. Можно было бы найти другого, но кто попало ей тоже был не нужен. Душа-то у нее с годами становилась все богаче, и саму себя она понимала и чувствовала все тоньше, все больше жалела себя осенними вечерами: некому себя преподнести, такую стройную, такую чернобровую.

Иногда она заходила в гости к какой-нибудь замужней подруге и, одарив чужого ушастого ребенка шоколадом, купленным в ближайшей булочной, пила чай, долго говорила, все поглядывая на себя в темное стекло кухонной двери, где ее отражение было еще загадочнее, еще выигрышнее и выгодно отличалось от расплывшегося силуэта приятельницы. И было бы просто справедливо, чтобы ее кто-нибудь воспел. Выслушав наконец и подругу — что куплено, да что пригорело, и чем болел ушастый ребенок, — рассмотрев чужого стандартного мужа — лоб с залысинами, тренировочные штаны, растянутые на коленках, нет, такой не нужен, — уходила, разочарованная, уносила себя, изящную, за дверь, и на площадку, и вниз по лестнице, в освежающую ночь, — не те люди, зря приходила, напрасно преподнесла себя и оставила в тусклой кухне свой душистый отпечаток, напрасно скормила изысканный, с горчинкой шоколад чужому ребенку, только сожрал, и измазался, и не оценил, вот пусть-ка его засыплет с ног до головы диатезом.

Зевала.

А потом была эпидемия японского гриппа, когда всех врачей сняли с участков на вызовы, и Аркадий Борисыч тоже ходил, надев марлевый намордник и резиновые перчатки, чтобы вирус не прицепился, но не уберегся, слег, и его больные достались Нине. Тут-то, как выяснилось, ее и подстерегала судьба, лежавшая в лице Гриши на топчане, под вязаными одеялами, бородой кверху и в полном беспамятстве. Тут-то оно все и случилось. Полутруп немедленно похитил Нинино заждавшееся сердце; скорбные тени на его фарфоровом челе, тьма в запавших глазницах, нежная борода, прозрачная, как весенний лес, сложились в волшебную декорацию, незримые скрипки сыграли свадебный вальс — ловушка захлопнулась. Ну, все знают, как это обычно бывает.

Над умирающим заламывала руки омерзительно красивая женщина с трагически распущенными волосами (потом, правда, оказалось, что ничего особенного, всего лишь Агния, школьная подруга Гришуни, неудавшаяся актриса, немножко поет под гитару, ерунда, не с той стороны грозила опасность) — да, да, она вызывала врача, спасите! Она, знаете ли, зашла случайно, ведь дверей он не запирает и никогда не зовет на помощь, Гриша, дворник, поэт, гений, святой! И вот... Нина отклеила взгляд от демонически прекрасного дворника, осмотрела комнату — большая зала, пивные бутылки под столом, пыльная лепнина на потолке, синеватый свет сугробов из окошек, праздный камин, забитый хламом и ветошью.

— Он поэт, поэт, он работает дворником за жилплощадь, — бормотала Агния.

Нина выгнала Агнию, сняла сумку, повесила на гвоздь, бережно взяла из Гришуниных рук свое сердце и прибила его гвоздями к изголовью постели. Гришуня бредил в рифму. Аркадий Борисыч растаял, как сахар в горячем чае. Тернистый путь был открыт.

Вновь обретя слух и зрение, Гришуня узнал, что счастливая Нина останется с ним до гробовой доски; вначале он немного удивился и хотел отсрочить наступление нечаянного счастья или, если уж это нельзя, — приблизить встречу с доской, но после по мягкости характера стал покладистее, только просил не разлучать его с друзьями. Временно, пока он не окреп, Нина пошла ему навстречу. Конечно же, это была ошибка: он быстро встал на ноги и снова втянулся в бессмысленное общение со всей этой бесконечной оравой: тут были и какие-то молодые люди неопределенных заня-

тий, и старик с гитарой, и поэты-девятиклассники, и актеры, оказывавшиеся шоферами, и шоферы, оказывавшиеся
актерами, и одна демобилизованная балерина, говорившая:
«Ой, я еще позову наших», и дамы в бриллиантах, и непризнанные ювелиры, и ничьи девушки с запросами в глазах, и
философы-недоучки, и дьякон из Новороссийска, всегда
привозивший чемодан соленой рыбы, и подзадержавшийся
в Москве тунгус, боявшийся испортить себе пищеварение
столичной пищей и евший только свое — какой-то жир
пальцем из баночки.

Все они — сегодня одни, а завтра другие — набивались
вечерами в дворницкую; трехэтажный флигелек трещал,
приходили жильцы верхних этажей, бренчали на гитаре, пели, читали свои и чужие стихи, но в основном слушали хо-
зяйские. Гришуня у них считался гением, уже много лет вот-
вот должен был выйти его сборник, но мешал какой-то зло-
вредный Макушкин, от которого все зависело, Макушкин,
поклявшийся, что, мол, только через его труп. Кляли Макушкина, превозносили Гришу, женщины просили читать
еще, еще, Гриша смущался и читал — густые, многозначи-
тельные стихи наподобие дорогих заказных тортов с затей-
ливыми надписями, с торжественными меренговыми баш-
нями, стихи, отяжеленные словесным кремом до вязкости,
с внезапным ореховым хрустом звуковых скоплений, с
мучительными, вредными для желудка тянучками рифм.
«Э-э-э-э-э», — качал головой тунгус, ни слова, кажется,
не понимавший по-русски. «Что, ему не нравится?» — тихо
спрашивали гости. «Нет, кажется, это у них похвала», —
мотала волосами Агния, боявшаяся, что тунгус ее сглазит.
Гости засматривались на Агнию и приглашали ее продол-
жить вечер в другом месте.

Естественно, все это обилие народу было Нине неприятно. Но самое неприятное было то, что каждый божий
день, когда ни забежишь — днем ли, вечером ли после де-
журства, — в дворницкой сидело, пило чай и откровенно

любовалось Гришиной мягкой бородой убогое существо не толще вилки — черная юбка до пят, пластмассовый гребень в тусклых волосах, — некто Лизавета. Конечно, никакого романа у Гришуни с этой унылой тлей быть не могло. Посмотреть только, как она, выпростав из рукава красную костлявую руку, неуверенно тянулась за каменным, сто лет провалявшимся пряником — будто ждала, что ее сейчас стукнут, а пряник отберут. И щек у нее было меньше, чем требуется человеку, и челюстей больше, и нос хрящеватый, и вообще было в ней что-то от рыбы — черной, тусклой глубоководной рыбы, ползающей по дну в непроглядном мраке и не смеющей подняться выше, в светлые солнечные слои, где резвятся лазурные и алые породы жителей отмелей.

Нет, какой уж тут роман. Но Гришуня, блаженненький, смотрел на этот человеческий остов с удовольствием, читал ей стихи, подвывая и приседая на рифмах, и после, сам расчувствовавшись от собственного творчества, сильно, со слезой мигал и отворачивался, поглядывая на потолок, чтобы слезы втекли обратно, а Лизавета трясла головой, изображая потрясение всего организма, сморкалась и имитировала детские прерывистые вздохи, будто тоже после обильных рыданий.

Нет, это Нине было крайне неприятно. От Лизаветы нужно было избавляться. А Гришуне нравилось это наглое поклонение; да ему, неразборчивому, все нравилось на этом свете: и утреннее махание лопатой по рыхлому снежку, и житье в зале с камином, заваленным трухой, и то, что первый этаж и дверь отворена — заходи любой, — и толчея, и шастанье туда-сюда, и лужа от натекшего снега в сенях, и все эти девочки и мальчики, актеры и старики, и бесхозная Агния, добрейшее якобы существо, и неизвестно зачем приходящий тунгус, и все эти юродивые, признанные и непризнанные, гении и отверженные, и обглоданная Лизавета, и — для круглого счета — заодно и Нина.

У посетителей флигелька Лизавета считалась художницей, и действительно, ее выставляли на второсортных выставках, а Гришуня вдохновлялся ее темной мазней и сочинил соответствующий цикл стихов. Чтобы изготовить свои полотна, Лизавета, как африканский колдун, должна была привести себя в необузданную ярость, и тогда в ее тусклых глазах зажигался огонь, и с криками, хрипами, с каким-то грязным гневом она накидывалась и месила кулаками на холсте голубые, черные, желтые краски и тут же расцарапывала ногтями непросохшую масляную кашу. Направление называлось — когтизм, страшное было зрелище. Правда, получались какие-то подводные растения, звезды, висящие в небе замки, что-то ползучее и летучее одновременно.

«А почему нельзя спокойнее?» — шептала Гришуне Нина, наблюдавшая как-то сеанс когтизма. «Ну вот, стало быть, нельзя, — шептал дорогой Гришуня, дыша сладкими ирисками, — это вдохновение, это дух, что ты поделаешь, он же бродит где хочет». И глаза его светились лаской и почтением к бесноватой пачкунье.

Лизаветины костлявые руки расцветали язвами от ядовитых красок, и такими же язвами покрывалось Нинино ревнивое сердце, прибитое гвоздями над Гришиным изголовьем. Не хотела она пользоваться Гришей на общих основаниях; ей и только ей должны были принадлежать голубые очи и прозрачная борода красавца дворника. О, если бы она могла стать не случайной, зыбкой подругой, а полновластной хозяйкой, положить Гришуню в сундук, пересыпать нафталином, укрыть холщовой тряпочкой, захлопнуть крышку и усесться сверху, подергивая замки: прочны ли?

О, тогда — все, что угодно, тогда пусть Лизавета. Пусть она живет и когтит свои картины, пусть хоть зубами их грызет, хоть на голову встанет и так и стоит нервным столбом, принаряженная, с оранжевым бантом в тусклых волосах, на ежегодных выставках у своих варварских полотен, краснорукая, краснолицая, вспотевшая и готовая заплакать от обиды или счастья, пока в углу на шатком столике, прикрывшись ладошками от любопытных, граждане пишут в богатый красный фолиант неизвестный до поры отзыв: может быть, «безобразие», или «великолепно», или «куда смотрит администрация», или же что-нибудь слюнявое, вычурное за подписью группы провинциальных библиотекарш — как их якобы пронзило насквозь святое и вечное искусство.

О, вырвать Гришу из тлетворной среды, обчистить с него прилипших, как ракушки к днищу корабля, посторонних женщин, вытащить из бурного моря, перевернуть, просмолить, проконопатить, водрузить на подпорки в тихое, спокойное место!

А он, беспечный, готовый повиснуть на шее у любой уличной собаки, пригреть любого антисанитарного бродягу, тратил себя на толпу, разбрасывал себя пригоршнями; простая душа, брал авоську, нагружал ее простоквашей и сметаной и шел навещать заболевшую Лизавету, и приходилось идти с ним, и, боже мой, что за берлога, что за комната, желтая, жуткая, заросшая грязью, слепая, без окон! И еле различимая на железной койке под военным одеялом Лизавета, блаженно наполняющая черный рот белой сметаной, и Лизаветина испуганная, толстая, непохожая дочь над школьными тетрадками, такая, будто Лизавета скрестилась во время оно с сенбернаром.

«Ну как ты тут вообще?» — спрашивал Гришуня. И Лизавета шевелилась у желтой стены: «Ничего». — «Тебе нужно что-нибудь?» — навязывался Гришуня. И железная койка скрипела: «Настя все сделает». — «Ну, учись», — топтался поэт, гладя толстую Настю по голове, и пятился в коридор, а обессиленная Лизавета уже спала, и спало в ее рту непроглоченное озеро простокваши.

«Нам бы надо с ней, это... объединиться, — неопределенно показывал руками Гришуня и отводил глаза. — Видишь, какие трудности с жильем. Она из Тотьмы, снимает чулан, а ведь какой талант, а? И дочка у нее очень к искусству тянется. Она лепит хорошо, а кто ее в Тотьме учить будет». — «Мы с тобой женимся, я твоя», — строго напомнила Нина. «Да, конечно, я забыл», — извинился Гришуня. Мягкий был человек, только дурь в голове.

Уничтожить Лизавету было так же трудно, как перерезать яблочного червя-проволочника. Когда ее пришли штрафовать за нарушение паспортного режима, она уже ютилась в другом месте, и Нина посылала отряды туда. Лизавета пряталась в подвалах — Нина затопляла подвалы; она ночевала в сараях — Нина сносила сараи; наконец Лизавета сошла на нет и стала тенью.

Семь пар железных сапог истоптала Нина по паспортным столам и отделениям милиции, семь железных посохов изломала о Лизаветину спину, семь кило железных пряников изгрызла в ненавистной дворницкой — надо было играть свадьбу.

Уже редела пестрая компания, уже приятная тишина стояла вечерами во флигеле, уже с уважением стучал в дверь случайный смельчак и тщательно, сразу жалея, что пришел, вытирал ноги под Нининым взглядом. Недолго оставалось Гришуне уродоваться с лопатой и зарывать свой талант в сугробы, он переезжал к Нине, где его ждал прочный, просторный письменный стол, покрытый оргстеклом, слева на столе — вазочка с двумя прутиками вербы, справа — в рамке с отклеенным хвостом улыбалась Нинина фотокарточка, так сказать, «твое лицо в его простой оправе». И улыбка ее обещала, что все будет хорошо, сытно, тепло и чисто, что Нина сама сходит к товарищу Макушкину, чтобы решить наконец затянувшийся вопрос со сборником, она попросит товарища Макушкина внимательно просмотреть материалы, дать советы, кое-что подправить, нарезать вязкий торт Гришиного творчества на съедобные порционные пирожные.

Нина разрешила Гришуне в последний раз проститься с друзьями, и на прощальный ужин повалили неисчислимые полчища — девочки и уроды, старики и ювелиры, и пришли, выворачивая ноги, трое балетных юношей с женскими очами, и приполз хромой на костылях, и привели слепого, и мелькнула тень Лизаветы, почти уже бесплотная, а толпа все прибывала, жужжала и неслась, как мусор из пылесоса, пущенного в обратную сторону, и расползались какие-то бородачи, и стены флигеля раздвигались под людским напором, и были крики, плач и кликушество. Били посуду. Балетные юноши уволокли истерическую Агнию, прищемив ей волосы в дверях, тень Лизаветы изгрызла себе руки и валялась на полу, требуя, чтобы ее затоптали, — просьбу уважили; дьякон увел тунгуса в уголок и расспрашивал его знаками, какая у них вера, и тунгус отвечал, тоже знаками, что вера у них самая хорошая.

А Гриша бился фарфоровым лбом об стену и кричал, что ладно, он умрет, но после смерти, вот увидите, — снова вернется к друзьям и уже больше никогда с ними не расстанется.

И дьякон не одобрял такие речи. И Нина тоже не одобряла.

А к утру вся нечисть сгинула, и Нина, уложив Гришуню в такси, отвезла его в свой хрустальный дворец.

...Ах, знаете, некому написать портрет любимого человека, когда он, протирая заспанные голубые очи и выпростав из-под одеяла молодую мохнатую ногу, зевает во всю ширь! И смотришь на него как завороженная, и все-то в нем твое, твое: и изъян в зубном ряду, и проплешина, и чудесная бородавка!

И чувствуешь себя королевой, и люди расступаются на улице, и коллеги почтительно кивают, и Аркадий Борисыч вежливо подает руку, обернутую в стерильную бумажку.

Хорошо было врачевать доверчивых больных, хорошо нести домой полные сумки вкуснятины, хорошо было вечером проверять, как заботливая сестра, что написал Гришуня за день.

Только вот слабенький он был, много плакал, и не хотел кушать, и не хотел писать ровненько на чистой бумаге, а все подбирал по старой привычке клочки да сигаретные коробки и чертил каракульки, а то просто рисовал загогулины и закорючки. И сочинял про желтую-желтую дорогу, все про желтую дорогу, а над дорогой — белая звезда. Нина качала головой: «Подумай, солнышко, такие стихи нельзя нести товарищу Макушкину, а ты должен думать о сборнике, мы живем в реальном мире». Но он не слушал и все писал про звезду и дорогу, и Нина кричала: «Ты меня понял, солнышко?! Не смей такое сочинять!» И он пугался и дергал головой, и Нина, смягчившись, говорила: «Ну-ну-ну» — и, уложив его в постель, поила мятой и липой, поила адонисом и пустырником, а он, неблагодарный, плакал без слез и придумывал оскорбительные для Нины стихи о том, что пустырник, мол, пророс в его сердце, и заглох его сад, и выжжены леса, и какой-то ворон склевывает, дескать, последнюю звезду с умолкшего небосклона, и будто он, Гришуня, в какой-то неопределенной избе толкает и толкает примерзшую дверь, но не выйти, и только стук красных каблуков вдалеке... «Чьи же это каблуки? — потрясала Нина листком. — Вот просто интересно знать: чьи это каблуки?!» «Ничего ты не понимаешь», — вырывал бумагу Гришуня. «Нет, я все прекрасно понимаю, — с горечью отвечала Нина, — я просто хочу знать, чьи это каблуки и где они стучат?» — «А-а-а-а!!! Да они у меня в голове стучат!!!» — орал Гришуня, накрываясь одеялом с головой, а Нина шла в уборную, рвала стихи и обрушивала их в водяную преисподнюю, в маленькую домашнюю Ниагару.

Раз в неделю она проверяла его письменный стол и выбрасывала те стихи, которые женатому человеку сочинять неприлично. И порой ночью она поднимала его на допрос: пишет ли он для товарища Макушкина или отлынивает? И он закрывался руками, не в силах вынести яркого света ее беспощадной правды.

Так они худо-бедно прожили два года, но он, хотя и окруженный всяческой заботой, не ценил ее любви и совсем перестал стараться. Бродил по квартире и бормотал, бормотал, что вот он умрет, и завалят его землей, глиняными кладбищенскими пластами, и мелкое золото березовых копеечек милостыней осыплется на могильный холм, и сгниет под осенними дождями деревянный крест или фанерная пирамидка — что уж там не жалко будет над ним поставить, — и все-то его позабудут, и никто не придет, только праздный прохожий минутку помучается, вычитая четырехзначные числа, — он сбивался со стихов на тяжкий, сырой, как еловые дрова, верлибр или на ритмичную, заунывную прозу, и вместо чистого пламени из злокачественных строк валил такой белый удушливый дым, что Нина надсадно кашляла, махала руками и кричала, задыхаясь: «Да прекрати же ты сочинять!!!»

Потом добрые люди рассказали ей, что Гришуня хочет вернуться во флигель, что он ходил к новой, взятой на его место дворничихе — толстой бабе — и торговался с ней, за сколько она уступит ему его прежнюю жизнь, и баба вступила в переговоры. У Нины были связи в горздраве, и она намекнула там, что вот прекрасное трехэтажное здание в центре, можно занять под учреждение, они же как раз искали. Они благодарили ее там, в горздраве, им это подходило, и очень скоро дворницкой не стало, камин сломали, и один из медицинских институтов разместил во флигеле свои кафедры.

Гриша замолчал и недели две ходил тихий и послушный. А потом даже повеселел, пел в ванной, смеялся, только совсем ничего не ел и все время подходил к зеркалу и себя ощупывал. «Что это ты такой веселый?» — допрашивала Нина. Он открыл и показал ей паспорт, где голубое поле было припечатано толстым лиловым штампом: «Захоронению не подлежит». — «Что это такое?» — испугалась Нина. И Гришуня опять смеялся и сказал, что продал свой скелет за шестьдесят рублей Академии наук, что он свой прах переживет и тленья убежит, что он не будет, как опасался, лежать в сырой земле, а будет стоять среди людей в чистом, теплом зале, прошнурованный и пронумерованный, и студенты — веселый народ — будут хлопать его по плечу, щелкать по лбу и угощать папироской; вот как он хорошо все придумал. И больше ничего не рассказал в ответ на Нинины крики, а предложил лечь спать, но только пусть она учтет, что отныне она обнимает государственную собственность и несет материальную ответственность перед лицом закона на сумму шестьдесят рублей двадцать пять копеек.

И вот с этого момента, говорила потом Нина, любовь их как-то пошла наперекосяк, потому что не могла же она пылать полноценной страстью к общественному достоянию и целовать академический инвентарь. Ничто в нем больше ей не принадлежало.

И подумайте, какие чувства должна была пережить она, прекрасная, обычная женщина, врач, безусловно заслужившая, как и все, свой ломтик в жизни, — женщина, боровшаяся, как нас всех учили, за личное счастье, обретшая, можно сказать, свое право в борьбе?

Но несмотря на все горе, что он ей причинил, все-таки у нее осталось, говорила она, очень светлое чувство. А если любовь получилась не такая, как мечталось, то уж не Нина в том виновата. Виновата жизнь. И после его смерти она очень переживала, и подруги ей сочувствовали, и на работе пошли навстречу и дали десять дней за свой счет. И когда все процедуры были позади, Нина ездила по гостям и рассказывала, что Гриша теперь стоит во флигельке как учебное пособие, и ему прибили инвентарный номер, и она уже ходила смотреть. Ночью он в шкафу, а так все время с людьми.

И еще Нина говорила, что сначала очень расстраивалась из-за всего, но потом ничего, успокоилась, после того как одна женщина, тоже очень симпатичная и у которой тоже муж умер, рассказала ей, что она, например, в общем-то, даже довольна. Дело в том, что у этой женщины двухкомнатная квартира, а она всегда хотела одну комнату оформить в русском стиле, так, чтобы посредине только стол и больше ничего, а по бокам все лавки, лавки, совсем простые, неструганые. И стены все увешать всякими там лаптями, иконами, серпами, прялками — ну, всем таким. И вот теперь, когда у нее одна комната освободилась, эта женщина будто так и сделала, и это у нее столовая, и гости очень хвалят.

ФАКИР

Филин — как всегда, неожиданно — возник в телефонной трубке и пригласил в гости: посмотреть на его новую пассию. Программа вечера была ясна: белая хрустящая скатерть, свет, тепло, особые слоеные пирожки по-тмутаракански, приятнейшая музыка откуда-то с потолка, захватывающие разговоры. Всюду синие шторы, витрины с коллекциями, по стенам развешаны бусы. Новые игрушки — табакерка ли с портретом дамы, упивающейся своей розовой голой напудренностью, бисерный кошелек, пасхальное, может быть, яйцо или же так что-нибудь — ненужное, но ценное.

Сам Филин тоже не оскорбит взгляда — чистый, небольшой, в домашнем бархатном пиджаке, маленькая рука отяжелена перстнем. Да не штампованным, жлобским, «за рупь пятьдесят с коробочкой», — зачем? — нет, прямо из раскопок, венецианским, если не врет, а то и монетой в оправе — какой-нибудь, прости господи, Антиох, а то поднимай выше... Таков Филин. Сядет в кресло, покачивая туфлей, пальцы сложит домиком, брови дегтярные, прекрасные анатолийские глаза — как сажа, бородка сухая, серебряная, с шорохом, только у рта черно — словно уголь ел.

Есть, есть на что посмотреть.

Дамы у Филина тоже не какие-нибудь — коллекционные, редкие. То циркачка, допустим, — вьется на шесте, блистая чешуей, под гром барабанов, или просто девочка, мамина дочка, мажет акварельки, — ума на пятачок, зато сама белизны необыкновенной, так что Филин, зовя на смотрины, даже предупреждает: непременно, мол, приходите в черных очках во избежание снежной слепоты.

Кое-кто Филина втихомолку не одобрял, со всеми этими его перстнями, пирожками, табакерками; хихикали насчет его малинового халата с кистями и каких-то будто бы серебряных янычарских тапок с загнутыми носами; и смешно было, что у него в ванной — специальная щетка для бороды и крем для рук — у холостяка-то... А все-таки позовет — и бежали, и втайне всегда холодели: пригласит ли еще? даст ли посидеть в тепле и свете, в неге и холе, да и вообще — что он в нас, обыкновенных, нашел, зачем мы ему нужны?..

— ...Если вы сегодня ничем не заняты, прошу ко мне к восьми часам. Познакомитесь с Алисой — преле-естное существо.

— Спасибо, спасибо, обязательно!

Ну как всегда, в последний момент! Юра потянулся к бритве, а Галя, змеей влезая в колготки, инструктировала дочь: каша в кастрюле, дверь никому не открывать, уроки — и спать! И не висни на мне, не висни, мы и так опаздываем! Галя напихала в сумку полиэтиленовых пакетов: Филин живет в высотном доме, под ним гастроном, может быть, селедочное масло будут давать или еще что перепадет.

За домом обручем мрака лежала окружная дорога, где посвистывал мороз, холод безлюдных равнин проник под одежду, мир на миг показался кладбищенски страшным, и они не захотели ждать автобуса, тесниться в метро, а поймали такси и, развалясь с комфортом, осторожно побранили Филина за бархатный пиджак, за страсть к коллекциониро-

ванию, за незнакомую Алису: а где прежняя-то, Ниноч-
ка? — ищи-свищи; погадали, будет ли в гостях Матвей
Матвеич, и дружно Матвей Матвеича осудили.

Познакомились они с ним у Филина и так были стариком очарованы: эти его рассказы о царствовании Анны
Иоанновны, и опять же пирожки, и дымок английского чая,
и синие с золотом коллекционные чашки, и журчащий откуда-то сверху Моцарт, и Филин, ласкающий гостей своими
мефистофельскими глазами — фу-ты, голова одурела, —
напросились к Матвей Матвеичу в гости. Разбежались!
Принял на кухне, пол дощатый, стены коричневые, голые,
да и вообще район кошмарный, заборы и ямы, сам в трени-
ровочных штанах, совершенно уже белесых, чай спитой, варенье засахаренное, да и то прямо в банке на стол брякнул,
ложку сунул: выковыривайте, мол, гости дорогие. А курить — только на лестничной площадке: астма, не обес-
судьте. И с Анной Иоанновной прокол вышел: расположи-
лись — бог с ним, с чаем — послушать журчащую речь про
дворцовые шуры-муры, всякие там перевороты, а старик
все развязывал жуткие папки с тесемками, все что-то тыкал
пальцем, крича о каких-то земельных наделах, и что вот Ку-
зин, бездарь, чинуша, интриган, печататься не дает и весь
сектор против Матвей Матвеича настраивает, но ведь вот
же, вот же: ценнейшие документы, всю жизнь собирал! Галя
с Юрой хотели опять про злодеев, про пытки, про ледяной
дом и свадьбу карликов, но не было рядом Филина и некому
было направить разговор на интересное, а весь вечер только
Ку-у-узин! Ку-у-узин! — и тыканье в папки, и валерьянка.
Уложив старика, рано ушли, и Галя порвала колготки о ста-
рикову табуретку.

— А бард Власов? — вспомнил Юра.

— Молчи уж!

С тем все вышло вроде бы наоборот, но позор страшный: тоже подцепили у Филина, пригласили к себе, назвали
приятелей — слушать, отстояли два часа за тортом «Поле-

но». Заперли дочь в детской, собаку на кухне. Пришел бард Власов, хмурый, с гитарой, торт и пробовать не стал: крем смягчит голос, а ему нужно, чтоб было хрипло. Пропел пару песен: «Тетя Мотя, ваши плечи, ваши перси и ланиты, как у Нади Команечи, физкультурою развиты...» Юра позорился, вылезал со своим невежеством, громко шептал посреди пения: «Я забыл, перси — это какие места?» Галя волновалась, просила, чтобы непременно спеть «Друзья», прижимала руки к груди: это такая песня, такая песня! Он пел ее у Филина — мягко, грустно, заунывно, — вот, мол, «за столом, клеенкой покрытым, за бутылкой пива собравшись», сидят старые друзья, лысые, неудачники. И у каждого что-то не так, у каждого своя грусть: «одному любовь не под силу, а другому князь не по нраву», — и никто-то никому помочь не может, увы! — но ведь вот же они вместе, они друзья, они нужны друг другу, и разве это не самое важное на свете? Слушаешь — и кажется, что — да-да-да, у тебя тоже что-то такое примерно в жизни, да, вот именно! «Во — песня! Коронный номер!» — шептал и Юра. Бард Власов еще больше нахмурился, сделал далекий взгляд — туда, в ту воображаемую комнату, где любящие друг друга плешивцы откупоривали далекое пиво; перебрал струны, начал печально: «за столом, клеенкой покрытым...» Запертая в кухне Джулька заскребла когтями по полу, завыла. «За бутылкой пива собравшись», — поднажал бард Власов. «Ы-ы-ы», — волновалась собака. Кто-то хрюкнул, бард оскорбленно зажал струны, взял папиросу. Юра пошел делать Джульке внушение. «Это у вас автобиографическое?» — почтительно спросил какой-то дурак. «Что? У меня все где-то автобиографическое». Юра вернулся, бард бросил окурок, сосредоточиваясь. «За столом, клеенкой покры-ыты-ым...» Мучительный вой пошел из кухни. «Музыкальная собачка», — со злобой сказал бард. Галя поволокла упирающуюся овчарку к соседям, бард поспешно допел — вой глухо проникал сквозь кооперативные стенки, — скомкал программу, и в прихожей, дергая «молнию» куртки, с отвращением сообщил, что вообще-то он берет по два рубля с носа, но раз они не умеют организовать творческую атмосферу, то сойдет и по рублю. И Галя опять побежала к соседям, — кошмар, одолжите червонец, — и те, тоже перед получкой, долго собирали мелочью и вытрясли даже детскую копилку под рев обобранных детей и лай рвущейся Джульки.

Да, вот Филин с людьми умеет, а мы — как-то нет. Ну, может быть, в другой раз получится.

Время до восьми еще было — как раз чтобы постоять за паштетом в гастрономе у Филинова подножия, ведь вот, тоже, — на нашей-то окраине коровы среди бела дня шляются, а паштета что-то не видать. Без трех восемь вступить в лифт — Галя, как всегда, оглядится и скажет: «В таком лифте жить хочется», потом вощеный паркет безбрежной площадки, медная табличка: «И.И. Филин», звонок — и наконец он сам на пороге — просияет черными глазами, наклонит голову: «Точность — вежливость королей...» И как-то ужасно приятно это услышать, эти слова, — словно он, Филин, султан, а они и впрямь короли, — Галя в недорогом пальто и Юра в куртке и вязаной шапочке.

И вплывут они, королевская чета, избранная на один вечер, в тепло и свет, в сладкие фортепьянные рулады, и прошествуют к столу, где разморенные розы знать не знают ни о каком морозе, ветре, тьме, что обступили неприступную Филинову башню, бессильные пробраться внутрь.

Что-то неуловимо новое в квартире... а, понятно: витрина с бисерными безделушками сдвинута, бра переехало на другую стену, арка, ведущая в заднюю комнату, зашторена, и, отогнув эту штору, выходит и подает руку Алиса, прелестное якобы существо.

— Аллочка.

— Да, вообще-то она Аллочка, но мы с вами будем звать ее Алисой, не правда ли? Прошу к столу, — сказал

Филин. — Ну-с! Рекомендую паштет. Редкостный! Таких паштетов, знаете ли...

— Внизу брали, вижу, — обрадовался Юра. — И спускаемся мы-ы. С пак-каренных вершин-н. Ведь когда-то и боги спуска-ались на землю. Верно?

Филин тонко улыбнулся, повел бровями — дескать, может, да, внизу брал, а может, и нет. Все-то вам надо знать. Галя мысленно пнула мужа за бестактность.

— Оцените тарталетки, — начал новый заход Филин. — Боюсь, что вы последние, кто их пробует на этой многогрешной земле.

Сегодня он почему-то называл пирожки тарталетками — должно быть, из-за Алисы.

— А что случилось — муку снимают с продажи? В мировом масштабе? — веселился Юра, потирая руки, костистый нос его покраснел в тепле. Забулькал чай.

— Ничуть не бывало. Что мука! — махнул бородкой Филин. — Галочка, сахару... Что мука! Утерян секрет, друзья мои. Умирает — мне сейчас позвонили — последний владелец старинного рецепта. Девяносто восемь лет, инсульт. Вы пробуйте. Алиса, можно, я налью вам в мою любимую чашку?

Филин затуманил взгляд, как бы намекая на возможность особой близости, могущей возникнуть от такого интимного контакта с его возлюбленной посудой. Прелестная Алиса улыбнулась. Да что в ней такого прелестного? Черные волосы блестят как смазанные, нос крючком, усики. Платье простое, вязаное, цвета соленого огурца. Подумаешь. Здесь и не такие сиживали — где они теперь?

— ...И вы подумайте, — говорил Филин, — еще два дня назад заказал я этому Игнатию Кириллычу тарталетки. Еще вчера он их пек. Еще сегодня утром я их получил — каждую в папиросной бумажке. И вот — инсульт. Из Склифосовского дали мне знать. — Филин куснул слоеную бомбошку, поднял красивые брови и вздохнул. — Когда Игнатий еще мальчиком служил у «Яра», старый кондитер Кузьма, умирая, передал ему секрет этих изделий. Вы пробуйте. — Филин вытер бородку. — А этот Кузьма в свое время служил в Петербурге у Вольфа и Беранже — знаменитые кондитеры. Говорят, перед роковой дуэлью Пушкин зашел к Вольфу и спросил тарталеток. А Кузьма в тот день валялся пьян и не испек. Ну, выходит управляющий, разводит руками. Нету, Александр Сергеич. Такой народ-с. Не угодно ли бушэ? Тру-убочку, может, со сливками? Пушкин расстроился, махнул шляпой и вышел. Ну-с, дальнейшее известно. Кузьма проспался — Пушкин в гробу.

— О боже мой... — испугалась Галя.

— Да-да. И вы знаете, это так на всех подействовало. Вольф застрелился, Беранже принял православие, управляющий пожертвовал тридцать тысяч на богоугодные заведения, а Кузьма — тот просто рехнулся. Все, говорят, повторял: «Э-эх, Лексан Серге-и-ич... Тарталеточек моих не поели... Пообождали бы чуток...» — Филин бросил еще пирожок в рот и захрустел. — Дожил, однако, этот Кузьма до начала века. Дряхлыми руками передал рецепт ученикам. Игнатию тесто, другому кому-то начинку. Ну, после — революция, Гражданская война. Тот, что начинку знал, в эсеры подался. Игнатий Кириллыч мой потерял его из виду. Проходит несколько лет — а Игнатий всё при ресторане, — вдруг что-то его дернуло, выходит он из кухни в зал, а там этот, с дамой. Монокль, усы отрастил — не узнать. Игнатий прямо как был, в муке, — к столику. «Пройдемте, товарищ». Тот заметался, а делать нечего. Идет, бледный, в кухню. «Говори, сволочь, мясную начинку». Куда денешься, прошлое-то подмочено. Сказал. «Говори капустную». Весь дрожит, но выдает. «Теперь саго». А саго у него было абсолю-у-утно засекречено. Молчит. Игнатий: «Саго!» И скалку берет. Тот молчит. Потом вдруг: а-а-а-а-а! — и побежал. Этот, эсер-то. Бросились, связали, смотрят — а он в уме тронулся, глазами водит, и пена изо рта. Так саго и не дознались. Да... А этот Игнатий Кириллыч интересный был старик, прихотливый. Ка-ак он слойку чувствовал, боже, как чувствовал!.. Пек на дому. Задергивал шторы, на два засова дверь закладывал. Я ему: «Игна-атий Кириллыч, голу-убчик, поделитесь секретом, что вам?..» — ни в какую. Все достойного преемника ждал. Теперь вот инсульт... Да вы пробуйте.

— Ой, как жалко... — огорчилась прелестная Алиса. — Как же их теперь есть? Мне всегда так жалко всего последнего... Вот у моей мамы до войны брошь была...

— Последний, случайный! — вздохнул Филин и взял еще пирожок.

— Последняя туча рассеянной бури, — поддержала Галя.

— Последний из могикан, — вспомнил Юра.

— Нет, вот у моей мамы жемчужная брошь была до войны...

— Все преходяще, милая Алиса, — жевал довольный Филин. — Все стареет — собаки, женщины, жемчуг. Вздохнем о мимолетности бытия и возблагодарим создателя за то, что дал нам вкусить того-сего на пиру жизни. Кушайте и вытрите слезки.

— Может быть, он еще придет в себя, Игнат этот?

— Не может, — заверил хозяин. — Забудьте об этом. Жевали. Пела музыка над головами. Хорошо было.

— Чем новеньким побалуете? — поинтересовался Юра.

— А... Кстати напомнили. Веджвуд — чашки, блюдца. Молочник. Видите — синие на полочке. Да вот я сейчас... Вот...

— Ах... — Галя осторожно потрогала пальцем чашку — белые беззаботные танцы по синему туманному полю.

— А вам, Алиса, нравится?

— Хорошие... Вот у моей мамы до войны...

— А знаете, у кого я купил? Угадайте... У партизана.

— В каком смысле?

— Вот послушайте. Любопытная история. — Филин сложил пальцы домиком, с любовью глядя на полочку, где осторожно, боясь упасть, сидел пленный сервиз. — Бродил я осенью с ружьем по деревням. Захожу в избу. Мужик выносит мне парного молока. В чашке. Смотрю — настоящий Веджвуд! Что такое! Ну, разговорились, дядя Саша его зовут, где-то тут адрес у меня... ну, неважно. Что выяснилось. Во время войны партизанил он в лесу. Раннее утро. Летит немецкий самолет. Жу-жу-жу, — изобразил Филин. — Дядя Саша голову поднял, а летчик плюнул — и прямо в него попал. Случайно, конечно. В дяде Саше, естественно, характер ка-ак взыграл, он бабах из пистолета — и немца наповал. Тоже случайно. Самолет свалился, осмотрели — пожалуйста, пять ящиков какао, шестой — вот, посуда. Видно, к завтраку вез. Я купил у него. Молочник с трещинкой, ну ничего. Раз такие обстоятельства.

— Врет ваш партизан! — восхитился Юра, озираясь и стуча кулаком по колену. — Ну как же врет! Фантастика!

— Ничего подобного. — Филин был недоволен. — Конечно, я не исключаю, что никакой он не партизан, а просто вульгарный воришка, но, знаете... как-то я предпочитаю верить.

Он насупился и забрал чашку.

— Конечно, людям надо верить. — Галя под столом потоптала Юрину ногу. — Со мной тоже удивительный случай был. Юра, помнишь? Купила кошелек, принесла домой, а в нем — три рубля. Никто не верит!

— Почему же, я верю. Бывает, — рассудила Алиса. — Вот у моей мамы...

Поговорили об удивительном, о предчувствиях и вещих снах. У Алисы была подруга, наперед предсказавшая всю свою жизнь — брак, двоих детей, развод, раздел квартиры и вещей. Юра обстоятельно, в деталях, рассказал, как у одного знакомого угнали машину и как милиция остроумно вычислила и поймала вора, но вот в чем была соль — он как-то сейчас точно не припомнит. Филин поведал о знакомой собаке, которая открывала дверь своим ключом и разогревала обед в ожидании хозяев.

— Нет, ну каким же образом? — ахали женщины.

Как каким? У них плита французская, электрическая, с приводом. Кнопку нажмешь — все включается. Собака смотрит на часы: пора, идет на кухню, орудует там, ну, заодно и себе подогреет. Хозяева придут с работы, а щи уже кипят, хлеб нарезан, вилки-ложки приготовлены. Удобно.

Филин говорил, улыбался, покачивал ногой, поглядывал на довольную Алису, музыка смолкла, и город словно проступил за окнами. Темный чай курился в чашках, вился сладкий сигаретный дымок, пахло розами, а за окном тихо визжало под колесами Садовое кольцо, валил веселый народ, город сиял вязанками золотых фонарей, радужными морозными кольцами, разноцветным скрипучим снегом, а столичное небо сеяло новый прелестный снежок, свежий, только что изготовленный. И подумать только, все это пиршество, все эти вечерние чудеса раскинуты ради вот этой, ничем не особенной Аллочки, пышно переименованной в Алису, — вон она сидит в своем овощном платье, раскрыла усатый рот и с восторгом глядит на всесильного господина, мановением руки, движением бровей преображающего мир до неузнаваемости.

Скоро Галя с Юрой уйдут, уползут на свою окраину, а она останется, ей можно... Галю взяла тоска. За что, ах, за что?

Посреди столицы угнездился дворец Филина, розовая гора, украшенная семо и овамо разнообразнейше, — со всякими зодческими эдакостями, штукенциями и финтибрясами: на цоколях — башни, на башнях — зубцы, промеж зубцов ленты да венки, а из лавровых гирлянд лезет книга — источник знаний, или высовывает педагогическую ножку циркуль, а то, глядишь, посередке вспучился обелиск, а на нем плотно стоит, обнявши сноп, плотная гипсовая жена, с пресветлым взглядом, отрицающим метели и ночь, с непорочными косами, с невинным подбородком... Так и чудится, что сейчас протрубят какие-то трубы, где-то ударят в тарелки и барабаны сыграют что-нибудь государственное, героическое.

И вечернее небо над Филиным, над его кудрявым дворцом, играет светом — кирпичным, сиреневым, — настоящее московское, театрально-концертное небо. А у них, на окружной... боже мой, какая там сейчас густая, маслянисто-морозная тьма, как пусто в стылых провалах между домами, да и самих домов не видно, слились с ночным, отягощенным снежными тучами небом, только окна там и сям горят неровным узором; золотые, зеленые, красные квадратики силятся растолкать полярный мрак... Поздний час, магазины закрылись на засовы, последняя старушка выкатилась, прихватив с собой пачку маргарина и яйца-бой, никто не гуляет по улицам просто так, ничего не рассматривает, не глазеет по сторонам, каждый порскнул в свою дверь, задернул занавески и тянет руку к кнопке телевизора. Глянешь из окна — окружная дорога, бездна тьмы, прочерчиваемая сдвоенными алыми огоньками, желтые жуки чьих-то фар... Вон проехало что-то большое, кивнуло огнями на колдобине... Вон приближается светлая палочка — огни во лбу автобуса, дрожащее ядрышко желтого света, живые икринки людей внутри... А за окружной, за последней слабой полосой жизни, по ту сторону заснеженной канавы, невидимое небо сползло и упирается тяжелым краем в свекольные поля, — тут же, сразу за канавой. Ведь невозможно, немыслимо думать о том, что эта глухая тьма тянется и дальше, над полями, сливающимися в белый гул, над кое-как сплетенными изгородями, над придавленными к холодной земле деревнями, где обреченно дрожит тоскливый огонек, словно зажатый в равнодушном кулаке... а дальше вновь — темнобелый холод, горбушка леса, где тьма еще плотней, где, может быть, вынужден жить несчастный волк, — он выходит на бугор в своем жестком шерстяном пальтишке, пахнет можжевельником и кровью, дикостью, бедой, хмуро, с отвращением смотрит в слепые ветреные дали, снежные катыши набились между желтых потрескавшихся ногтей, и зубы стиснуты в печали, и мерзлая слеза вонючей бусиной висит на шерстяной щеке, и всякий-то ему враг, и всякий-то убийца...

Напоследок ели ананасы. А потом надо было выметаться. А до дома-то — ого-го сколько... Проспекты, проспекты, проспекты, темные метельные площади, пустыри, мосты и леса, и снова пустыри, и внезапные, голубые изнутри, неспящие заводы, и снова леса и летящий перед фарами снег. А дома — унылые зеленые обои, граненый стаканчик абажура в прихожей, тусклая теснота, и знакомый запах, и прикнопленная к стене цветная обложка женского журнала — для украшения. Румяные, противные супруги на лыжах. Она скалится, он греет ей руки. «Озябла?» — называется. «Озябла?» Сорвать бы проклятую, да Юра не дает — любит все спортивное, оптимистическое... Вот пусть и ловит такси!

Ночь вступила в глухие часы, закрылись все ворота, праздношатающиеся грузовики проносились мимо, звездная крыша окаменела от стужи, и грубый воздух свалялся в комья. «Шеф, до окружной?..» — метался Юра. Галя скулила и поджимала ноги, попрыгивая на обочине, а за ее спиной, во дворце, догорало последнее окно, розы погружались в дремоту, Алиса лепетала про мамину брошь, а Филин, в халате с кистями, щекотал ее серебряной бородой: у-у, дорогая! Еще ананасов?

Этой зимой они были званы еще раз, и Аллочка уже болталась по квартире как своя, смело хватала дорогую посуду, пахла ландышем, позевывала.

Филин демонстрировал гостям Валтасарова — дремучего бородатого мужика, замечательного своей способностью к чревовещанию. Валтасаров изображал стук в дверь, доение коровы, грохот телеги, далекий вой волков и как баба бьет тараканов. Звуки индустриальные ему не давались. Юра очень просил поднатужиться, изобразить хотя бы трамвай, но тот не соглашался ни в какую: «Грыжи боюся». Гале было не по себе: в Валтасарове померещилась ей та степень одичания, до которой им с Юрой рукой подать — через окружную, за канаву, на ту сторону.

Устала она, что ли, за последнее время... Еще полгода назад она кинулась бы зазывать Валтасарова к себе, назвала бы приятелей, подала бы колотого сахару, ржаных лепешек, редьки, допустим, — чем там привык питаться чудокрестьянин? — и мужик брякал бы коровьим ботáлом или гремел колодезной цепью под общий изумленный гвалт. Теперь же как-то вдруг ясно стало: ничего не выйдет. Позвать его — что ж, гости посмеются и разойдутся, а Валтасаров останется, попросится, пожалуй, ночевать — освобождай комнату, а она проходная; спать он завалится часов с девяти, запахнет овцами, махоркой, сеновалом; ночью ощупью направится пить воду на кухню, свернет в темноте стул... Тихий мат, Джулька залает, дочь проснется... А может, он лунатик, войдет к ним в спальню в темноте, — в белой рубахе, в валенках... Шарить будет... А утром, когда вообще никого видеть не хочется, когда спешишь на работу, и голова всклокочена, и холодно, — старик будет сидеть на кухне, долго чаевничать, потом потащит из зипуна безграмотные бумажки: «Дочка, вот тут лекарство мне записали... От всего лечит... Как бы это достать...»

Нет, нет, нечего и думать с ним связываться!

Это только Филин, неутомимый, способен подбирать, кормить, развлекать кого попало, — ну и нас, и нас, конечно! О, Филин! Щедрый владелец золотых плодов, он раздает их направо и налево, насыщает голодных и поит жаждущих, он махнет рукой — и расцветают сады, женщины хорошеют, зануды вдохновляются, а вороны поют соловьями.

Вот какой он! Вот он какой!

А какие у него замечательные знакомые... Игнатий Кириллыч, тестознатец. Или эта балерина, к которой он ходит, — Дольцева-Еланская...

— Это, конечно, сценический псевдоним, — качает ногой Филин, любуясь потолком. — В девичестве — Собакина, Ольга Иеронимовна. По первому мужу — Кошкина, по второму — Мышкина. Так сказать, игра на понижение. Гремела, гремела в свое время. Великие князья в очереди стояли, топазы мешками волокли. Слабость у нее была — дымчатые топазы. Но очень простая, душевная, прогрессивная женщина. После революции надумала отдать камушки народу. Сказано — сделано: снимает бусы, рвет нитку, ссыпает на стол. Тут звонок в дверь: пришли уплотнять. Ну пока то да се, возвращается — попугай склевал все подчистую. Птичкам, знаете, нужны камни для пищеварения. Нажрался миллионов на пять — и в форточку. Она за ним: «Кокоша, куда?! А народ?!» Он к югу. Она за ним. Добралась до Одессы, как — не спрашивайте. А тут пароход отчаливает, трубы дымят, крики, чемоданы, — публика бежит в Константинополь. Попугай — на трубу и сидит. Тепло ему там. Так эта Олечка Собакина, что вы думаете, зацепила своей тренированной ногой за трап и пароход остановила! И пока ей попугая не изловили, не отпустила. Вытрясла из него все до копеечки и пожертвовала на Красный Крест. Правда, ножку ей пришлось ампутировать, но она не унывала, с костылями танцевала в госпиталях. Сейчас-то ей куча лет, лежит плашмя, пополнела. Хожу вот к ней, Стерна ей читаю. Да, Олечка Собакина, из купцов... Сколько же силы в нашем народе! Сколько силушки нерастраченной...

Галя смотрела на Филина с обожанием. Как-то вдруг сразу он перед ней раскрылся — красивый, бескорыстный, гостеприимный... Ах, везет этой Алке усатой! А она не ценит, глядит равнодушным, блестящим взглядом лемура на гостей, на Филина, на цветы и печенье, словно все это в порядке вещей, словно это так и надо! Словно далеко, на краю света, не томятся Галина дочь, собака, «Озябла», — заложники во мраке, на пороге осинового, дрожащего от злобы леса!

На десерт ели грейпфруты, начиненные креветками, а волшебный мужик пил чай с блюдечка.

И на сердце лежал камень.

Дома, лежа во тьме, слушая стеклянный звон осин на ветру, гудение бессонной окружной дороги, шорох волчьей шерсти в дальнем лесу, шевеление озябшей свекольной ботвы под снежным покровом, думала: никогда нам отсюда не выбраться. Кто-то безымянный, равнодушный, как судьба, распорядился: этот, этот и этот пусть живут во дворце. Пусть им будет хорошо. А вон те, и те, и еще вот эти, и Галя с Юрой — живите там. Да не там, а во-о-о-он там, да-да, правильно. У канавы, за пустырями. И не лезьте, нечего. Разговор окончен. Да за что же?! Позвольте?! Но судьба уже повернулась спиной, смеется с другими, и крепка ее железная спина, — не достучишься. Хочешь — бейся в истерике, катайся по полу, молоти ногами, хочешь — затаись и тихо зверей, накапливая в зубах порции холодного яду.

Пробовали карабкаться, пробовали меняться, клеили объявления, до кружевных дыр резали и потрошили обменные бюллетени, униженно звонили по телефону: «У нас тут лес... чудный воздух... ребенку очень хорошо, и дачи не нужно... сама такая! От психа слышу!..» Заполняли тетради торопливыми пометками: «Зинаида Самойловна подумает...» «Ксана перезвонит...» «Петру Иванычу только с балконом...» Юра чудом нашел какую-то старуху, сидела одна в трехкомнатной квартире в бельэтаже на Патриарших прудах, капризничала. Пятнадцать семей завертелись в обменной цепи, каждая со своими претензиями, инфарктами, сумасшедшими соседками, разбитыми сердцами, утерянными метриками. Капризную старуху возили на такси туда-сюда, доставали ей дорогие лекарства, теплую обувь, ветчину, сулили деньги. Вот-вот-вот уже все должно было свершиться, тридцать восемь человек дрожали и огрызались, рушились свадьбы, лопались летние отпуска, где-то в цепи пал некто Симаков, прободение язвы, — неважно, прочь! — ряды сомкнулись, еще усилие, старуха юлит, сопротивляется, под страшным нажимом подписывает документы, и в тот момент, когда где-то там, в заоблачных сферах, розовый ангел воздушным пером уже заполнял ордера — трах! она передумала. Вот так — взяла и передумала. И отстаньте все от нее.

Вопль пятнадцати семей потряс землю, отклонилась земная ось, изверглись вулканы, тайфун «Анна» смел молодое слаборазвитое государство, Гималаи стали еще выше, а Марианская впадина — еще глубже, но Галя и Юра остались там, где и были. И волки хохотали в лесу. Ибо сказано: кому велено чирикать, не мурлыкайте. Кому велено мурлыкать, не чирикайте.

«Донос, что ли, написать на старуху», — сказала Галя. «Да, но куда?» — осунувшийся Юра горел нехорошим пламенем, жалко было на него смотреть. Прикинули так и эдак — некуда. Разве апостолу Петру, чтобы не пускал в рай поганку. Юра набрал в карьере камней и поехал ночью на Патриаршие пруды, чтобы выбить окна в бельэтаже, но вернулся с сообщением, что уже выбито — не одни они такие умные.

Потом поостыли, конечно.

Теперь она лежала и думала о Филине: как он складывает пальцы домиком, улыбается, покачивает ногой, как поднимает глаза к потолку, когда говорит... Ей так много нужно было бы ему сказать... Яркий свет, яркие цветы, яркая серебряная борода с черным пятном вокруг рта. Конечно, Алиса ему не пара, и страну чудес ей не оценить. Да и не заслужила. Тут должен быть кто-то понимающий...

— Бла-бла-бла, — зачмокал Юра во сне.

...Да, кто-то понимающий, чуткий... Малиновый халат ему отпаривать... Напускать ванну... Тапки что-нибудь...

Вещи поделить так: Юра пусть берет квартиру, собаку, мебель. Галя заберет дочь, что-нибудь из белья, утюг, стиральную машину. Тостер. Зеркало из коридора. Мамины хорошие вилки. Горшок с фиалкой. Вот и все, пожалуй.

Да нет, глупости. Разве может он понять Галину жизнь, Галино третьесортное бытие, унижения, тычки в душу? Разве расскажешь! Разве расскажешь — ну вот хотя бы как Галя раздобыла — хитростью, подкупом, нужными звонками — билет в Большой театр — в партер!!! — один-единственный билет (правда, Юра искусством не заинтересовался), как мыла, парила и завивала себя, готовясь к большому событию, как вышла из дому на цыпочках, заранее лелея в себе золотую атмосферу возвышенного, — а была осень, грянул дождь, и такси не сыщешь, и Галя заметалась по слякоти, проклиная небеса, судьбу, градостроителей, а добравшись наконец до театра, увидела, что забыла дома туфли, а ноги-то — ой... Голенища в кляксах, на подошвах рыжие лепешки, а из них трава торчит клочьями — пырей вульгарный, сныть окраинная, гнусняк вездесущий. И даже подол в дрянце.

И Галя — ну что она такого сделала? — просто тихонько прокралась в туалет и носовым платочком мыла сапоги и застирывала позорный подол. И тут подвалила какая-то жаба — не из персонала, а тоже любитель прекрасного, — вся как лиловое желе, затрясла камеями: да как вы смэ-э-ете! в Большом тэа-тре! скоблить свои поганые но-оги! да вы не в ба-ане! — и понесла, и понесла, и люди стали оборачиваться, перешептываться и, не разобравшись, сурово глядеть.

И уже все было испорчено, погибло и пропало, и Гале уж было не до высокого волнения, и маленькие лебеди попусту наяривали медленной рысью прославленный свой та-

185

нец, — вскипая злыми слезами, терзаясь неотмщенной обидой, Галя без всяких восторгов давила танцовщиц взглядом, различая в бинокль их желтоватые трудовые лица, рабочие шейные жилы, и сурово, безжалостно твердила себе, что никакие они не лебеди, а члены профсоюза, что все у них, как у простых людей, — и вросшие ногти, и неверные мужья, что вот сейчас отпляшут они сколько велено, натянут теплые рейтузы — и по домам, по домам: в ледяное Зюзино, в жидкое Коровино, а то и на саму страшную окружную дорогу, где по ночам молча воет Галя, в ту непролазную жуть, где бы только хищной нелюди рыскать да каркать воронью. И вот пусть-ка такая вот белая беспечная трепетунья, вон хоть та, проделает ежедневный Галин путь, пусть провалится по брюхо в мучительную глину, в вязкий декембрий окраин, да повертится, выкарабкиваясь, — вот это будет фуэте!

Да разве расскажешь!

В марте он их не позвал, и в апреле не позвал, и лето прошло впустую, и Галя изнервничалась: что случилось? надоели? недостойны? Устала мечтать, устала ждать телефонного звонка, стала забывать дорогие черты: теперь он представлялся ей гигантом, ифритом, с пугающе черным взглядом, огромными, искрящимися от перстней руками, с металлическим шорохом сухой восточной бороды.

И она не сразу узнала его, когда он прошел мимо нее в метро — маленький, торопливый, озабоченный, — миновал ее, не заметив, и идет себе, и уже не окликнуть!

Он идет, как обычный человек, маленькие ноги его, привыкшие к вощеным паркетам, избалованные бархатными тапками, ступают по зашарканному банному кафелю перехода, взбегают на объеденные ступени; маленькие кулачки шарят в карманах, нашли носовой платок, пнули — буф, буф! — по носу — и снова в карман; вот он встряхнулся, как собака, поправил шарф — и дальше, под арку с чахлой золотой мозаикой, мимо статуи партизанского патриарха, недоуменно растопырившего бронзовую длань с мучительной ошибкой в расположении пальцев.

Он идет сквозь толпу, и толпа, то сгущаясь, то редея, шуршит, толкаясь ему навстречу, — веселая тучная дама, янтарный индус в белоснежных мусульманских кальсонах, воин с чирьями, горные старухи в калошах, оглушенные суетой.

Он идет, не оглядываясь, нет ему дела до Гали, до ее жадных глаз, вытянутой шеи, — вот подпрыгнул, как школьник, скользнул на эскалатор — и прочь, и скрылся, и нет его, только теплый резиновый ветер от набежавшего поезда, шип и стук дверей и говор толпы, как говор вод многих.

И в тот же вечер позвонила Аллочка и с возмущением рассказала, что они с Филиным ходили подавать заявление в загс и там, заполняя документы, она обнаружила, что он — самозванец, что квартиру в высотном доме он снимает у какого-то полярника, и все вещички-то, скорее всего, не его, а полярниковы, а сам он прописан в городе Домодедово! И что она гордо швырнула ему документы и ушла, не из-за Домодедова, конечно, а потому, что выходить замуж за человека, который вот хоть настолечко соврал, ей не позволяет гордость. И чтобы они тоже знали, с кем имеют дело.

Вот оно как... А они-то с ним знались! Да он ничем не лучше их, он такой же, он просто притворялся, мимикрировал, жалкий карлик, клоун в халате падишаха! Да они с Юрой в тыщу раз честнее! Но он хоть понимает теперь, что виноват, разоблачен, попался?

Даже с площадки было слышно, что у кого-то сварена рыба. Галя позвонила. Филин открыл и изумился. Он был один и выглядел плохо, хуже Джульки. Все ему высказать! Что церемониться? Он был один, и нагло ел треску под музыку Брамса, и на стол перед собой поставил вазу с белыми гвоздиками.

— Галочка, вот сюрприз! Не забыли... Прошу — судак орли, свежий. — Филин подвинул треску.

— Все знаю, — сказала Галя и села, как была, в пальто. — Алиса мне все сказала.

— Да, Алиса, Алиса, коварная женщина! Ну, рыбки?

— Нет, спасибо! И про Домодедово я знаю. И про полярника.

— Да, ужасная история, — огорчился Филин. — Три года просидел человек в Антарктиде и еще бы сидел — это романтично, — и вдруг такая беда. Но Илизаров поможет, я верю. У нас это делают.

— Что делают? — опешила Галя.

— Уши. Вы не знаете? Полярник-то мой уши отморозил. Сибиряк, широкая натура, справляли они там Восьмое марта с норвежцами, одному норвежцу его ушанка понравилась, он возьми да и поменяйся с ним. На кепку. А на улице мороз восемьдесят градусов, а в помещении плюс двадцать. Сто градусов перепад температуры — мыслимо ли? С улицы его зовут: «Леха!» — он голову наружу высунул, уши — раз! — и отвалились. Ну, конечно, паника, влепили ему строгача, уши — в коробку и сейчас же самолетом в Курган, к Илизарову. Так что вот... Уезжаю.

Галя тщетно искала слова. Что-нибудь побольнее.

— И вообще, — вздохнул Филин. — Осень. Грустно. Все меня бросили. Алиса бросила... Матвей Матвеич носу не кажет... Может, умер? Одна вы, Галочка... Одна вы могли бы, если б захотели. Ну теперь я к вам поближе буду. Теперь поближе. Покушайте судачка. «Айнмаль ин дер вохе — фиш!» Что значит: раз в неделю — рыба! Кто сказал? Ну, кто из великих сказал?

— Гёте? — пробормотала Галя, невольно смягчаясь.

— Близко. Близко, но не совсем. — Филин оживился, помолодел. — Забываем историю литературы, ай-яй-яй. Напомню: когда Гёте — тут вы правы — глубоким стариком полюбил молодую, преле-естную Ульрику и имел неосторожность посвататься, ему было грубо отказано. С порога. Вернее — из окна. Прелестница высунулась в форточку и облаяла олимпийца — ну, вы же это знаете, не можете не знать. Старый, мол, а туда же. Фауст выискался. Рыбы больше есть надо — в ней фосфор, чтобы голова варила. Айнмаль ин дер вохе — фиш! И форточку захлопнула.

— Да нет! — сказала Галя. — Ну зачем... Я же читала...

— Все мы что-нибудь читали, дорогая, — расцвел Филин. — А я вам привожу голые факты. — Он уселся поудобнее, возвел глаза к потолку. — Ну, бредет старик домой, совершенно разбитый. Как говорится, прощай, Антонина Петровна, неспетая песня моя!.. Сгорбился, звезда на шее — бряк-бряк, бряк-бряк... А тут вечер, ужин. Подали дичь с горошком. Он дичь сильно уважал, с этим-то, надеюсь, вы спорить не будете? Свечи горят, на столе серебро, конечно, такое немецкое, — знаете, с шишками, — аромат... Так — дети сидят, так — внуки. В уголку секретарь его, Эккерман, примостился, строчит. Гёте крылышко поковырял — бросил. Не идет кусок. Горошек уж тем более. Внуки ему: деда, ты чего? Он так это встал, стулом шурнул и с горечью: раз в неделю, говорит, рыба! Заплакал и вышел. Немцы, они сентиментальные. Эккерман, конечно, тут же все это занес в свой кондуит. Вы почитайте, если не успели: «Разговоры с Гёте». Поучительная книга. Кстати, эту дичь — абсолютно уже окаменевшую, — до тридцать второго года показывали в Веймаре, в музее.

— А горошек куда же дели? — свирепея, спросила Галя.

— Коту скормили.

— С каких это пор кот ест овощи?!

— У немцев попробуй не съешь. У них дисциплинка!

— Что, про кота тоже Эккерман пишет?..

— Да, это есть в примечаниях. Смотря, конечно, какое издание.

Галя встала, вышла прочь, вниз и на улицу. Прощай, розовый дворец, прощай, мечта! Лети на все четыре стороны, Филин! Мы стояли с протянутой рукой — перед кем? Чем ты нас одарил? Твое дерево с золотыми плодами засохло, и речи твои — лишь фейерверк в ночи, минутный бег цветного ветра, истерика огненных роз во тьме над нашими волосами.

Темнело. Осенний ветер играл бумажками, черпал из урн. Она заглянула напоследок в магазин, что подточил, как прозрачный червь, ногу дворца. Постояла у невеселых прилавков — говяжьи кости, пюре «Рассвет». Что ж, сотрем пальцем слезы, размажем по щекам, заплюем лампады: и бог наш мертв, и храм его пуст. Прощай!

А теперь — домой. Путь не близкий. Впереди — новая зима, новые надежды, новые песни. Что ж, воспоем окраины, дожди, посеревшие дома, долгие вечера на пороге тьмы. Воспоем пустыри, бурые травы, холод земляных пластов под боязливой ногой, воспоем медленную осеннюю зарю, собачий лай среди осиновых стволов, хрупкую золотую паутину и первый лед, первый синеватый лед в глубоком отпечатке чужого следа.

БЕЛЫЕ СТЕНЫ

Аптекарь Янсон в 1948 году построил дачу, чтобы сдавать городским на лето. И себе сделал пристроечку в две комнаты, над курятником, с видом на парник. Хотел жить долго и счастливо, кушать свежие яички и огурчики, понемножку торговать настойкой валерианы, которую любовно выращивал собственными руками; в июне собирался встречать ораву съемщиков с баулами, детьми и неуправляемой собакой. Господь судил иначе, и Янсон умер, и мы, съемщики, купили дачу у его вдовы. Все это было бесконечно давно, и Янсона я никогда не видела и вдову не помню. Если разложить фотографии веером, по годам и сезонам, то видно, как бешено множится и растет чингисханова орда моих сестер и братьев, как дряхлеет собака, как разрушается и зарастает лебедой уютное янсоновское хозяйство. Где был насест, там семь пар лыж и санки без счету, а на месте парника валяемся и загораем молодые мы, в белых атласных лифчиках хрущевского пошива, в ничему не соответствующих цветастых трусах.

В 1968 году мы залезли на чердак. Там еще лежало сено, накошенное Янсоном за год до смерти Сталина. Там стоял большой-большой сундук, наполненный до краев маленькими-маленькими пробочками, которыми Янсон собирался затыкать маленькие-маленькие скляночки. Там был и другой сундук, кованый, страшно сухой внутри на ощупь; в нем чудно сохранились огромные легкие валенки траурного цвета, числом шесть. Под валенками лежали, аккуратно убранные в стопочку, темные платья на мелкую, как птичка, женщину; под платьями — уже распадающиеся на кварки серо-желтые кружева — их можно было растереть пальцами и просыпать на дно сундука, туда, где лежала, растертая и просыпанная временем, пыль неопознаваемого, неизвестно чьего, какого-то чего-то.

В 1980 году, в припадке разведения клубники, мы перекопали бурьян в том углу сада, где, по смутным воспоминаниям старожилов, некогда цвел и плодоносил аптекарский эдем. На некоей глубине мы откопали некий большой железный предмет, испугались, выслушали заверения тех же старожилов, что это не снаряд, потому что во время войны сюда ничего не долетало, опять испугались и зарыли это, притоптав. Когда перекладывали печку, ничего янсоновского не нашли. Когда меняли печную трубу — тоже. Когда кухня провалилась в подпол, а рукомойник в курятник, — очень надеялись, но напрасно. Когда заделывали огромную дыру, оставленную пролетариатом между совершенно новой трубой и абсолютно новой печью, — нашли брюки и обрадовались, но это были наши же собственные брюки, потерянные так давно, что их не сразу опознали. Янсон рассеялся, распался, ушел в землю, его мир был уже давно и плотно завален мусором четырех поколений мира нашего. И уже подросли такие возмутительно новые дети, которые не помнили украденной любителями цветных металлов таблички «М. А. Янсонъ», не кидались друг в друга сотнями маленьких-маленьких пробочек, не находили в зарослях крапивы белый зонтик заблудившейся, ушедшей куда глаза глядят валерианы.

Летом прошлого, 1997 года, обсчитавшись сдуру и решив, что даче нашей исполняется полвека, мы решили как-нибудь отпраздновать это событие и купили белые обои с зелеными веночками. Пусть, подумали мы, в том закуте, где отваливается от стены рукомойник, где на полке стоят банки засохшей олифы и коробки со слипшимися гвоздями, — пусть там будет Версаль. А чтобы дворцовая атмосфера была совсем уж роскошной, мы старые обои отдерем до голой фанеры и наклеим наш помпадур на чистое. Евроремонт так евроремонт.

Под белыми в зеленую шашечку оказались белые в синюю рябу, под рябой — серовато-весенние с плакучими березовыми сережками, под ними лиловые с выпуклыми белыми розами, под лиловыми — коричнево-красные, густо записанные кленовыми листьями, под кленами открылись газеты — освобождены Орел и Белгород, праздничный салют; под салютом — «народ требует казни кровавых зиновьевско-бухаринских собак»; под собаками — траурная очередь к Ильичу. Из-под Ильича пристально и тревожно, будто и не мазали их крахмальным клейстером, глянули на нас бравые господа офицеры, препоясанные, густо усатые, групповой снимок в Галиции. И уже напоследок, из-под этой братской могилы, из-под могил, могил, могил и могил, на самом дне — крем «Усатин» (а как же!) и: «Все высшее общество Америки употребляет только чай Kokio букет ландыша. Склады чаев Дубинина, Москва, Петровка, 51», и: «Отчего я так красива и молода? — Ионачивара Масакадо, выдается и высылается бесплатно», и: «Покупая гильзы, не говорите: «Дайте мне коробку хороших гильз», а скажите: ДАЙТЕ ГИЛЬЗЫ КАТЫКА, лишь тогда вы можете быть уверены, что получили гильзы, которые не рвутся, не мнутся, тонки и гигиеничны. ДА, ГИЛЬЗЫ ТОЛЬ-КО КАТЫКА».

Начав рвать и мять, мы все рвали и мяли слои времени, ломкие, как старые проклеенные газеты; рвали газеты, ломкие, как слои времени; начав рвать, мы уже не могли остановиться — из-под старой бумаги, из-под наслоений и вздутий сыпалась тонкая древесная труха, мусорок, оставшийся после древоточца, после мыши, после Янсона, после короедов, после мучного червя с семейством, радостно попировавших сухим крахмалом и оставивших после себя микрон воздушной прокладки между напластованиями истории, между тектоническими плитами чьих-то горестей.

Литература — это всего лишь буквы на бумаге, — говорят нам сегодня. Не-а. Не «всего лишь». В этой рукомойне, пахнущей мылом и подгнившими досками, была спальня аптекаря Янсона; намереваясь жить скромно, долго и счастливо, он любовно оклеивал ее сбереженными с детства газетами, — стопочка к стопочке, пробочка к пробочке, ничего не надо выбрасывать, а сверху обои, — аккуратный, должно быть, и чистый, обрусевший швед, он уютно и любовно устроил себе спаленку — частный уголок, толстая дверь с тяжелым шпингалетом, под полом — свои, чистые куры. В смежной каморке, с балконом, с окном на закат, на черные карельские ели, — столовая-гостиная: можно кушать кофе с цикорием, можно, сидя в жестком лютеранском кресле, думать о прошлом, о будущем, о том, как уцелел, не сгинул, как растит лекарственные травы, о том, как пройдет по первому снегу в легких черных валенках. Вот достанет из сундука — и пройдет, оставит следы.

Мы сорвали всю бумагу, всю подчистую, мы прошлись наждачной шкуркой по босым, оголившимся доскам; азарт очищения охватил все четыре поколения, мы терли и терли. Мы правда старались: мы не жалели ногтей и скребков; местный магазин, пребывавший тридцать лет в коматозном оцепенении и никогда не предлагавший покупателям ничего, кроме резиновых сапог не нашего размера и карамели «подушечка с повидлом», в новую эпоху ожил и завалил полки продукцией «Джонсон и Джонсон»; Джонсоны против Янсона; а что же может поделать один Янсон против двух Джонсонов? Какие-то быстродействующие очистители и уничтожители — аэрозоли для стирания памяти, кислоты для выведения прошлого.

Мы выскребли все: и белые по лиловому розы, и кровавых собак, и клубы морозного дыхания в очереди к сыну инспектора народных училищ, и ряды завтрашних инвалидов и смертников, доверчиво, за неделю до увечья или смерти накупивших круглых жестяных банок шарлатанского «Усатина» в расчете на любовь и счастье, подобно аптекарю Янсону, запасшему много валенок для будущих, уже не понадобившихся ног.

Мы протерли доски добела, до проступившего рисунка годовых колец на скобленом дереве. Мы дали стенам просохнуть. Потом мы взяли большую кисть, обмакнули ее в синтетический, очень цепкий, с гарантией, клей и как следует, без пузырей — по инструкции, — промазали клеем изнаночную сторону версальских обоев. Потом мы сложили обойные полосы пополам — клей на клей, — отнесли в спальню аптекаря Янсона, где, опять же по инструкции, снова развернули полосы во всю длину и, крепко нажимая «старой ветошью» (неузнаваемой трикотажной тряпкой, некогда бывшей неизвестно чем), притерли свежие, белые в веночках обои к свежей, еще пахнущей Джонсоном и Джонсоном — обоими Джонсонами — стене. Клей взялся, европеец не подвел, обои прилипли как страстный поцелуй, без люфта.

И вообще лето под Питером было хорошее, сухое, жаркое. Все быстро сохло. Наши обои, например, наутро уже выглядели так, будто они тут всегда и были: без темных пятен, без ничего такого. Оказалось, что это не очень сложно — обдирать и клеить. Эффект, конечно, вышел не совсем дворцовый и, честно говоря, совсем не европейский, — ну, промахнулись, с кем не бывает. Не то чтобы недоставало артистизма, а — прямо скажем — глаза бы наши не глядели, — чего уж там — получился сарай в цветочках. Собачья будка. Приют убогого, слепорожденного чухонца. В куске все смотрится не совсем так, как на стене, верно? Вот если купить совсем, совсем белые обои — без рисунка, — а сейчас ведь все можно достать, — вот тогда будет очень хорошо. И этот наш ошибочный, виньеточный, совершенно случайный и непредусмотренный узор и позор укроется под белым, ровным, аристократически-безразличным, демократически-нейтральным, ко всему равнодушным, спокойным, приветливым, никого не раздражающим слоем благородной, буддийской простоты.

И в городе, у себя дома, каждый сделает то же самое. Белое — это просто и благородно. Ничего лишнего. Белые стены. Белые обои. А лучше — просто малярная кисть или валик, водоэмульсионная краска или штукатурка, — шарах — и чисто. Все сейчас так делают. — И я так сделаю. — И я.

И я тоже. Мне нравится белое! Начать жизнь сначала! Не сдаваться! На цыпочках, осторожно, чтобы не побеспокоить, чуть заметной тенью, в шерстяных носках по новенькому линолеуму, с валенками под мышкой, с букетом звездчатой валерианы в руках, с пробочками и скляночками в оттопыренных карманах, с усатыми и бритыми инвалидами всех времен в испуганной памяти, выходитъ вонъ Михаилъ Августовичъ Янсонъ, шведъ, лютеранинъ, мещанинъ, гражданинъ, аптекарь — трудолюбивый садовник, запасливый и аккуратный человек, без лица, без наследников, без примет, — Михаил Августович, муж маленькой жены, житель маленьких комнат, чуточку смелый, но очень скрытный хранитель запрещенного прошлого, свидетель истории, добела ободранной нами со стен его бывшей каморки. Михаил Августович, про которого я ничего не знаю и теперь уже никогда, никогда не узнаю, — кроме того, что он закопал непонятное железное в саду, спрятал ненужное тряпичное на чердаке, укрыл недопустимое, невозвратимое под обоями спальни. Своими руками я содрала последние следы Михаила Августовича со стен, за которые он цеплялся полвека, — и, ненужный больше ни одному человеку на этом новом, отбеленном, отстиранном, продезинфицированном свете, он ушел, наверное, навсегда и непоправимо, в травы и листья, в хлорофилл, в корни сорняков, в немую, вечно шумящую на ветру, безымянную и блаженную, господню фармакопею.

СОМНАМБУЛА В ТУМАНЕ

Земную жизнь пройдя до середины, Денисов задумался. Задумался он о жизни, о ее смысле, о бренности своего земного, наполовину уже использованного существования, о страхах ночных, о гадах земных, о красивой Лоре и некоторых других женщинах, о том, что лето нынче сырое, о далеких странах, в существование которых ему, впрочем, не очень-то верилось.

Особенное сомнение вызывало существование Австралии. В Новую Гвинею, в ее мясистую, с писком ломающуюся зелень, в душные болота и черных крокодилов он еще готов был поверить: странное место, но пусть. Допускал он также цветные мелкие Филиппины, голубоватую пробку Антарктиды допускал, — она висела прямо над его головой, рискуя отвалиться и засыпать колотыми кубиками айсбергов. Валяясь на диване с твердыми допотопными валиками, с просевшими пружинами, покуривая, поглядывал Денисов на карту полушарий и не одобрял расположения континентов. Ну, наверху еще ничего, разумно: тут суша, тут водичка, ничего. Парочку морей бы еще в Сибирь. Африку можно бы ниже. Индия пусть. Но внизу плохо все устроено: материки сужаются и сходят на нет, острова рассыпаны без толку, впадины какие-то... А уж Австралия совсем ни к селу ни к городу: всякому ясно, что тут по логике должна быть вода, так нате вам! Денисов пускал дым в Австралию, разглядывал потолок в разводах сырости: выше этажом жил капитан дальнего плавания, белый, золотой и прекрасный, как мечта, летучий, как дым, нереальный, как синие южные моря; раз или два в год он материализовался, являлся домой, принимал ванну и заливал квартиру Денисова со всем, что в ней находилось, а в ней ничего не находилось, кроме дивана и Денисова. Ну, еще на кухне холодильник стоял. Денисов, как человек деликатный, не решался спросить: в чем дело? — тем более что не далее как на следующее утро после катаклизма великолепный капитан звонил в дверь, вручал конверт с парой сотен — на ремонт — и твердой походкой уходил прочь: в новое плавание.

Раздраженно размышлял Денисов об Австралии, рассеянно — о Лоре, невесте. Все уже было, в общем-то, решено, и не сегодня-завтра он собирался стать ее четвертым мужем, не потому, что, как говорится, от нее светло, а потому, что с ней не надо света. При свете она говорила без умолку и что попало.

Очень многие женщины, говорила Лора, мечтают иметь хвост. Сам подумай: во-первых, как это красиво — толстый пушистый хвост, можно полосатый, скажем, черный с белым, мне это пошло бы, и вообще, на Пушкинской я видела такую шубку, которая к такому хвосту в самый раз. Короткая, рукавчик широкий, шалевый воротник. Можно с черной юбочкой, вроде той, что Катерина Иванна сшила Рузанне, но Рузанна хочет продать, так представляешь — если бы был хвост, шубу можно вообще без воротника: обмотала шею — и тепло. Потом, если, допустим, в театр: простое открытое платье, и сверху — собственный мех. Шикарно! Во-вторых, очень удобно: в метро можно держаться хвостом за поручни, станет жарко — обмахиваться, а если кто пристанет — хвостом его по шее! Ты хочешь, чтобы у меня был хвост?.. Ну как это: все равно?

Эх, красавица, мне бы твои заботы, тосковал Денисов.

Но Денисов знал, что он и сам не подарочек — с прокуренным своим пиджаком, с тяжелыми мыслями, с ночным сердцебиением, с предрассветным страхом — умереть и быть забытым, стереться из людской памяти, бесследно рассеяться в воздухе.

До половины пройдена земная жизнь, впереди вторая половина, худшая. Вот так прошелестит Денисов по земле и уйдет, и никто-то его не помянет! Каждый день помирают Петровы и Ивановы, их простые фамилии высекают на мраморе. Почему бы и Денисову не задержаться на какой-нибудь доске, почему не украсить своим профилем Орехово-Борисово? «В этом доме проживаю я...» Вот он женится на Лоре и помрет — она же не решится обратиться туда, где это решают, увековечивать, нет ли... «Товарищи, увековечьте моего четвертого мужа, а? Ну, това-арищи...» «Хо-хо-хо...» Ну в самом деле, кто он такой? Ничего не сочинил, не пропел, не выстрелил. Ничего нового не открыл и именем своим не назвал. Да ведь и то сказать, все уже открыто, перечислено и поименовано, все, и живое и мертвое, от тараканов до комет, от сырной плесени до спиральных рукавов заумных туманностей. Вон какой-нибудь вирус — дрянь, дешевка, от него и курица не чихнет, так нет, уже пойман, назван, усыновлен парочкой ученых немцев — смотри сегодняшнюю газету. Призадумаешься — как они его делят на двоих? Небось разыскали его, завалящее такое дрянцо, в немытом стакане и обмерли от счастья — и ну толкаться, кричать: «Мое!» — «Нет, мое!» Разбили очки, порвали подтяжки, отмутузили друг друга, запыхались, присели со стаканом на диван, обнялись: «Давай, брат, пополам!» — «Давай, что уж с тобой поделаешь...»

Люди самоутверждаются, цепляются, не хотят уходить — это так естественно! Скажем, записывают концерт.

Замер зал, буйствует рояль, мелькают клавиши, словно взбесившаяся пастила, — бегом, бегом, все на одном месте, все круче; свивается сладостный смерч, сердце не выдержит, оторвется, трепещет на последней нитке, и вдруг: кхэ. Кхэ-ррр-кхм. Кху-кху-кху. Кашлянул кто-то. И хорошо так, крепенько кашлянул. И уж всё теперь. Концерт с сочным гриппозным клеймом родился, размножился миллионами черных солнышек, разбежался во все мыслимые стороны. Светила погаснут, и обледенеет земля, и планета морозным комком вечно будет нестись неисповедимыми звездными путями, а кашель ловкача не сотрется, не пропадет, навеки высеченный на алмазных скрижалях бессмертной музыки, — ведь музыка бессмертна, не так ли? — ржавым гвоздем, вбитым в вечность, утвердил себя находчивый человек, масляной краской расписался на куполе, плеснул серной кислотой в божественные черты.

Н-да.

Пробовал Денисов изобретать — не изобреталось, пробовал сочинять стихи — не сочинялось, начал было труд о невозможности существования Австралии: сварил себе крепкого кофе и засел на всю ночь к столу. Работал хорошо, с подъемом, а под утро перечел — и порвал, и плакал без слез, и лег спать в носках. Вскоре после этого он и повстречал Лору, и был пригрет и выслушан, и многажды утешен как у себя в Орехове-Борисове, где на них, конечно, пролился золотым дождем капитан, опять отдраивший кингстоны, так и в ее безалаберной квартирке, где всю ночь в коридоре что-то шуршало.

— Что это, — тревожился Денисов, — не мыши ли?

— Нет, нет, спи, Денисов, это другое. Потом скажу. Спи!

Что делать, он спал, видел во сне гадости, проснувшись, обдумывал увиденное и вновь забывался, а утром пил кофе на кухне вместе с благоухающей Лорой и ее вдовым папой, отставным зоологом, кротчайшим голубоглазым старичком, немного странненьким, — а кто не странненький?

Папина борода была белее соли, глаза — ясней весны; тихий, скорый на светлые слезы, любитель карамелек, изюма, булочек с вареньем, ничем не был он похож на Лору, шумную, взволнованную, всю черно-золотую. «Понимаешь, Денисов, папа у меня чудный, просто голубь мира, но у меня с ним проблемы, потом расскажу. Он такой чуткий, интеллигентный, знающий, ему бы еще работать и работать, а он на пенсии — недоброжелатели подсидели. Он там у себя в институте делал доклад о родстве птиц с рептилиями или там с крокодилами — ну ты меня понял, да? — бегают и кусают; а у них ученый секретарь был по фамилии Птицын, так он принял на свой счет. Они вообще в этой зоологии постоянно бдят и высматривают идеологическую гниль, потому что еще не решили, человек — это что — обезьяна или только так кажется. Вот папунчика и поперли, сидит теперь дома, плачет, кушает и популяризует. Он пишет эти, знаешь, заметки фенолога для журналов, в общем, ты меня понял. Про времена года, про жаб, зачем петух кукарекает и в связи с чем слон такой симпатичный. Он хорошо пишет, не шаляй-валяй, а как образованный человек плюс лирика. Я ему говорю: пуськин, ты у меня Тургенев, — он плачет. Ты, Денисов, люби его, он заслуживает».

Опустив голову, грустный, покорный, выслушивал белый папа Лорины монологи, промакивал платком уголки глаз, уходил мелкими шажками в кабинет. «Ч-ш-ш-ш, — говорила Лора шепотом, — тише... Пошел популяризовать». В кабинете тишина, запустение, рассыхаются полки, пылятся энциклопедии, справочники, пожелтевшие журналы, пачки с оттисками чьих-то статей — все ненужное, слежавшееся, остывшее. В уголку некрополя, как одинокая могилка, папин стол, стопка бумаги, экземпляры детского журнала: папа пишет для детей, папа втискивает свои многолетние знания в неразвитые пионерские головки, папа приноравливается, садится на корточки, становится на четвереньки, — в кабинете возня, восклицания, всхлипы, треск разрываемой бумаги, Лора выметает клочки, ничего, сейчас успокоится, сейчас все получится! Сегодня у папы волк, папа борется с волком, гнет его, ломает, втискивает в подобающие рамки. Денисов рассеянно просматривает выметенное и порванное:

«Волк. Канис люпус. Пищевой рацион.

Пищевой рацион волка разнообразен.

Волк имеет разнообразный пищевой рацион: грызуны, домашний скот.

Разнообразен пищевой рацион серого: тут тебе и грызуны, и домашний скот.

До чего же разнообразен пищевой рацион волчка — серого бочка: тут тебе и заиньки, и кудрявые овечки...» Ничего, ничего, папуленька, радость моя, пиши; все пройдет! Все будет хорошо! Это Денисова разрушают сомнения, червивые мысли, чугунные сны. Это Денисов страдает, словно от изжоги, целует Лору в темечко, уезжает к себе домой, заваливается на диван, под карту с полушариями, носками — к Огненной Земле, головой — под Филиппины, ставит пепельницу себе на грудь, окуривает холодные горы Антарктиды — ведь кто-то сидит же там сейчас, ковыряется в снежку во имя большой науки, — вот вам дымку, ребята, погрейтесь; отрицает Австралию, ошибку природы, слабо мечтает о капитане: пора бы протечь, деньги-то все прожиты, — и снова о славе, о памяти, о бессмертии...

Он видел сон. Купил он будто хлеба — как обычно, батон, круглый, бубликов десяток. И несет куда-то. В каком-то он будто бы доме. Может быть, учреждение — коридоры, лестницы. Вдруг трое — мужчина, женщина, старик, только что спокойно с ним разговаривавшие, — кто что-то объясняет, кто советы дает, как пройти, — увидели хлеб и как-то дернулись, словно бы бросились мгновенно и тут же сдержались. И женщина говорит: «Простите, это у вас хлеб?» — «Да вот купил...» — «А вы не дадите нам?..» Он смотрит и вдруг видит: да это блокадники. Они голодные. Глаза у них очень странные. И он сразу понимает: ага, они блокадники, значит, и я блокадник. Значит, есть нечего. И разом наваливается жадность. Только что хлеб этот был пустяк, ерунда, ну купил и купил — и вдруг сразу жалко стало. И он говорит: «Ну-у, я не знаю. Мне самому надо. Не знаю, не знаю». А они молчат и смотрят прямо в глаза. И женщина дрожит. Тогда он берет один бублик, тот, где мака поменьше, разламывает на части и раздает, но один кусок от этого бублика все-таки берет себе, придерживает. Руку как-то странно изгибает — наяву так не согнешь — и придерживает. Неизвестно зачем, ну просто... чтобы не всё уж так-то сразу... И тут же уходит от них, от этих людей, от рук их протянутых, и вдруг он уже у себя дома и понимает: какая же, к черту, блокада? Никакой блокады. Да мы же вообще в Москве живем, за семьсот километров — с чего это вдруг? Вон и холодильник полон, и сам я сыт, и за окнами люди довольные идут, улыбаются... И сразу совестно, и в сердце нехорошая тошнота, и батон этот пухлый тяготит, и девять бубликов этих как звенья распавшейся цепи, и думает он: ну вот, зря пожадничал! Что это я? Свинья какая... И кидается назад: где эти, голодные-то?

А их уже нет нигде, всё, проехали, милый друг, упустил, ищи-свищи, все двери заперты, время приоткрылось и захлопнулось, иди себе дальше, живи, живи, можно! Да пустите же!.. Откройте! Так все быстро, я даже ужаснуться не успел, я был не готов! Но я же был просто не готов! Он стучит в дверь, колотит ногами, пинает каблуком, дверь распахивается, там столовая, кафе какое-то, выходят спокойные едоки, утирают сытые рты, на тарелках — макароны, котлеты расковырянные... Тенью прошли те трое, заблудившиеся во времени, растворились, рассыпались, нет их, нет, не будет никогда, голое дерево качает ветвями, отражаясь в воде, низкое небо, горящая полоса заката, прощай.

Прощай! И он всплывает на своей постели, на диване, он всплыл, он скомкал простыню ногами, он ничего не понимает: что за глупость, в самом деле, зачем? И ему бы немедленно заснуть опять, и все бы прошло, и забылось к утру, и стерлось, как стираются слова на песке, на морском шумящем берегу, — так нет же, пораженный увиденным, он зачем-то встал, отправился на кухню и, бессмысленно глядя перед собой, съел бутерброд с котлетой.

А был темный июльский рассвет, самое его начало, и птицы еще не пели, и по улице никто не проходил, и для теней, привидений, суккубов и фантомов самое было подходящее времечко.

Как они сказали-то? «Дайте нам» — так, что ли? Чем больше он о них думал, тем яснее видел детали. Как живые, честное слово. Нет, хуже, чем живые. У старика, например, появилась и упорствовала, настойчиво воплощаясь, шея, густо-коричневая, морщинистая шея, темная, словно кожа копченого сига. Ворот белесой, выцветшей из синего, рубахи. И пуговица костяная, наполовину обломанная. Лицо условное — старик, и все, — но шея, ворот, пуговица так и стояли перед глазами. Женщина, видоизменяясь, пульсируя так и сяк, сложилась в худую усталую блондинку. На тетю Риту покойную чем-то похожа.

А мужчина был толстый.

Нет, нет, они вели себя некорректно. Эта женщина, как она спросила: «Это у вас что, хлеб?..» Как будто не видно! Да, хлеб! Надо было не в авоську, а в сумку или хотя бы бумагой прикрыть. И что это: «Дайте нам»? Ну что это? А если у него самого семья, дети? Может быть, у него десять человек детей? Может быть, он детям нес, откуда они знают? Неважно, что детей нет, это, в конце концов, его дело. Купил — значит, надо было. Спокойно себе шел. И вдруг: «Дайте нам!» Ничего себе заявленьице!

Что они пристали? Да, он пожалел хлеба, было у него такое движение, верно, но бублик-то он дал, а сдобный, дорогой, румяный бублик, между прочим, лучше, ценнее черного хлеба, если уж на то пошло, это во-первых; а во-вторых, он же сразу опомнился, бросился назад, хотел все поправить, но все куда-то делось, сместилось, исказилось — что ж тут поделаешь? Честно, ясно, в полном сознании своей вины он искал их, ломился в двери, что ж поделаешь, если они не стали ждать и уплыли? Им надо было стоять и не двигаться, держаться за перила — там были перила — и спокойно дожидаться, пока он прибежит к ним на помощь. Десять секунд не могли потерпеть, тоже мне!.. Нет, не десять, не секунд, там все иначе, и место скользит, и время валится вбок рваной волной, и все это крутится, крутится; там одна секунда стоит большая, медленная, гулкая, как заброшенный храм, другая — мелкая, юркая, быстрая, — чиркнув спичкой, сжигает тысячу лет; шаг в сторону — и ты в чужой вселенной...

А мужчина этот был, пожалуй, неприятней всех. Во-первых, он был очень полный, неряшливо полный. И держался чуть в стороне, и смотрел хоть и отрешенно, но с неудовольствием. Он, кстати, не стал объяснять Денисову дорогу, он вообще не принял в разговоре никакого участия, но бублик взял. Ха, он бублик-то взял, первым сунулся! Он даже старика рукой толкнул! А сам толще всех! И рука у него такая белая, будто детская, с перетяжкой, и веснушки мелким пшеном по руке, и нос крючком, и голова яйцом, и очочки! Вообще противный тип, и непонятно даже, что он там делал, в этой компании! Он явно был не с ними, он просто подбежал и присуседился, увидел, что раздают, — ну и... Женщина эта, тетя Рита... Кажется, она была самая голодная из троих... Ну что ж, я ведь дал ей бублик! Да это просто роскошь в их положении — такой свежий, румяный кусина... О боже, в каком положении?! Перед кем я оправдываюсь? Не было их, не было! Ни здесь, ни там, нигде! Смутное, бегучее ночное видение, струение воды по стеклу, мгновенная спазма в глубоком тупике мозга, лопнул ничтожный, ненужный сосудик, булькнул гормон, ёкнуло в мозжечке, в каком-нибудь турецком седле — как они там называются, эти нехоженые закоулки?.. Нехоженые закоулки, мощеная мостовая, мертвые дома, ночь, качается фонарь, метнулась тень — летучая ли мышь, ночная птица, или просто упал осенний лист? Вдруг все трепещет, отсыревает, плывет и вновь останавливается — пронесся и исчез короткий холодный дождь.

Где я был?

Тетя Рита. Странных спутников подобрала она к себе в компанию, тетя Рита! Если это, конечно, она.

Нет, не она. Нет. Тетя Рита была молодая, у нее была другая прическа: надо лбом валик, волосы светлые, прозрачные. Она вертелась перед зеркалом, примеряла кушак и пела. А еще что? Да ничего больше! Просто пела!

Замуж, должно быть, собиралась.

А потом она исчезла, и мать велела Денисову никогда больше о ней не спрашивать. Забыть. Денисов послушался и забыл. А пудреницу, которая от нее осталась, стеклянную, с фукалкой, с синей шелковой кистью, он променял во дворе на перочинный ножик, и мать побила его и плакала ночью — он слышал. И тридцать пять лет прошло. Зачем же его мучить?..

При чем тут блокада, хотел бы я знать? Блокада к тому времени давно уж кончилась. Начитаешься на ночь всякого...

А интересно, кто эти люди. Старик какого-то колхозно-рыбацкого вида. Как он туда попал?.. А толстяк этот — он что, тоже мертвый? Ох, как он, должно быть, не хотел умирать, такие умирать боятся. Визгу, наверно, было! А дети кричали: папа, папа!.. За что он умер?

Товарищи, но почему же ко мне? При чем тут я? Я, что ли, убивал? Это не мои сны, я ни при чем, я-то не виноват! Прочь, товарищи! Пожалуйста, прочь!

Господи, как тошно от себя самого!..

Лучше он будет думать о Лоре. Красивая женщина. И что в ней хорошо, так это то, что она, по всем признакам сильно любя Денисова, совершенно ему не докучает, не требует непрерывного внимания, не покушается на его образ жизни и вообще гуляет сама по себе, шатаясь по театрам, подпольным вернисажам, саунам, пока Денисов, напряженно мысля, чахнет на своем диване и доискивается путей к бессмертию. Какие у нее еще там проблемы с папой? Папа хороший, смирный, папа что надо, папа при деле. Сидит в своем кабинетике, ни во что не вмешивается, грызет шоколадку, статейки сочиняет впрок на зиму: «Любит лесной хозяин полакомиться многокостянковыми и покрытосеменными... А как задует сиверко, как распотешится лихое ненастье — резко замедляется общий метаболизм у топтыгина, снижается тонус желудочно-кишечного тракта при сопутствующем нарастании липидной прослойки. Да не страшен минусовый диапазон Михайло Иванычу: хоть куда волосяной покров, да и эпидермис знатный...» О, вот бы так, медведем, забиться в нору, зарыться в снега, зажмуриться, оглохнуть, уйти в сон, пройти мертвым городом вдоль крепостной стены, от ворот до ворот, по мощеной мостовой, считая окна, сбиваясь со счета: это не горит, и это не горит, и вон то, и то никогда не зажжется, — только совы, и луна, и остывшая пыль, и скрип двери на ржавых петлях... ну куда они все подевались? Тетя Рита, вот хороший домик, маленькие окна, лестница на второй этаж, цветы на подоконнике, фартук и метла, свеча, кушак и круглое зеркало, живи здесь! Выглядывай по утрам из окошка: старик в синей рубахе сидит на лавочке, отдыхает от долгой жизни, веснушчатый толстяк несет зелень с базара, улыбнется, помашет рукой, а там точильщик точит ножницы, а там выбивают ковры... А вон Лорин папа едет на велосипеде, крутит педали, собаки бегут за ним вслед, путаются под колесами.

Лора! Тошно мне, мысли давят, Лора, приезжай, расскажи что-нибудь! Лора? Алло!

Но Лора не в силах добраться до Орехова-Борисова, Лора сегодня страшно устала, прости, Денисов, Лора ездила к Рузанне, у Рузанны что-то с ногой, кошмарный ужас. Она показывала врачу, но врач ничего не понимает — ну, как всегда, — а вот есть такая Виктория Кирилловна, так она посмотрела и сразу сказала: с вами, Рузанночка, *сделано*. А когда *делают*, то всегда на ноги. И можно даже узнать, кто эту порчу напустил, но это, сказала Виктория, вопрос второстепенный, потому что в Москве тысячи ведьм, а сейчас главное — попробовать снять, и прежде всего нужно окурить квартиру луковым пером, все углы, так что мы ходили и окуривали, а потом Виктория Кирилловна просмотрела все цветы в горшках и сказала: эти ничего, можно, но вот этот — вы что, с ума сошли, дома держать? — немедленно выкинуть. Рузанна сказала, что она знает, кто ей вредит, это бабы на работе. Она купила себе третью шубу, пришла на работу и сразу почувствовала, что атмосфера напряженная; это элементарная зависть, и даже непонятно, к чему такие низменные чувства; ведь, в конце-то концов, говорит Рузанна, шубу она, если хотите, покупает как бы не себе, а другим, для повышения эстетического уровня пейзажа. Ведь ей, Рузанне, изнутри шубы все равно ничего не видно, а им всем, которые снаружи, становится интереснее и разнообразнее на душе. И причем бесплатно. Ведь чуть какая-нибудь художественная выставка, Мону Лизу привезут или там Глазунова, они же по пять часов давятся в очередищах и еще свой кровный рубль платят. А тут Рузанна заплатила свои деньги, и пожалуйста — искусство с доставкой на дом! — так они же еще и недовольны. Просто мракобесие какое-то. И Виктория Кирилловна сказала: да, это мракобесие — и велела Рузанне лечь на кровать головой на восток. А Рузанна показала ей фотографию дачи, которая у них с Арменом на Черном море, чтобы Виктория сказала, все ли там в порядке, и Виктория внимательно посмотрела и говорит: нет, не всё. Дом тяжелый. Очень тяжелый дом.

И Рузанна расстроилась, потому что столько в эту дачу средств вколочено, неужели все перестраивать? Но Виктория ее успокоила, она сказала, что она выкроит время, приедет к ним на дачу вместе с мужем — он тоже обладает какими-то удивительными способностями, — поживет там и посмотрит, чем можно помочь. Она спросила Рузанну, близко ли от них пляж и рынок, потому что это источники отрицательной энергии. Оказалось, совсем рядом, так что Рузанна еще больше расстроилась и просила Викторию помочь безотлагательно, просто умоляла немедленно вылететь на Кавказ и по возможности эти источники экранировать. И Виктория, золотая душа, берет с собой фотографию Рузанниной ноги, чтобы там, на юге, ее лечить.

А Лоре она сказала, что у нее энергетический пучок совершенно расфокусирован, позвоночный канал засорен, и точка Инь искрит беспрерывно, и что это может плохо кончиться. Потому что мы живем у телебашни и наши с папой поля дико искривлены. А про папин случай — с папой у меня проблемы — она сказала: это за пределами ее компетенции, но вот сейчас в Москве с визитом какой-то совершенно замечательный гуру, имя не произнести, Пафнутий, допустим, Эпаминондович, он излечивает верующих в него плевками. Совершенно необразованный, чудный старикан, борода до колен и глаза такие пронзительные-пронзительные. Не верит в кровообращение и многих уже убедил, что его нет; даже одна врачиха из ведомственной поликлиники, большая его поклонница, совершенно убеждена, что, в сущности, он прав: никакого кровообращения нет, учит Пафнутий, а только одна кажимость, а вот соки есть, это да. И ежели в человеке соки застоялись — это болезнь, свернулись — увечье, а если совсем, к чертовой бабушке, высохли, то тут ему, родимому, и кондрашка. А лечит Пафнутий не всех, а только тех, кто верит в его учение, и требует смирения: надо упасть к нему в ножки и попросить: «Подсоби ты мне, дедушка, червю малому и убогому», и ежели хорошо попросишь, то он плюнет в тебя, и, говорят, сразу легче, сразу будто озарение и душевный подъем. Курс лечения — две недели, причем не курить, и чаю нельзя, и даже молока ни боже мой, а пить только сырую воду через нос. Ну, конечно, всякие академики бесятся, ты же понимаешь, у них вся научная работа летит, и аспиранты на сторону смотрят, но тронуть его не могут, потому что он вылечил какое-то начальство. И, говорят, приезжали из Швейцарии, фирма эта — как ее, «Сандоз», или как ее? — в общем, брали у него слюну на анализ, они же без химии ни шагу, бездуховность такая, ужас, — так вот, результаты засекречены, но якобы нашли в дедовой слюне левомицетин, олететрин и какой-то фактор пси. И они у себя в Базеле строят два завода для промышленного выпуска этого фактора, а этот журналист, Пострелов, ну ты знаешь, знаменитый, так он пишет сейчас очень острую статью в том смысле, что не допустим ведомственной волокиты и разбазаривания отечественной слюны, а не то опять придется покупать собственное достояние на валюту. Да, это все точно, а я вот вчера стояла в магазине «Наташа» за перуанскими бобочками, ничего, только воротничок грубый, и разговорилась с одной женщиной, она знает этого Пафнутия и может к нему устроить, пока он в Москве, а то он потом опять уедет к себе в Бодайбо. Ты меня слушаешь?.. Алло!

Глупая женщина, она тоже бредет наугад, вытянув руки, обшаривая выступы и расселины, спотыкаясь в тумане, она вздрагивает и ежится во сне, она тянется к блуждающим огням, ловит неловкими пальчиками отражения свечей, хватает круги на воде, бросается за тенью дыма; она склоняет голову на плечо, слушает шуршание ветра и пыли, растерянно улыбается, озирается — где оно, то, что сейчас промелькнуло?

Булькнуло, ёкнуло, порскнуло, ахнуло — лучше гляди! — сзади, наверху, вниз головой, пропало, нету!

Океан пуст, океан штормит, с ревом ходят горы черной

воды в свадебных венцах кипучей пены; далеко, просторно бежать водяным горам — нет преграды, нет предела штормовому кипению; Денисов отменил Австралию, вырвал с хрустом, как коренной зуб: уперся одной ногой в Африку — кончик отломился, — уперся покрепче. — хорошо; другой ногой в Антарктиду, скалы колются, в ботинок набился снежок, встать поустойчивее; ухватил покрепче ошибочный континент, пошатал туда-сюда — крепко сидела Австралия в морском гнезде, пальцы скользили в подводной тине, кораллы царапали костяшки. А ну-ка! Еще раз... эпа! Вырвал, вспотел, держал обеими руками, утеревся локтем; с корня у нее капало, с крышки сыпался песок — пустыня какая-то. Бока холодные и скользкие — наросло порядочно. Ну и куда ее теперь? В Северное полушарие? А там место есть? Денисов стоял с Австралией в руках, солнце светило ему в затылок, вечерело, далеко было видно. Зачесалась рука под ковбойкой — э, да на ней мураши какие-то! Кусаются!.. Ч-черт... Он плюхнул тяжелую кокорыжину назад — брызги, — булькнула, накренилась, затонула. Эх... Не так он хотел... Но ведь укусил же кто-то! Он присел на корточки, разочарованно поболтал рукой в мутной воде. Ну и черт с ней. Ладно. Население там было неинтересное. Бывшие каторжники. И вообще он хотел как лучше. Вот только тетю Риту жалко... Денисов повернулся на диване, уронив пепельницу, укусил подушку, завыл.

Глубокой ночью он взлелеял мысль о том, что хорошо бы стать во главе какого-нибудь небольшого, но чистого движения. Скажем, за честность. Против воровства, допустим. Очиститься самому и позвать за собой других. Для начала вернуть все зачитанные книги. Не заигрывать спички и авторучки. Не красть туалетную бумагу в учреждениях и междугородных поездах. Потом больше, больше — и, глядишь, потянутся люди. И пресекать зло, где бы ни встретил. Глядишь — и помянут тебя добрым словом.

На другой же вечер, стоя в очереди за мясом, Денисов

заметил, что продавец жулит, и решил немедленно крикнуть слово и дело. Он громко оповестил граждан о своих наблюдениях и предложил всем, кто взвесил свои куски и направился платить, вернуться к прилавку и потребовать перевеса и пересчета. Вон же и контрольные весы стоят. И доколе, о соотечественники, будем мы терпеть кривду и уроны? И доколе звери алчные, пиявицы ненасытные будут попирать наш трудовой пот и насмехаться над голубиной нашей кротостью? Вот вы, дедуль, перевесьте свою грудинку. Клянусь честью, там одной бумаги на двугривенный.

Очередь забеспокоилась. Но старик, к которому воззвал праведный глас Денисова, сразу обрадовался, сказал, что такую контру, как Денисов, он рубал на южных и юго-восточных фронтах, что он боролся с Деникиным, что он, как участник ВОВ, получает к праздникам свой шмат икры и ветчину утюжком производства Федеративной Республики Югославии, и даже две пачки дрожжей, что свидетельствует о безоговорочном доверии к нему, участнику ВОВ, со стороны государства в том плане, что он не употребит дрожжи во зло и самогон гнать не будет; сказал, что теперь он в ответ на доверие государства каленым железом выжигает половую распущенность в ихнем кооперативе «Черный лебедь» и не позволит всяким гадам в японских куртках бунтовать против нашего советского мясника, что правильно сориентированный человек должен понимать, что нехватка мяса объясняется тем, что кое-кто завел дорогих, недоступных простому народу собак и те все мясо поели; а что если масла нет — значит, и войны не будет, потому что все деньги с масла пошли на оборону, а кто носит тапки «адидас», тот нашу родину предаст. Сказав, старик отошел довольный.

Несколько человек, прослушав стариковы речи, посерьезнели и бдительно осмотрели одежду и ноги Денисова, но большинство охотно зашумели, дали взвесить мясо и, убедившись, что разнообразно обсчитаны, радостно возмутились и, счастливые своей правотой, толпой двинулись в подвал, к директору. Денисов вел массы, и уже словно заколыхались в воздухе хоругви, и всходило невидимое солнце девятого января, и в задних рядах будто даже запели, но тут вдруг директорская дверь распахнулась, и из тусклого закута с полными сумками в руках — женскими, стегаными, в цветочек — выплыл знаменитый красавец, актер Рыкушин, буквально на этой неделе мужественно хмурившийся и многозначительно куривший в лицо каждому с телеэкрана. Бунт немедленно распался, узнавание было радостным, хотя и не взаимным, женщины взяли Рыкушина в кольцо, тут же сиял кучерявый директор, произошло братание, кое-кто прослезился, незнакомые люди обнимали друг друга, одна полная женщина, которой было плохо видно, влезла на бочонок с сельдью и отцицеронила такую горячую речь, что было тут же решено направить коллективную благодарность в торг, а Рыкушина просить взять творческое шефство над двести тридцать восьмыми ясельками с ежегодным появлением в виде Деда Мороза. Рыкушин кудрявил блокнот, вырывал листки с автографами, пускал по волнам голов; сверху, из торгового зала, валили новые поклонники, под руки вели ослепшую от волнения четырежды орденоносную учительницу, а пионеры и школьники со свистом съезжали вниз по шатким перилам, шлепаясь в капустные отвалы. Денисов что-то сипел о правде, его не слушали. Он рискнул, присел на корточки, отогнул край рыкушинской сумки, ковырнул бумагу. Там были языки. Так вот кто их ест. Он снизу, с корточек, заглянул в холодные глаза гурмана, и тот ответил взглядом: да. Вот так. Положь на место. Народ за меня.

Денисов признал его правоту, извинился и выбрался вон против течения.

Вид безмятежно существующей Австралии вызвал у него ярость. Вот тебе! Он дернул карту и вырвал пятую часть света вместе с Новой Зеландией. Заодно и Филиппины треснули.

Ночью сочилось с потолка. Капитан приехал. Деньги будут. Вот написать повесть о капитане. Кто он да откуда. Где плавает. Почему капает. А почему он, действительно, капает? Без воды не может?

А может быть, у него труба проржавела.

Или он пьян.

Или он приходит в ванную, кладет голову на край умывальника и плачет, плачет, как Денисов, плачет, оплакивает свою бессмысленную жизнь, морскую пустоту, обманчивую красоту лиловых островов, людские пороки, женскую глупость, оплакивает утонувших, погибших, забытых, преданных, ненужных; слезы текут по замызганному рукомойному фаянсу, льются на пол, вот уже поднялись до щиколоток, вот дошли до колена, рябь, круги, ветер, шторм. Разве не сказано: сердце мудрых — в доме плача, сердце глупых — в доме веселья?

Тетя Рита, где ты? В каких пространствах бродит твой легкий дух, знаком ли тебе покой? Носишься ли ты бледным ветерком над лугами мертвых, где мальвы и асфодели, воешь ли зимней бурей, протискиваясь в щели теплых человеческих жилищ, поешь ли в звуках рояля, рождаясь и умирая вместе с музыкой? Может быть, скулишь бездомной собакой, торопливым ежом перебегаешь ночную дорогу, безглазым червем свернулась под сырым камнем? Видно, плохо тебе там, где ты теперь, иначе зачем проникать в наши сны, протягивать руку, просить подаяния — хлеба или, может быть, просто памяти? И кого это ты взяла к себе в компанию, ты, такая красивая, со светлыми волосами, с цветным кушаком? Или те дороги, по которым вам бежать, так опасны, леса, где вам ночевать, так холодны и пустынны, что вы сбиваетесь в шайки, жметесь друг к другу, держитесь за руки, пролетая ночью над нашими освещенными домами?..

Неужели и мне через короткий неведомый срок тоже

предстоит вот так скитаться, скулить, стучаться: вспомни, вспомни!.. Предрассветный стук копыт по булыжной мостовой, глухой удар яблока в облетевшем саду, всплеск волны в осеннем море — кто-то просится, царапается, хочет вернуться, но ворота закрыты, и замки заржавели, и выброшен ключ, и умер сторож, и никто не пришел назад.

Никто, слышите, никто не пришел назад! Слышите?! Я сейчас закричу!!! Аааааааааааа! Никто! Никто! И всех нас несет туда, толкает в спину неодолимая сила, ноги скользят по осыпающемуся склону, руки цепляются за кустики травы, дайте же хоть опомниться, передохнуть! Что останется от нас? Что останется от нас? Не трогайте меня! Лора! Лора! Да Лора же!!!

...И вот она возникла из тьмы, из сырого тумана, возникла и двинулась ему навстречу, не торопясь, — топ-перетоп, шаг-перешаг, — в каких-то разнузданных золотых сапожках, в наглых, раскоряченных, развратно коротких сапожках; худые, сирые щиколотки ее поскрипывали, покачиваясь в золотой коже, выше свивался и шелестел пышный плащ в черном бисере ночного тумана, бряцали и лязгали пряжки, еще выше двигалась улыбка — и уличные огни лунной радугой вспыхивали на розовых зубах, над улыбкой нависли тяжелые очи, и все это шевеление, весь этот риск и блеск, торжество и безобразие, весь клубящийся живой омут был пришлепнут сверху трагической мужской шляпой. Господи боже, царю небесный, вот с ней и предстоит делить ему ложе, стол и мечты! Какие мечты? Неважно. Всякие. Красивая женщина, болтливая женщина, в головке — мусор, но красивая женщина!

— Ну, здравствуй, Денисов, сто лет не виделись!

— Что это за онучи на тебе, прелестница? — недовольно спросил Денисов, целуемый Лорою.

Она удивилась и посмотрела на свои сапоги, на их мертвые золотые обшлага, вывернутые, как бледная плоть поганок. То есть как это?! Что это с ним? Да она их уже целый год носит, он что, забыл? Другое дело, что пора уже новые покупать, но ей совершенно сейчас не до того, потому что пока он там себе отшельничал, с ней случилось кошмарное несчастье: дело в том, что она в кои-то веки выбралась в театр, она хотела хоть немного отдохнуть от папы и пожить, как все люди, а папу она отправила на дачу и попросила Зою Трофимовну за ним присмотреть. Зоя Трофимовна больше трех дней выдержать не смогла, да и никто бы не смог, ну это к слову, так вот, пока она прохлаждалась в подвальном театрике — очень модном, очень труднодоступном театрике, где все-то оформление — рогожа да канцелярские кнопки, где с потолка каплет, но дух светел, где дует по ногам, но как войдешь, так тебе сразу и катарсис, где такое горение и святые слезы, что просто держите меня, — так вот, пока она там валандалась и хлопала ушами, их квартиру обчистили злоумышленники. Все вынесли, буквально все: и подсвечники, и лифчики, и подписного Мольера, и филимоновскую ядовито-розовую игрушку в форме мужика с книгой — подарок одного писателя-деревенщика, прирожденный гений, не печатают, а он пешком пришел из глубинки, ночует по добрым людям и принципиально не моется, принципиально, потому что знает Главную Правду и ненавидит кафель лютой ненавистью, просто багровеет, если видит где-нибудь кафель или метлахскую плитку, у него и цикл поэм есть антикафельный — могучие, бревенчатой силы строки, там все что-то гой! гой еси! и про гусли-самогуды, что-то очень глубинное, — так вот, и подарок его пропал, и шуршащий вьетнамский занавес сняли, а что не могли вынести, то сдвинули с места или повалили. Ну что за люди, просто я не знаю, она, естественно, заявила в милицию, но толку от этого, конечно, никакого не будет, потому что у них там такие страшные стенды — дети, пропавшие без вести, женщины, по многу лет их не могут найти, так неужели они тут же бросятся прочесывать Москву в поисках каких-то там лифчиков? Хорошо еще, что папины рукописи не выбросили, только распушили. Так что вот, всем этим она страшно расстроена, а еще она расстроена тем, что была на вечере встречи с бывшими одноклассниками, пятнадцать лет окончания школы, и все изменились так, что просто не узнать, просто кошмар какой-то, чужие люди, но главное не это, а главное то, что у них были такие Маков и Сысоев, сидели на задней парте и плевались жеваной бумагой, приносили в школу воробьев и вообще были не разлей водой; так вот, Маков погиб в горах — там и остался, и уже четыре года назад, и никто не знал, подумать только, просто герой, больше ничего, а Сысоев стал такой сытый и довольный, приехал на черной машине с шофером и велел шоферу ждать, и тот действительно весь вечер проспал в машине, а когда ребята узнали, что Сысоев такой важный и главный, а Маков лежит где-то в расщелине под снегом и не может прийти, а эта свинья поленился пройтись пешочком и прикатил на казенной машине, чтобы всем тыкать этой машиной в глаза, — вышла небольшая драчка и заваруха, и вместо теплых объятий и светлых воспоминаний устроили Сысоеву бойкот, как будто не о чем больше было поговорить! И как будто он виноват, что Маков полез в эти горы! И все просто озверели, так грустно все это, а один мальчик — конечно, он уже лысый совсем, Пищальский Коля, — наковырял из салата крабов и счистил их со своей тарелки прямо на лицо Сысоеву, и кричал: ты ешь, ты привычный, а мы люди простые! И все думали, что Сысоев его за это убьет, а он ничего, он очень смущался и хотел общаться, а все отворачивались, и он ходил такой растерянный и всем предлагал, кто хочет, противотуманные фары. И потом он ушел как-то боком, и девочки стали его жалеть и кричать: вы не люди! что он вам сделал? И так все и разошлись, злые и злобные, и ничего из вечера не вышло. Вот так вот, Денисов, а ты что молчишь, я по тебе соскучилась, пошли к нам, правда, там здорово разворовано, но я уже привела все в более или менее божеский вид.

Скрипели золотые Лорины сапоги, шуршал плащ, сияли глаза из-под шляпы, брови пахли розами и дождем... а дома, в прокуренной комнате, под мокнущим потолком, прищемленная сдвинутыми пластами времени, бьется тетя Рита со товарищи; она погибла, и порвался кушак, и рассыпалась пудра, и сгнили светлые волосы; она ничего не сделала за свою короткую жизнь, только спела перед зеркалом, и вот теперь, мертвая, старая, голодная, испуганная, мечется в государстве снов, попрошайничает: вспомни!.. Денисов покрепче ухватил Лорин локоть, повернул к ее дому, разгоняя туман: не надо им расставаться, быть им всегда вместе, под одной фигурной скобкой, неразрывно, неразъемно, нерасторжимо, слитно, как Хорь и Калиныч, Лейла и Меджнун, «Дымок» и спички.

Чашки были украдены, так что пили из стаканов. Белоснежный папа, уютный, как сибирский кот, ел пончики, зажмурив от счастья глаза. Вот и мы тоже, как те трое — старик, женщина, мужчина, — думал Денисов, мы тоже сбились вместе, высоко над городом, посмотреть сторонним взглядом — что нас объединяет? Маленькая семья, мы нужны друг другу, слабые и запутавшиеся, ограбленные судьбой, — он без работы, она без головы, я — без будущего. Так сбиться же тесней, держаться за руки, один споткнется — двое поддержат, есть пончики, никуда не стремиться, запереться от людей, жить, не поднимая головы, не ожидая славы... в положенный срок закрыть глаза поплотней, подвязать челюсть, скрестить на груди руки... и благополучно раствориться в небытии? Нет, нет, ни за что!

— Занавески все вынесли, подлые, — вздыхала Лора. — Ну зачем им мои занавески?

Туман улегся, а может быть, он и не поднимался до шестнадцатого этажа, этот легкий летний туман, — в оголенные окна смотрела чистая чернота, драгоценные огни далеких жилищ, и только на горизонте, в лакированной японской тьме вспухал оранжевый полукруг встающей луны, словно проступила вершина горы, освещенная фруктовым утренним светом. Где-то там, в горах, вечным сном спит Маков, Лорин одноклассник, поднявшийся выше всех людей и оставшийся там навсегда.

Светлеет розовая вершина, скалы пылят снегом, Маков лежит, вглядываясь в небосвод; холодный и прекрасный, чистый и свободный, он не истлеет, он не состарится, не заплачет, никого не уничтожит, ни в чем не разочаруется. Он бессмертен. Может ли быть судьба завиднее?

— Послушай, — сказал Лоре пораженный Денисов, — но если ваши дундуки ничего про этого Макова не знали, то, может быть, его сослуживцы?.. Музей там какой-нибудь организовали бы или что-то такое? И почему бы вашей школе не носить имя Макова — ведь он же ее прославил?

Лора удивилась: какой там музей, господь с тобой, Денисов, где ж музей-то? Он учился через пень-колоду, бросил институт, потом армия, то-се, а в последние годы вообще работал кочегаром, потому что любил книжки читать. Семья с ним намучилась, ужас, это я знаю от Нинки Зайцевой, потому что ее свекровь с маковской маманей вместе работают. А школа имени Макова никак быть не может, потому что уже носит имя А. Колбасявичюса. С которым, между прочим, тоже все не так просто, потому что, видишь ли, было два брата-близнеца Колбасявичюса, один убит лесными братьями в сорок шестом году, а второй сам был лесным братом и умер, объевшись поганками. А поскольку инициалы у них были одинаковые, а по внешности родная мать не могла их различить, то возникает крайне двусмысленная ситуация: можно было бы считать, что школа — имени брата-героя, но в свое время местные следопыты выдвинули версию, что брат-герой проник в лесное логово и там был коварно погублен бандитами, распознавшими подмену и окормившими его ядовитым супчиком, а брат-бандит осознал свое заблуждение и честно пошел сдаваться, но по ошибке был застрелен. Ты понял, Денисов? Один из них точно герой, но кто именно — не установлено. Наша директриса просто с ума сходила, она даже подала петицию, чтобы школу переименовали. Но все равно о Макове даже речи идти не может, он же не сталевар, верно?

Вот она, людская память, людская благодарность, подумал Денисов и почувствовал себя виноватым. Кто я? Никто. Кто Маков? Забытый герой. Может быть, судьба, обувшись в золотые сапожки, подсказывает мне: прекрати метаться, Денисов, вот твое дело в жизни, Денисов! Извлеки из небытия, спаси от забвения погибшего юношу; над тобой посмеются — стерпи, будут гнать — держись, унизят — пострадай за идею. Не предавай забытых, забытые стучатся в наши сны, вымаливают подаяния, воют ночами.

Когда Денисов уже засыпал в обворованной квартире высоко над Москвой, а рядом засыпала Лора и темные волосы ее пахли розой, поднялась голубая луна, легли глубокие тени, скрипнуло в глубине квартиры, прошуршало в прихожей, стукнуло за дверью, и что-то мягко, мерно, медленно — скок! скок! — двинулось по коридору, доскакало до кухни, пискнуло дверью, повернулось и — скок! скок! скок! — направилось в обратный путь.

— Эй, Лора, что это такое?

— Спи, Денисов, ничего. Потом.

— Как это потом? Ты слышишь, что делается?

— О боже мой, — зашептала Лора, — ну это папа, папа! Я же тебе говорю, что у меня проблемы с папой! Он сомнамбула, он ходит во сне! Ну я же тебе говорила, его выперли с работы, и у него сразу же это началось! Что я могу поделать? Я у лучших врачей была! Тенгиз Георгиевич сказал: побегает и перестанет. А Анна Ефимовна сказала: что вы хотите, это возрастное. А Иван Кузьмич сказал: чертей не ловит — и слава тебе господи! А через Рузанну я вышла на одного экстрасенса из Министерства тяжелой промышленности, так после сеанса стало только хуже: он голый бегает. Спи, Денисов, мы все равно ничем не поможем.

Но какой уж тут мог быть сон, тем более что зоолог, судя по звукам, снова доскакал до кухни, и там что-то рухнуло со звоном.

— Ой, я с ума сойду, — заволновалась Лора, — он последние стаканы побьет.

Денисов натянул штаны, Лора бросилась к отцу, раздались крики.

— Ну что он делает! Господи, он мои сапоги надел! Папа, я тебе тыщу раз говорила... Папа, да проснись же ты!

— Теплокровные, ха-ха! — рыдая, кричал старичок. — Они называют себя теплокровными! Простейшие, и больше ничего! Уберите свои псевдоподии!

— Денисов, да хватай же ты его сбоку! Папочка, папочка, успокойся! Валерьянки сейчас... За руки, за руки держи!

— Пустите меня! Вон они! Я их вижу! — рвался сомнамбула, и сила у него откуда-то бралась немыслимая. На голом теле зимними, шерстяными вещами казались усы и борода.

— Да папочка же!

— Василий Васильевич!

Ночь летела над миром, далеко во тьме кипел океан, растерянные австралийцы озирались, огорченные исчезновением своего континента, капитан заливал горючими слезами прокуренную берлогу Денисова, кушал холодное из кастрюли проголодавшийся от славы Рыкушин, Рузанна спала головой на восток, Маков спал головой в никуда — каждый занят был своим делом, и кого могло взволновать, что посреди города, в вышине, в перламутровом свете луны мечутся, борются, топчутся, кричат и страдают живые люди — Лора в прозрачной сорочке, лицезреть которую не отказались бы и цари, зоолог в золотых сапогах и Денисов, истерзанный видениями и сомнениями?

...Дачная местность была чудесной — дубы, дубы, а под дубами лужайки, а на лужайках в красноватом вечернем свете играли в волейбол, — гулко чвакал мяч, медленный ветер проводил по дубам, и дубы медленно отвечали ветру. И маковская дача тоже была чудесная — старая, серая, с башенками. А среди клумб, под сырой вечерней черемухой сидели за круглым столом, пили чай с малиной и смеялись четыре сестры, мать, отчим и тетка Макова; тетка держала на руках младенца, тот помахивал пластмассовым попугаем, в сторонке умилялась безвредная собака, и даже какая-то птица, пешочком, не торопясь, шла по дорожке по своим делам, не потрудившись хотя бы из вежливости всполошиться при виде Денисова и броситься куда попало. Он был немного разочарован идиллией. Конечно, напрасно было бы ожидать, что дом и сад убраны траурными флагами, и что ходят на цыпочках, и что черная от горя мать лежит пластом на постели и не сводит глаз с сыновнего ледоруба, и что время от времени то один, то другая выхватывают скомканный платок, чтобы вцепиться в него зубами и удушенно зарыдать, — но все-таки чего-то печального он ждал. А они забыли, они все забыли! А он-то тоже хорош: с букетом, будто поздравить... Они обернулись и с недоумением, с испуганными улыбками смотрели на Денисова, на вязанку бархатцев в его руке, багровых, как закат перед ненастьем, как запекшиеся кровяные корочки, как мементо мори. Младенец, самый чуткий, еще не забывший той страшной тьмы, откуда недавно был вызван, сразу догадался, кем послан Денисов, закричал, забился, хотел предупредить, но слов не знал.

Нет, ничего печального не было видно, печальным было разве то, что Макова здесь не было: не играл он в волейбол под медленными дубами, не пил чай под черемухой, не гонял поздних комаров. Денисов, твердо решившийся пострадать во имя покойного, преодолел неловкость, вручил цветы, поправил траурный галстук, подсел к столу, объяснился. Он — посланец забытых. Такова его миссия. Он хочет знать об их сыне все. Может быть, напишет его биографию. Музей, а если нельзя, то хотя бы уголок в музее организует.

Стенды. Детские вещи. Чем увлекался. Может быть, собирал бабочек, жуков. Чай? Да-да, с сахаром, спасибо, две ложки. С гляциологами надо будет связаться. Возможно, восхождение Макова чем-то важно для науки. Увековечение памяти. Ежегодные Маковские чтения. Помечтаем: пик Макова — почему бы нет? Фонд Макова с добровольными пожертвованиями. Да мало ли!..

Сестры повздыхали, отчим курил, скучливо подняв седые брови, а мать, тетка и младенец заплакали, но то был грибной дождь — любые слезы высыхали здесь, среди малины, дубов и черемухи, — и медленный ветер, прилетев с далеких цветущих полян, подсказывал: брось. Все хорошо. Все спокойно. Брось... Мать придавила платком нос, чтобы не дать слезам ходу. Да, печально, печально... Но все прошло, слава богу, прошло, забылось, утекло водой, зацвело желтыми кувшинками! Жизнь, знаете ли, идет! Вот Жанночкин первенец. Это наш Василек. Василек, ну-ка, где у бабы нос? Пра-авильно. Агу-гуленьки! Ату-тусеньки! Вера, он мокрый. Вот наш сад. Клумбы, видите? Ну, что же еще... Вон там гамак. Удобно, да? А это Ирочка наша, она замуж выходит. Хлопот, знаете! Все молодым устрой, все им подай! Ирочка была премиленькая — молодая, загорелая. Комары ужинали на ее голой спине. Денисов засмотрелся на Ирочку. Ветерок покачивал черные ягоды черемухи.

— Пойдемте, сад посмотрим. Как у меня помидоры хорошо взялись. — Маковская мать отвела Денисова в глубь сада и зашептала: — Девочки Сашу очень любили. Ирочка особенно. Ну что же делать. Я вижу, вы с душой, помочь хотите. У нас просьба к вам... Она замуж выходит, мы мебель им достаем... И знаете, она шкаф «Сильвия» хочет. Сбились с ног. Ведь молодые, что ж... Им жить хочется. Если бы Саша был жив, он бы всю Москву перевернул... В память Саши... для Ирочки... «Сильвию», а? Молодой человек?..

«Сильвию» покойнику! — крикнули незримые силы. Вечная память!

— «Сильвия»... «Сильвия» шкаф... Как бы Саша радовался... Как бы радовался... Ну, еще чайку давайте.

И они пили чай с малиной, и дубы никуда не спешили, и Маков лежал в высоте, в алмазном блеске, скалясь в небо нестареющими зубами.

Долг есть долг. Хорошо, пусть это будет шкаф. Почему нет? От Макова останется шкаф. От тети Риты — стеклянная пудреница. Пудреницу я променял. Ничего не осталось. Загробная темь. Выжженная степь. Мерзлая наледь. Грибная сырость подвала. Железный запах крови. Шестая часть света, вырванная с мясом. Нет! Ничего не хочу знать! Я ничем не мог помочь, я был маленький! Я помогаю только Макову, за всех, за всех, за всех! И когда крупные вежливые санитары уводили рыдающего капитана и он цеплялся за притолоки, за почтовые ящики, за шахту лифта, расставлял ноги, подгибал колени, визжал, а потом из его квартиры вынесли и отдали пионерам на макулатуру сотни бумажных корабликов, а я и все соседи стояли и смотрели — я тоже ничем не мог помочь, я помогаю только Макову!

Ничего не хочу знать! Шкаф, только шкаф! Шкаф, буфет, мебельный гарнитур с бронзовыми вставками — золотой волосок, не толще! — с блестящими уголками, с деликатной резьбой, с мелким блеском стекольных шашек. Нежные ямки резьбы — мягко, легко так, будто заяц пробежал, — чудесный, чудесный кусок жилья!

Будто заяц пробежал в коридоре. Лорин папа. Дзинь! — разбил что-то. Пудреницу. Нет, стакан. Они пьют чай с малиной из стаканов. Маков смотрит в небо: достаньте шкаф во имя мое! Согласен. Я постараюсь. Я готов пострадать. Я пострадаю — и Маков отпустит меня. И капитан отпустит. И тетя Рита. И ее товарищи опустят невыносимые глаза.

Лора ровно дышит во сне, волосы ее пахнут розами, в

коридоре шуршит зоолог, двери заперты — куда убежишь? — пусть побегает, — выдохнется, устанет, лучше будет спать. «Я знал, но забыл, я знал, но забыл», — бормочет он, и глаза его закрыты, и ноги легки. Взад-вперед, взад-вперед, по лунным квадратам, мимо книжных полок, от входной двери до кухонной. Взад-вперед, может быть, надел Лорину шляпку или босоножки, может быть, повязал шею газовым шарфиком или украсил голову дуршлагом, он любит ночные безделушки; взад-вперед, от двери до двери, мягкими прыжками, высоко поднимая колени, вытянув руки вперед, словно ловит что-то, но ни разу еще не поймал, — веселая охота, безобидные жмурки, никакого вреда. «Я знал, но забыл!» Утром пришел красный рассвет, растворилась гора с черной букашкой Макова на вершине, усталый лунатик сладко уснул, запели дегенеративные городские птицы, и две голубые слезы скатились из денисовских глаз в денисовские уши.

В поисках «Сильвии» Денисов толкался в самые разные двери, но везде нарывался на отказы. Вы что? Импорт сокращен! А уж «Сильвия» тем более! Ишь!.. Да ее и генерал не достанет! Разве маршал, да и то смотря какой! Какого рода войск! Нет, товарищ Петрюков вам не поможет. И Козлов не поможет. И к Люлько не обращайтесь — бесполезно. А вот товарищ Бахтияров... Товарищ Бахтияров может сделать, помочь, но человек он прихотливый и своеобразный, характер у него кудрявый и непредсказуемый, и как этого Бахтиярова взять за жабры — одному дьяволу известно. Но, безусловно, ловить его надо не в кабинете, а где-нибудь в «Лесной сказке», когда товарищ кушает и расслабляется. Можно и в баньке, и в баньке-то лучше всего, и это старинный способ — подгадать момент, когда красавица сбросит лебединые перья и оросит себя, так сказать, родниковыми струями, — тут-то ее, голубушку, и цопнуть, перья — в загашник, а от самой просить чего душа пожелает.

Но Бахтияров на красавицу не тянет, увидите сами, и перья его, и штаны, и чемодан с бельем и всякими закусками и за-едками до того надежно охраняются, и банька до того не-простая, и так она ловко поворачивается к лесу передом, к людям задом, что проникнуть в нее без петушиного слова не моги и думать. Так что попробуйте все-таки в загородном поищите, в «Сказке». Ну что делать, попробуйте! Он там отдыхает.

И была «Сказка».

Фу-ты, до чего там было тепло, до чего нарядно, а как славно пахло! Сейчас бы Лору сюда, да денег побольше, да вон в тот угол под желтым абажуром, где салфетки кульком, где мягкие кресла! Покой измученной, полубезумной душе!

Шли официанты, и Денисов спросил самого сладкого и ласкового: нет ли тут, часом, товарища Бахтиярова? — и тот сейчас же полюбил Денисова, как родного брата, и ми-зинчиком указал и направил: вон там товарищ отдыхают. В кругу друзей и прекрасных дам.

Теперь туда — будь что будет, — туда, — не за себя прошу, — туда, где куполом клубится синий дым, где поры-вами ветра гуляет хохоток, где шампанское пенистым крю-ком выскакивает на скатерть, где тяжелые женские спины, где кто-то в сиреневом галстучке, щуплый, собачистый, бы-стро вертится вокруг Хозяина, непрерывно его обожая. Шагнуть — и он шагнул, и пересек черту, и стал посланцем забытых, безымянных, реющих в снах, занесенных снегом, белой костью торчащих из степной колеи.

А товарищ-то Бахтияров оказался человеком круглым, мягким, китайцеобразным, даже каким-то славненьким с виду, и сколько ему было лет — шестьдесят или двести, — сказать было нельзя. Видел он человека насквозь, все ви-дел — и печенку, и селезенку, и сердчишечко, да только не нужна была ему ваша печенка-селезенка — черт ли в ней, — вот и не смотрел он на вас, чтобы не прострелить насквозь, и разговоры завивал куда-то вбок и мимо. Ел товарищ Бахтияров телятину нежности прямо-таки возмутительной, преступно юного ел поросеночка, и зелень была — три минуты как с грядки — столь невинная, еще и не опомнилась, росла себе и росла, вдруг хоп! — и сорвали, и крикнуть-то не успела, а уж ее едят.

— Люблю молодежь кушать, — сказал Бахтияров. — А вам, зайчик, нельзя: язва у вас, по лицу вижу. — И точно, угадал: у Денисова была старинная язва. — А вот я вас с пользой попотчую, — сказал Бахтияров. — За мое ли за здоровьичко, за мое ль за разлюбезное.

И по его щелчку подали тушеную морковь и воду «Буратино».

— Думаю я, думаю, — говорил он между тем, — день и ноченьку все думаю, а ответа не придумаю. Вот вы человек, видать, ученый — глазки у вас эвон какие невеселенькие, ну-ка подскажите. Отчего пивной завод — имени Стеньки Разина? Ведь это ж, голуби мои, государственное учреждение, план-переплан, отчетность, соцсоревнование, партком, — держите меня, — местко-ом! Местком! Шутка ли? И тут же какой-то разбойник. Нет, не понимаю. По-моему, смешно. Смейтесь!

Друзья и дамы засмеялись, сиреневый даже взвизгнул. Денисов тоже вежливо улыбнулся и отпил теплое «Буратино».

— А с другой стороны посмотреть: Степан Тимофеевич — это ж народный герой, это ж чаянья наши, — и за борт ее бросает, — это ж, понимаете, событие большого политического звучания, — и тут же какой-то заводишко с сомнительным, понимаешь, профилем; по-моему, смешно. Смейтесь!

Дамы опять открыли рты и захохотали.

— Ка-ак у тещи в чем-модане береженый шевиот... он не тлеет, он не преет, не ржавеет, не гниет, — вдруг запел сиреневый, поводя плечами и притопывая.

— Вот как мы тут славно шуткуем, — говорил довольный Бахтияров, — светлым детским смехом смеемся да посмеиваемся, и все в рамочках дозволенного, все в граничках допустимого... И все-то у нас ладушки, а у вас ко мне просьбишка, а вот-ка мы ее послушаем...

— Собственно, дело очень простое, то есть очень сложное, — сосредоточился Денисов. — То есть, видите ли, я как бы прошу не для себя, лично мне ничего не нужно...

— Клен ты мой опавший, кто ж для себя просит, для себя нынче никто не просит... Нынче только плюнь — набегут проверяльщики, подхватят под белы рученьки, — туда ли плюнул, да где слюну брал, да на каком таком основании, — а мы что, мы ничего, чистенькие... А можно я вас буду звать цыпа-ляля? Ты мороз, мороз! — запел товарищ Бахтияров. — Пойте, голуби!..

— Не морозь меня!.. — завели за столом.

— Ка-ак у тещи в чемодане, — поперек хора пробовал сиреневый, но его заглушили. Пели хорошо.

— У Клавдюхи-то сопрано — не фу-фу, — говорил Бахтияров. — Наша Зыкина! Мария, так сказать, Каллас, а то и покрепче! Ты тоже пой, цыпа-ляля.

«Что ж, предупреждали, — думал Денисов, мерно разевая рот. — Предупреждали, и я готовился, ведь не для себя же, и ничто просто так не дается, не пострадав — не добьешься, просто я не предполагал, что страдать до такой степени неприятно».

— Не повалявши не поешь, — подтвердил товарищ Бахтияров, глянув Денисову в самое сердце, — а ты как думал, роднулька моя? Тебе какой артикул-то? Шка-а-аф?.. Ишь мы какие шалуны... А ты спел бы нам лично, а? Вот так, попросту, для души? Выдай нам свое потребительское соло, чтоб душа играла! Слушаем, голуби мои! Тишина! Уважаем!

Денисов торопливо спел, страдая под взглядами бахтияровских гостей, спел, что подвернулось, что поется во дворах, в походах, в электричках, — городской романс о Шаровой Леночке, поверившей в любовь, и обманутой, и надумавшей погубить плод легкомысленного своего заблуждения: «Да ямку вырыла, да камень тиснула, а Зина-девочка разочек пискнула!» — пел, уже понимая, что он в пустыне, что людей здесь нет, пел о приговоре, вынесенном бессердечными судьями: «а расстрелять ее! да расстрелять ее!», о печальном и несправедливом конце заблудшей: «я подхожу к тюрьме, она раскрытая, Шарова Леночка лежит убитая», и Бахтияров сочувственно кивал мягкой головой, нет, Бахтияров-то был еще ничего, совсем ничего, на лице его даже просматривались какие-то уютные, симпатичные уголочки, а если сощуриться, то можно бы на минуточку поверить, что вот — дедушка, старенький, любит внучат... но только если, конечно, сощуриться. Другие были много хуже — вот эта, например, очень плохая женщина, похожая на лыжу, — перед ее весь заткан парчой, а спина совершенно голая; или та, другая, красавица с глазами кладбищенского сторожа; но страшнее всех вон тот вертлявый хохотун, развинченный петрушка, и галстучек его сиреневый, и жабий рот, и шерсть на голове, кто бы изничтожил его, извел, прижег, что ли, всего зеленкой, чтобы не смел смотреть!.. А впрочем, все они ужасны лишь постольку, поскольку празднуют мое унижение, крестные мои муки, а так — граждане как граждане. Ничего. «Шарова Леночка лежит убитая!»

— Как хорошо-то, пончики мои! — удивился Бахтияров. — Как товарищ хорошо спел-то! Просто пьяниссимо, да и только. Да и весь тут сказ. А ну-как и мы грянем. В ответ! Покажем гостю бемоль!

Гости грянули; сиреневый вертун — сама предупредительность — дирижировал вилкой, у красавицы из мертвых глаз струились слезы; едоки из-за соседних столов, утершись салфетками, присоединялись к хору, пронзительной, струнной нотой вступало Клавдюхино сопрано:

230

Ах, мама, ты милая мама,
Зачем ты так рано ушлааааааааааааа,
Сынишку воришкой оставила,
Отца-подлеца не нашла!!!

Там, в горах, повалил снег, все гуще и гуще, наметая сугробы, засыпая Макова, раскинутые его ноги, обращенное к вечности лицо. Он не тлеет, он не преет, не ржавеет, не гниет!.. Сугробы поднимались все выше, выше, гора захрустела под тяжестью снега, загудела, лопнула, с паровозным грохотом сошла лавина, и на вершине ничего не осталось. Снежный дымок покурился и осел на скалы.

— Не друзья ли мы с тобой, посетитель дорогой! — кричал Бахтияров, хватая Денисова за щеки. — Во! Стихами говорю! Не чужд! А?! Я такой! Испей «буратинца» за мое здоровьичко! До дна, до дна! Вот так! А знаешь, вот что: уважь старого друга! Гулять так гулять! Полезай под стол! Для смеха! Пошё-ёл!

— Вы что? — сказал Денисов, свободный от Макова. — Вы что, дядя? Гуд бай вам, и шкаф мне ваш не нужен. Я передумал. — И он стал вставать.

— Под стол! Ничего не знаю! Что такое?! — рвал пиджак Бахтияров. — Просим! Господа!..

— Про-сим! Про-сим! — топали дамы, друзья, гости, официанты, откуда-то взявшиеся повара, и весь зал, поднявшись на ноги, выходя из-за столов, дожевывая, скандировал и хлопал в ладоши: — Про-сим!

Нет же, нет, нет! Почему?! Я человек, звучу гордо, не полезу, хоть убейте!.. Ну а пострадать? Эй, вспомни! Пострадать-то! Ты же хотел.

Он дико затосковал, как перед смертью, ослабел душой, нахмурился — не помогло, хотел вздохнуть — нечем уж было и вздохнуть. А Бахтияров уже откинул скатерть, и боком сел, чтобы ноги не мешали, и приглашал рукой: прошу! пожалуйте!..

...Он скрючился в полотняной штопаной полутьме, поджав колени, как зародыш, тупо глядел на женские ноги, на серебряные хвосты и лакированные копытца; коварное брашно туманило слух и взор; сопрано давило голову; вот что я сделаю. Я знаю. Я поставлю памятник забытым. Пусть это будет плоское место в степи, без ограды, без знака, пусть растет там ковыль или камыш, пусть солнце выжжет землю, чтобы выступила соль, пусть валяется там щебень или битое стекло, пусть вечерами воет шакал или пирует разудалая компания. Привет вам, консервные банки, и вам, пивные пробки, слава плевкам, ура раздавленным помидорам. Холм мусора или соляная проплешина, шорох ковыля или свист ветра — все хорошо, все безразлично, ничто не страшно забытым, — ведь с ними уже ничего больше не может случиться.

Под стол свесилось зареванное безглазое женское лицо, забормотало, ища сочувствия:

— Почему, ну почему одним все широе, лёркое, бротистое, а другим только плявое и мяклое, ну почему?

Сердце мудрых — в доме плача.

«Буратино» сморило Денисова, и он уснул.

Лунный луч, пробившись сквозь штопку, кольнул в глаз. Лунная скатерть лежала на паркете, серебряный сад стоял за окном, август чиркал звездами во тьме. Словно все снега со всех гор осыпались на сад, на тишину, на немые тропинки. Денисов скрипнул половицей, постоял у окна. Никого он не видел сегодня во сне.

Петух пропел, Бахтияров и ведьмаки его сгинули, тени спят, в мире покой.

Да и что за глупость — мучиться воспоминаниями ни о чем, выпрашивать у мертвеца прощения за то, в чем, по людскому счету, ты неповинен, ловить горстями туман? И никакого нет пятого измерения, и никто не подводит баланс твоих грехов и побед, и нет в конце пути ни кары, ни награды, да и пути нет, и слава — дым, и душа — пар, и если ты полез под стол, то уж прости, дорогой, но это твой выбор и твой личный вкус, и благодарное человечество не повалит толпами за тобой, и незримые силы не крикнут из предвечной лазури: «Хорошо, Денисов! Давай! Жми в таком духе! Всецело одобряем и поддерживаем!»

Он обошел всю «Сказку», дергая двери, все было заперто. Н-да, комиссия! Сиди теперь до утра. Окно, что ли, вышибить? Тут небось сигнализация. Поселок маленький, всё на виду — засвистят, замигают, выедут опергруппы; не в саду, так на шоссе поймают как миленького. В небесах торжественно и чудно, спит земля в сиянье голубом, а Денисов будет метаться между кустами и будками, приседать за мусорные баки, шуршать в боярышнике, заслоняться от прожекторов. Ни к чему. Валом тьмы окружен мир; бесплотный лунный сахар пересыпается с листа на лист, дрожа и мерцая; сахар, снег, сон, глушь, все застыло, все умирает, тупея в бессмысленной красоте, все забыто, все прощено, да ничего и не было, да и не будет ничего.

А, вот телефон. Лоре позвонить. Умер сам — научи товарища.

Голос у Лоры был насморочный.

— Ой, Денисов, бери такси, приезжай. У меня тут кошмарное горе. Что значит заперли? В какой сказке? Ты что, с ума сошел, Денисов, у меня такое горе, проблема с папой, я его повезла за город, к одной старухе, ты не знаешь, баба Лиза, она знахарка и вообще женщина чудная. Мне Рузанна ее рекомендовала, чтобы папу отчитывать; ну как отчитывают? — сажают под иконы на табуретку, свечу ставят, воск в таз капает, баба Лиза молитвы читает, энергетика очень улучшается; ну, это все на несколько сеансов рассчитано; так ты представляешь, пока я отлучилась в сельмаг, там у них выбор хороший, мужские рубашки голландские, я для тебя хотела, ну вот, их уже разобрали, а я засмотрелась на товары для пайщиков, я не знаю, какие пайщики, что-то такое потребсоюз или что. В общем, для сдатчиков гриба чаги там мокасины мужские, белые, австрийские, это то, что тебе нужно, еще там джинсы на мясо и фломастеры на морковь, это нам не надо, а мокасины очень хорошо; я говорю девушкам: девушки, чаги у меня нет, может быть, так дадите? А одна, симпатичная такая, говорит: подождите заведующую, может быть, договоритесь; я ждала-ждала, а уже темно, никого, они говорят: она вряд ли подойдет, к ней друг из Североморска должен был подъехать, ну я пошла назад, а баба Лиза в жуткой панике: говорит, он сидел-сидел и уснул, а когда уснул, ты же знаешь, какой он становится; он уснул, вскочил, дверь распахнул и бежать, а на улице-то темно, а местность совершенно незнакомая, так и убежал, я не знаю, что делать, Денисов, я в милицию, а они зубы скалят. В общем, я сейчас дома, в полной прострации, ведь у папы денег ни копья, ведь он очнется где-нибудь в лесу, он заблудится, он замерзнет, он умрет, он же не знает, куда я его завезла, ведь он пропадет, Денисов, что я наделала!

...Значит, он убежал, вырвался и убежал! Он знал, он все время знал дорогу! Встрепенулись забытые, тени подняли головы, прозрачные призраки насторожились, прислушались: он бежит, его отпустили, встречайте, выходите в дозор, машите флажками, зажигайте сигнальные огни! Сомнамбула бежит по бездорожью, смежив вежды, вытянув руки, с тихой улыбкой, словно видит то, что не видят зрячие, словно знает то, что они забыли, ловит ночью то, что потеряно днем. Он бежит по росистой траве, по лунным пятнам и черным теням, по грибам и подорожникам, по бледным ночным колокольчикам, по маленьким лягушатам. Он взбегает на холмы, он сбегает с холмов, чист и светел под светлой луной, вереск хлещет его легкие ноги, ночь дует в спящее лицо, белые волосы развеваются по ветру, расступается лес, расцветает клен, разгорается свет.

Неужели он не добежит до света?

РЕКА ОККЕРВИЛЬ

Когда знак Зодиака менялся на Скорпиона, становилось совсем уж ветрено, темно и дождливо. Мокрый, струящийся, бьющий ветром в стекла город за беззащитным, незанавешенным, холостяцким окном, за припрятанными в межоконном холоду плавлеными сырками казался тогда злым петровским умыслом, местью огромного, пучеглазого, с разинутой пастью, зубастого царя-плотника, все догоняющего в ночных кошмарах, с корабельным топориком в занесенной длани, своих слабых, перепуганных подданных. Реки, добежав до вздутого, устрашающего моря, бросались вспять, шипящим напором отщелкивали чугунные люки и быстро поднимали водяные спины в музейных подвалах, облизывая хрупкие, разваливающиеся сырым песком коллекции, шаманские маски из петушиных перьев, кривые заморские мечи, шитые бисером халаты, жилистые ноги злых, разбуженных среди ночи сотрудников. В такие-то дни, когда из дождя, мрака, прогибающего стекла ветра вырисовывался белый творожистый лик одиночества, Симеонов, чувствуя себя особенно носатым, лысеющим, особенно ощущая свои нестарые года вокруг лица и дешевые носки далеко внизу, на границе существования, ставил чайник, стирал рукавом пыль со стола, расчищал от книг, высунувших белые языки закладок, пространство, устанавливал граммофон, подбирая нужную по толщине книгу, чтобы подсунуть под хромой его уголок, и заранее, авансом блаженствуя, извлекал из рваного, пятнами желтизны пошедшего конверта Веру Васильевну — старый, тяжелый, антрацитом отливающий круг, не расщепленный гладкими концентрическими окружностями — с каждой стороны по одному романсу.

— Нет, не тебя! так пылко! я! люблю! — подскакивая, потрескивая и шипя, быстро вертелась под иглой Вера Васильевна; шипение, треск и кружение завивались черной воронкой, расширялись граммофонной трубой, и, торжествуя победу над Симеоновым, несся из фестончатой орхидеи божественный, темный, низкий, сначала кружевной и пыльный, потом набухающий подводным напором, восстающий из глубин, преображающийся, огнями на воде колыхающийся, — пщ-пщ-пщ, пщ-пщ-пщ, — парусом надувающийся голос — все громче, — обрывающий канаты, неудержимо несущийся, пщ-пщ-пщ, каравеллой по брызжущей огнями ночной воде — все сильней, — расправляющий крылья, набирающий скорость, плавно отрывающийся от отставшей толщи породившего его потока, от маленького, оставшегося на берегу Симеонова, задравшего лысеющую, босую голову к гигантски выросшему, сияющему, затмевающему полнеба, исходящему в победоносном кличе голосу, — нет, не его так пылко любила Вера Васильевна, а все-таки, в сущности, только его одного, и это у них было взаимно. Х-щ-щ-щ-щ-щ-щ-щ.

Симеонов бережно снимал замолкшую Веру Васильевну, покачивал диск, обхватив его распрямленными, уважительными ладонями; рассматривал старинную наклейку: э-эх, где вы теперь, Вера Васильевна? Где теперь ваши белые косточки? И, перевернув ее на спину, устанавливал иглу, прищуриваясь на черносливовые отблески колыхающегося толстого диска, и снова слушал, томясь, об отцветших давно, щщщ, хризантемах в саду, щщщ, где они с нею встретились, и вновь, нарастая подводным потоком, сбрасывая пыль, кружева и годы, потрескивала Вера Васильевна и представала томной наядой — неспортивной, слегка полной наядой начала века — о сладкая груша, гитара, покатая шампанская бутыль!

А тут и чайник закипал, и Симеонов, выудив из межоконья плавленый сыр или ветчинные обрезки, ставил пластинку с начала и пировал по-холостяцки, на расстеленной газете, наслаждался, радуясь, что Тамара сегодня его не настигнет, не потревожит драгоценного свидания с Верой Васильевной. Хорошо ему было в его одиночестве, в маленькой квартирке, с Верой Васильевной наедине, и дверь крепко заперта от Тамары, и чай крепкий и сладкий, и почти уже закончен перевод ненужной книги с редкого языка — будут деньги, и Симеонов купит у одного крокодила за большую цену редкую пластинку, где Вера Васильевна тоскует, что не для нее придет весна, — романс мужской, романс одиночества, и бесплотная Вера Васильевна будет петь его, сливаясь с Симеоновым в один тоскующий, надрывный голос. О блаженное одиночество! Одиночество ест со сковородки, выуживает холодную котлету из помутневшей литровой банки, заваривает чай в кружке — ну и что? Покой и воля! Семья же бренчит посудным шкафом, расставляет западнями чашки да блюдца, ловит душу ножом и вилкой, — ухватывает под ребра с двух сторон, — душит ее колпаком для чайника, набрасывает скатерть на голову, но вольная одинокая душа выскальзывает из-под льняной бахромы, проходит ужом сквозь салфеточное кольцо и — хоп! лови-ка! — она уже там, в темном, огнями наполненном магическом кругу, очерченном голосом Веры Васильевны, она выбегает за Верой Васильевной, вслед за ее юбками и веером, из светлого танцующего зала на ночной летний балкон, на просторный полукруг над благоухающим хризантемами садом, впрочем, их запах, белый, сухой и горький, — это осенний запах, он уже заранее предвещает осень, разлуку, забвение, но любовь все живет в моем сердце больном, — это больной запах, запах прели и грусти, где-то вы теперь, Вера Васильевна, может быть, в Париже или Шанхае, и какой дождь — голубой парижский или желтый китайский — моросит над вашей могилой, и чья земля студит ваши белые кости? Нет, не тебя так пылко я люблю! (Рассказывайте! Конечно же, меня, Вера Васильевна!)

Мимо симеоновского окна проходили трамваи, когда-то покрикивавшие звонками, покачивавшие висящими петлями, похожими на стремена, — Симеонову все казалось, что там, в потолках, спрятаны кони, словно портреты трамвайных прадедов, вынесенные на чердак; потом звонки умолкли, слышался только перестук, лязг и скрежет на повороте, наконец краснобокие твердые вагоны с деревянными лавками поумирали, и стали ходить вагоны округлые, бесшумные, шипящие на остановках, можно было сесть, плюхнуться на охнувшее, испускающее под тобой дух мягкое кресло и покатить в голубую даль, до конечной остановки, манившей названием: «Река Оккервиль». Но Симеонов туда никогда не ездил. Край света, и нечего там ему было делать, но не в том даже дело: не видя, не зная дальней этой, почти не ленинградской уже речки, можно было вообразить себе все, что угодно: мутный зеленоватый поток, например, с медленным, мутно плывущим в нем зеленым солнцем, серебристые ивы, тихо свесившие ветви с курчавого бережка, красные кирпичные двухэтажные домики с черепичными крышами, деревянные горбатые мостики — тихий, замедленный как во сне мир; а ведь на самом деле там наверняка же склады, заборы, какая-нибудь гадкая фабричонка выплевывает перламутрово-ядовитые отходы, свалка дымится вонючим тлеющим дымом, или что-нибудь еще, безнадежное, окраинное, пошлое. Нет, не надо разочаровываться, ездить на речку Оккервиль, лучше мысленно обсадить ее берега длинноволосыми ивами, расставить крутоверхие домики, пустить неторопливых жителей, может быть, в немецких колпаках, в полосатых чулках, с длинными фарфоровыми трубками в зубах... а лучше замостить брусчаткой оккервильские набережные, реку наполнить чистой серой водой, навести мосты с башенками и цепями, выровнять плавным лекалом гранитные парапеты, поставить вдоль набережной высокие серые дома с чугунными решетками подворотен — пусть верх ворот будет как рыбья чешуя, а с кованых балконов выглядывают настурции, поселить там молодую Веру Васильевну, и пусть идет она, натягивая длинную перчатку, по брусчатой мостовой, узко ставя ноги, узко переступая черными тупоносыми туфлями с круглыми, как яблоко, каблуками, в маленькой круглой шляпке с вуалькой, сквозь притихшую морось петербургского утра, и туман по такому случаю подать голубой.

Подать голубой туман! Туман подан, Вера Васильевна проходит, постукивая круглыми каблуками, весь специально приготовленный, удерживаемый симеоновским воображением мощеный отрезок, вот и граница декорации, у режиссера кончились средства, он обессилен, и, усталый, он распускает актеров, перечеркивает балконы с настурциями, отдает желающим решетку с узором как рыбья чешуя, сощелкивает в воду гранитные парапеты, рассовывает по карманам мосты с башенками, — карманы распирает, висят цепочки, как от дедовских часов, и только река Оккервиль, судорожно сужаясь и расширяясь, течет и никак не может выбрать себе устойчивого облика.

Симеонов ел плавленые сырки, переводил нудные книги, вечерами иногда приводил женщин, а наутро, разочарованный, выпроваживал их — нет, не тебя! — запирался от Тамары, все подступавшей с постирушками, жареной картошкой, цветастыми занавесочками на окна, все время тщательно забывавшей у Симеонова важные вещи, то шпильки, то носовой платок, — к ночи они становились ей срочно нужны, и она приезжала за ними через весь город, — Симеонов тушил свет и не дыша стоял, прижавшись к притолоке в прихожей, пока она ломилась, и очень часто сдавался, и тогда ел на ужин горячее и пил из синей с золотом чашки крепкий чай с домашним напудренным хворостом, а Тамаре ехать назад было, конечно, поздно, последний трамвай ушел, и до туманной речки Оккервиль ему уж тем более было не доехать, и Тамара взбивала подушки, пока Вера Васильевна, повернувшись спиной, не слушая оправданий Симеонова, уходила·по набережной в ночь, покачиваясь на круглых, как яблоко, каблуках.

Осень сгущалась, когда он покупал у очередного крокодила тяжелый, сколотый с одного краешка диск, — поторговались, споря об изъяне, цена была очень уж высока, а почему? — потому что забыта напрочь Вера Васильевна, ни по радио не прозвучит, ни в викторинах не промелькнет короткая, нежная ее фамилия, и теперь только изысканные чудаки, снобы, любители, эстеты, которым охота выбрасывать деньги на бесплотное, гоняются за ее пластинками, ловят, нанизывают на штыри граммофонных вертушек, переписывают на магнитофоны ее низкий, темный, сияющий, как красное дорогое вино, голос. А ведь старуха еще жива, сказал крокодил, живет где-то в Ленинграде, в бедности, говорят, и безобразии, и недолго же сияла она и в свое-то время, потеряла бриллианты, мужа, квартиру, сына, двух любовников и, наконец, голос, — в таком вот именно порядке, и успела с этими своими потерями уложиться до тридцатилетнего возраста, с тех пор и не поет, однако живехонька. Вот как, думал, отяжелев сердцем, Симеонов и по пути домой, через мосты и сады, через трамвайные пути, все думал: вот как... И, заперев дверь, заварив чаю, поставил на вертушку купленное выщербленное сокровище и, глядя в окно на стягивающиеся на закатной стороне тяжелые цветные тучи, выстроил, как обычно, кусок гранитной набережной, перекинул мост, — и башенки нынче отяжелели, и цепи были неподъемно чугунны, и ветер рябил и морщил, волновал широкую, серую гладь реки Оккервиль, и Вера Васильевна, спотыкаясь больше положенного на своих неудобных, придуманных Симеоновым каблуках, заламывала руки и склоняла маленькую, гладко причесанную головку к покатому плечику, — тихо, так тихо светит луна, а дума тобой роковая полна, — луна не поддавалась, мылом выскальзывала из рук, неслась сквозь рваные оккервильские тучи, — на этом Оккервиле всегда что-то тревожное с небом, — как беспокойно мечутся прозрачные, прирученные тени нашего воображения, когда сопение и запахи живой жизни проникают в их прохладный, туманный мир!

Глядя на закатные реки, откуда брала начало и река Оккервиль, уже зацветавшая ядовитой зеленью, уже отравленная живым старушечьим дыханием, Симеонов слушал спорящие голоса двух боровшихся демонов: один настаивал выбросить старуху из головы, запереть покрепче двери, изредка приоткрывая их для Тамары, жить, как и раньше жил, в меру любя, в меру томясь, внимая в минуты одиночества чистому звуку серебряной трубы, поющему над неведомой туманной рекой, другой же демон — безумный юноша с помраченным от перевода дурных книг сознанием — требовал идти, бежать, разыскать Веру Васильевну — подслеповатую, бедную, исхудавшую, сиплую, сухоногую старуху, разыскать, склониться к ее почти оглохшему уху и крикнуть ей через годы и невзгоды, что она — одна-единственная, что ее, только ее так пылко любил он всегда, что любовь все живет в его сердце больном, что она, дивная пери, поднимаясь голосом из подводных глубин, наполняя паруса, стремительно проносясь по ночным огнистым водам, взмывая ввысь, затмевая полнеба, разрушила и подняла его — Симеонова, верного рыцаря, — и, раздавленные ее серебряным голосом, мелким горохом посыпались в разные стороны трамваи, книги, плавленые сырки, мокрые мостовые, птичьи крики, Тамары, чашки, безымянные женщины, уходящие года, вся бренность мира. И старуха, обомлев, взглянет на него полными слез глазами: как? вы знаете меня? не может быть! боже мой! неужели это кому-нибудь еще нужно! и могла ли я думать! — и, растерявшись, не будет знать, куда и посадить Симеонова, а он, бережно поддерживая ее сухой локоть и целуя уже не белую, всю в старческих пятнах руку, проводит ее к креслу, вглядываясь в ее увядшее, старинной лепки лицо. И, с нежностью и с жалостью глядя на пробор в ее слабых белых волосах, будет думать: о, как мы разминулись в этом мире! Как безумно пролегло между нами время! («Фу, не надо», — кривился внутренний демон, но Симеонов склонялся к тому, что надо.)

Он буднично, оскорбительно просто — за пятак — добыл адрес Веры Васильевны в уличной адресной будке; сердце стукнуло было: не Оккервиль? конечно, нет. И не набережная. Он купил хризантем на рынке — мелких, желтых, обернутых в целлофан. Отцвели уж давно. И в булочной выбрал тортик. Продавщица, сняв картонную крышку, показала выбранное на отведенной руке: годится? — но Симеонов не осознал, что берет, отпрянул, потому что за окном булочной мелькнула — или показалось? — Тамара, шедшая брать его на квартире, тепленького. Потом уж в трамвае развязал покупку, поинтересовался. Ну, ничего. Фруктовый. Прилично. Под стеклянистой желейной гладью по углам спали одинокие фрукты: там яблочный ломтик, там — угол подороже — ломтик персика, здесь застыла в вечной мерзлоте половинка сливы, и тут — угол шаловливый, дамский, с тремя вишенками. Бока присыпаны мелкой кондитерской перхотью.

Трамвай тряхнуло, тортик дрогнул, и Симеонов увидел на отливавшей водным зеркалом желейной поверхности явственный отпечаток большого пальца — нерадивого ли повара, неуклюжей ли продавщицы. Ничего, старуха плохо видит. И я сразу нарежу. («Вернись, — печально качал головой демон-хранитель, — беги, спасайся».) Симеонов завязал опять, как сумел, стал смотреть на закат. Узким ручьем шумел (шумела? шумело?) Оккервиль, бился в гранитные берега, берега крошились, как песчаные, оползали в воду. У дома Веры Васильевны он постоял, перекладывая подарки из руки в руку. Ворота, в которые предстояло ему войти, были украшены поверху рыбьей узорной чешуей. За ними страшный двор. Кошка шмыгнула. Да, так он и думал. Великая забытая артистка должна жить вот именно в таком дворе. Черный ход, помойные ведра, узкие чугунные перильца, нечистота. Сердце билось. Отцвели уж давно. В моем сердце больном.

Он позвонил. («Дурак», — плюнул внутренний демон и оставил Симеонова.) Дверь распахнулась под напором шума, пения и хохота, хлынувшего из недр жилья, и сразу же мелькнула Вера Васильевна, белая, огромная, нарумяненная, черно- и густобровая, мелькнула там, за накрытым столом, в освещенном проеме, над грудой остро, до дверей пахнущих закусок, над огромным шоколадным тортом, увенчанным шоколадным зайцем, громко хохочущая, раскатисто смеющаяся, мелькнула — и была отобрана судьбой навсегда. И надо было поворачиваться и уходить. Пятнадцать человек за столом хохотали, глядя ей в рот: у Веры Васильевны был день рождения, Вера Васильевна рассказывала, задыхаясь от смеха, анекдот. Она начала его рассказывать, еще когда Симеонов поднимался по лестнице, она изменяла ему с этими пятнадцатью, еще когда он маялся и мялся у ворот, перекладывая дефектный торт из руки в руку, еще когда он ехал в трамвае, еще когда запирался в квартире и расчищал на пыльном столе пространство для ее серебряного голоса, еще когда впервые с любопытством достал из пожелтевшего рваного конверта тяжелый, черный, отливающий лунной дорожкой диск, еще когда никакого Симеонова не было на свете, лишь ветер шевелил траву и в мире стояла тишина. Она не ждала его, худая, у стрельчатого окна, вглядываясь в даль, в стеклянные струи реки Ок-

243

кервиль, она хохотала низким голосом над громоздящимся посудой столом, над салатами, огурцами, рыбой и бутылками, и лихо же пила, чаровница, и лихо же поворачивалась туда-сюда тучным телом.

Она предала его. Или это он предал Веру Васильевну? Теперь поздно было разбираться.

— Еще один! — со смехом крикнул кто-то, по фамилии, как выяснилось тут же, Поцелуев. — Штрафную! — И торт с отпечатком, и цветы отобрали у Симеонова и втиснули его за стол, заставив выпить за здоровье Веры Васильевны, здоровье, которого, как он убеждался с неприязнью, ей просто некуда было девать. Симеонов сидел, машинально улыбался, кивал головой, цеплял вилкой соленый помидор, смотрел, как и все, на Веру Васильевну, выслушивал ее громкие шутки — жизнь его была раздавлена, переехана пополам; сам дурак, теперь ничего не вернешь, даже если бежать; волшебную диву умыкнули горынычи, да она сама с удовольствием дала себя умыкнуть, наплевала на обещанного судьбой прекрасного, грустного, лысоватого принца, не пожелала расслышать его шагов в шуме дождя и вое ветра за осенними стеклами, не пожелала спать, уколотая волшебным веретеном, заколдованная на сто лет, окружила себя смертными, съедобными людьми, приблизила к себе страшного этого Поцелуева — особо, интимно приближенного самим звучанием его фамилии, — и Симеонов топтал серые высокие дома на реке Оккервиль, крушил мосты с башенками и швырял цепи, засыпал мусором светлые серые воды, но река вновь пробивала себе русло, а дома упрямо вставали из развалин, и по несокрушимым мостам скакали экипажи, запряженные парой гнедых.

— Курить есть? — спросил Поцелуев. — Я бросил, так с собой не ношу. — И обчистил Симеонова на полпачки. — Вы кто? Поклонник-любитель? Это хорошо. Квартира своя? Ванна есть? Гут. А то тут общая только. Будете возить ее к себе мыться. Она мыться любит. По первым числам собираемся, записи слушаем. У вас что есть? «Тёмно-зелёный изумруд» есть? Жаль. Который год ищем, прямо несчастье какое-то. Ну нигде буквально. А эти ваши широко тиражировались, это неинтересно. Вы «Изумруд» ищите. У вас связей нет колбасы копчёной доставать? Нет, ей вредно, это я так... себе. Вы цветов помельче принести не могли, что ли? Я вот розы принёс, вот с мой кулак буквально. — Поцелуев близко показал волосатый кулак. — Вы не журналист, нет? Передачку бы про неё по радио, всё просится Верунчик-то наш. У, морда. Голосина до сих пор как у дьякона. Дайте ваш адрес запишу. — И, придавив Симеонова большой рукой к стулу — сидите, сидите, не провожайте, — Поцелуев выбрался и ушёл, прихватив с собой симеоновский тортик с дактилоскопической отметиной.

Чужие люди вмиг населили туманные оккервильские берега, тащили свой пахнущий давнишним жильём скарб — кастрюльки и матрасы, вёдра и рыжих котов, на гранитной набережной было не протиснуться, тут и пели уже своё, выметали мусор на уложенную Симеоновым брусчатку, рожали, размножались, ходили друг к другу в гости, толстая чернобровая старуха толкнула, уронила бледную тень с покатыми плечами, наступила, раздавив, на шляпку с вуалькой, хрустнуло под ногами, покатились в разные стороны круглые старинные каблуки, Вера Васильевна крикнула через стол: «Грибков передайте!» — и Симеонов передал, и она поела грибков.

Он смотрел, как шевелится её большой нос и усы под носом, как переводит она с лица на лицо большие, чёрные, схваченные старческой мутью глаза, тут кто-то включил магнитофон, и поплыл её серебряный голос, набирая силу, — ничего, ничего, — думал Симеонов. Сейчас доберусь до дому, ничего. Вера Васильевна умерла, давным-давно умерла, убита, расчленена и съедена этой старухой, и косточки уже обсосаны, я справил бы поминки, но Поцелуев унёс мой торт, ничего, вот хризантемы на могилу, сухие, больные, мертвые цветы, очень к месту, я почтил память покойной, можно встать и уйти.

У дверей симеоновской квартиры маялась Тамара — родная! — она подхватила его, внесла, умыла, раздела и накормила горячим. Он пообещал Тамаре жениться, но под утро, во сне, пришла Вера Васильевна, плюнула ему в лицо, обозвала и ушла по сырой набережной в ночь, покачиваясь на выдуманных черных каблуках. А с утра в дверь трезвонил и стучал Поцелуев, пришедший осматривать ванную, готовить на вечер. И вечером он привез Веру Васильевну к Симеонову помыться, курил симеоновские папиросы, налегал на бутерброды, говорил: «Да-а-а... Верунчик — это сила! Сколько мужиков в свое время ухайдакала — это ж боже мой!» А Симеонов против воли прислушивался, как кряхтит и колышется в тесном ванном корыте грузное тело Веры Васильевны, как с хлюпом и чмоканьем отстает ее нежный, тучный, налитой бок от стенки влажной ванны, как с всасывающим звуком уходит в сток вода, как шлепают по полу босые ноги и как наконец, откинув крючок, выходит в халате красная, распаренная Вера Васильевна: «Фу-ух. Хорошо». Поцелуев торопился с чаем, а Симеонов, заторможенный, улыбающийся, шел ополаскивать после Веры Васильевны, смывать гибким душем серые окатыши с подсохших стенок ванны, выколупывать седые волосы из сливного отверстия. Поцелуев заводил граммофон, слышен был дивный, нарастающий, грозовой голос, восстающий из глубин, расправляющий крылья, взмывающий над миром, над распаренным телом Верунчика, пьющего чай с блюдечка, над согнувшимся в своем пожизненном послушании Симеоновым, над теплой, кухонной Тамарой, над всем, чему нельзя помочь, над подступающим закатом, над собирающимся дождем, над ветром, над безымянными реками, текущими вспять, выходящими из берегов, бушующими и затопляющими город, как умеют делать только реки.

ТУРИСТЫ И ПАЛОМНИКИ

ТУРИСТЫ И ПАЛОМНИКИ

> Небесный град Иерусалим
> Горит сквозь холод и лед,
> И вот он стоит вокруг нас,
> И ждет нас,
> И ждет нас...
>
> *Борис Гребенщиков*

Туристу интересно все понемногу, паломнику — только те святыни, ради которых он снялся с места и отправился в свой долгий путь. Турист подвержен настроениям. Паломник слышит зов.

Турист то рассеян, то восхищен, смотрит «смутно и зорко», его капризы зависят от погоды и самочувствия. Вчера он бегал по крутым каменным улочкам, натаптывал себе мозоли в музеях, отснял кучу пленок: «Галочка, лицо немножко в сторону, — у тебя тень под носом... Фонтан заслоняешь...» Сегодня он валяется в номере и никуда идти не хочет, ну разве что, может быть, в ресторан: сепия в собственных чернилах, седло барашка с маринованными кумкватами, бомбошки с помпошками. Может себе позволить. А может и расхотеть.

Паломник обязан пройти, проползти, доковылять, дотянуться. Мозоли его — медали его; дорожная пыль — как почетная мантия. Чужие идолы, прочь с дороги! Маршрут паломника прочерчен горящей линией, огненным пунктиром во мраке, он не выбирает, он не колеблется, он точно знает, куда идет и зачем, он точно знает, что будет ошеломлен, что он возрыдает и возликует, что неприметные для туриста вещи — гладкий камень, шершавый ствол дерева, песчаная отмель, поворот дороги, ветки, полощущие листья в мутной речке, силуэт горы в дожде, проблеск в тучах — все это исполнено смысла и волнения, все это говорит, зовет, смотрит, пронзает и ослепляет.

Турист говорит: «Ну, слава богу, отметились...», «А чего туда ходить — там такие же развалины, как всюду».

Паломник не может быть разочарован: отродясь не бывало такого, чтобы паломнику святыня не понравилась.

Но это в теории, а на практике человек обычно и сам не знает, кто он — турист или паломник.

Море

Святая Земля в апреле, в предпасхальные дни, шумит и блестит на солнце шелково-зеленой травой — невероятного, райского оттенка. Кажется, так будет всегда; кажется, что весь видимый мир ходит и зыблется зелеными волнами на ветру, но вот поворот... мелькнуло — и нету. Наша машина бежит между гор, — и весь мир становится круглыми пустынными горами хлебно-желтоватого цвета, которые тянутся, тянутся и никогда не кончатся. Опускаем стекло, ветер пахнет камнем и пустотой. По склонам — редкие, серо-зеленые клубки жесткой растительности, далеко в ложбине — синий драный шатер бедуина. Это — Иудейские горы, где-то дальше — Иудейская пустыня, где бродил Христос: «И был Иисус там сорок дней, искушаемый Сатаною, и был со зверями». Даже из машины слышно, какая тишина снаружи. Правда, непрерывно и громко говорит Эдик, нанятый за 200 шекелей вместе с машиной. Или же наоборот: машина нанята вместе с Эдиком. Нам сказали, что Эдик — прекрасный проводник, очень опытный, все знает. Он взялся отвезти нас к Мертвому морю, и в Кумран, и дальше, и до всюду, докуда хватит света, времени, бензина и сил.

Теперь Эдик мучает нас непрерывной болтовней и понуканиями. Он приехал к нам в гостиницу с утра и сразу начал попрекать нас, что мы еще пьем кофе. Видим мы его первый раз в жизни.

— Ну. Долго вы будете копаться? Вы всегда так? Ведь договорились в десять. Меня же ж люди ждут. Вы с Харькова? Нет? Почему? Из Москвы? Вы Володю знаете?

— Эдик, может быть, вы хотите кофе? Завтрак?

— Собственно, я только что от стола, но даром почему не покушать, — живо откликнулся Эдик. — Всегда надо даром кушать.

Мы сидели и терпеливо ждали, пока Эдик покушает. Потом он провел нас к своей машине, которая уже была набита битком. В машине были: приятель Эдика с навечно разочарованным выражением лица, сынишка приятеля Эдика, две сумки приятеля Эдика с торчащими бадминтонными ракетками, свертки с едой и бутылки с водой. Пока Эдик кушал, вода нагрелась, приятель истомился, а сынишка взмок и спал, открыв рот.

— Я Миша, — уныло шепнул приятель.

— А это ваш сын?

— Десятый, — вздохнул Миша. — Ну что Черномырдин? Сняли?

— Вы там сзади как-нибудь, — распорядился Эдик.

Теперь он говорит беспрерывно, называя, как Адам, все предметы, встречающиеся на нашем пути.

— Это — горы, — говорит он. — Горы. Видите? — горы. Мы сейчас едем на восток через горы. Над горами — небо. Небо видите? Смотрите направо. Голову пригните. Видите, там небо? Вон верблюд. Это верблюд. Вон бедуины. Грязь от них. Вот дорога поворачивает. Мы едем через пустынные горы.

— Провинция, — ворчит Миша. — Разве это страна? Это же провинция!

Вдруг Эдик притормаживает.

— Так. Выйдите и сфотографируйтесь.

— Зачем?

— Так надо. Видите — отметка: уровень моря. Сейчас поедем ниже уровня. Выходите.

Мы покорно выходим и фотографируемся. Сынишка приятеля Миши проснулся и хочет пить. Мы поим сынишку. Дорога бежит дальше, дальше, поворачивая среди серо-желтых камней, горных куполов, бесплодных разломов, пустых и древних, необитаемых от сотворения мира. Вдруг все кончается, обрывается разом; открывается простор, машина поворачивает направо, в мертвые, каменные, слюдяным, соляным блеском посверкивающие пустыни. Солнце слепит, соль блестит, налево впереди — тяжелая, серебристая синева Мертвого моря, направо — розовато-песочные обрывы скал, тишина и красота. Пустыня разворачивается, раскручивается навстречу, как библейский свиток, чистая, прокаленная солнечным жаром, просвистанная ветром. На востоке мутно синеют Моавские горы, там — другая страна. Где-то там, чуть севернее, там, где течет Иордан, показывают рукой на ту, на другую, на синюю, на Моавскую сторону: там остановился Моисей и увидел с горы страну обещанную, страну обетованную, желтую, соляную, серебряно блестящую на свету, зеленую, цветущую, усыпанную по весне кровавыми маками, звездчатыми анемонами, страну, текущую млеком и медом, такую близкую и такую недоступную: перейти Иордан ему было не дано. Где-то там могила Моисея; ее тоже показывают рукой: вон там. Нет, вон там. Нет, не там, а там.

Как это было, как он стоял там? Как он опирался на посох руками, усыпанными старческой гречкой, как сыпался щебень из-под узловатых, натруженных ног, как ветер шевелил выцветшую рвань его одежд? Как смотрел он за реку, — может быть, подслеповато щурясь розовыми, старчески слезящимися глазами, мутноватыми от катаракты?.. О чем думал в этот последний день: дошел?.. Довел?.. Все сбылось?

— Что вы думаете про Кириенко? — мрачно спрашивает Миша.

— Вот эта вода — это море, — говорит Эдик, — смотрите вперед на море. Зачем смотрите назад? — смотрите вперед. Видите? Вода. Вот волны.

— Мы видим.

— Нет, вы смотрите, что такое? Вы море видели? Смотрите на море!

Сынишка хочет есть. Мы кормим сынишку. Эдик останавливает машину.

— Вылезайте.

— Зачем?

— Фотографироваться будете.

— Но мы не хотим фотографироваться.

— Что значит: не хотим? Надо. Здесь все фотографируются. Это соляные столбы. Жена этого... ну — в общем.

У обочины дороги — небольшие каменные столбы, желтовато-серые, как и все вокруг. Они густо изгвазданы международными граффити, ржавого цвета надписями, сделанными то ли баллончиком, то ли кистью.

— Почему не вылезаете? Это жена этого... Содома, — настаивает Эдик. — Не хотите? Ну только потом без претензий! Смотрите направо. Это бананы. У вас в Москве есть бананы? Вы можете кушать бананы?

— Это разве страна? Это захолустье, — жалуется Миша. — Что вы думаете: здесь кому-нибудь нужно ваше образование?

Мы ничего не думаем, мы хотим тишины. Мы хотим долго, вечно ехать в тишине между Мертвым морем и мертвыми горами цвета верблюжьей шерсти, цвета ржавчины, цвета чайной розы, цвета полыни. Промелькнул оазис с банановой рощицей, и снова — солнечная соль, светлый ветер, медленные волны моря, дымка, вечно висящая над водами. Ни рыб, ни рачков, ни морской травки нет в этом море, а стало быть, нет и птиц. Далеко-далеко на юг уходит сверкание странной, бесплодной воды, серебрится, сливается с небом, молчит. Это не синие, веселые воды Средиземного моря, с чайками, дельфинами, рыбацкими баркасами, ярко-желтыми сетями, сохнущими на пристанях, утренним уловом, ртутью пляшущим в корзине. Здесь нечего ловить и не о чем петь, это другое. Здесь не живут, не сеют, не пашут, не жарят, не парят, не рожают, не хлопают утренними ставнями, не перекликаются через двор. Сюда приходят, чтобы расслышать иные голоса; здесь Сатана расстилает перед праведником фата-моргану, мерцающую пыль, призрачную парчу земных царств с их неисчислимым богатством; здесь Бог говорит из тучи, из колючего куста, из камня, и грозит, и требует отречения, и смеется, и проклинает, и, ненасытный, требует любви.

— Вы купальник не забыли? — спрашивает Эдик. — Советую входить в воду задом, а то поскользнетесь. Такая полезная вода, лечит любую паршу. Двадцать минут в воде, но больше не советую. Держаться будете как пробка. В этой воде, имейте в виду, можно читать газету! Вы взяли с собой газету?

Про то, что в Мертвом море можно читать газету, написано во всех справочниках, всех путеводителях, всех брошюрах всех стран мира, на всех мыслимых языках. Для наглядности часто печатают и фотографию: некто толстый, в очках, улыбаясь, покачиваясь на воде, как если бы он сидел дома в кресле, действительно читает. Почему надо читать газету в Мертвом море — непонятно. Ее и дома-то лучше не читать.

Эдик в нас разочарован: надо было захватить хотя бы «Аргументы и факты» и, конечно, сфотографироваться.

На берегу стоят и сидят голые тускло-черные люди. Это те, кто намазался целебной грязью со дна моря. В метре от берега, под камнями, — залежи этой мылкой, гладкой, как жидкий пластилин, сине-черной грязи. Ее набирают в полиэтиленовые мешки, увозят домой. Воду не увезешь, но морскую соль, такую же целебную, как грязь, можно купить на каждом углу. Путеводитель сообщает, что и Клеопатра мазалась, и Аристотель очень одобрял. Мертвая вода — самое действенное в мире средство от кожных болезней, и едва ли не половина страдальцев навсегда вылечивается после месячного курса на здешних курортах. Курорты недешевы, но каменистые берега обширны, пустынны и бесплатны для всех, а езды сюда от Иерусалима — сорок минут.

С детства помню вопрос из «Занимательной географии»: «В каком море нельзя утонуть?» Утонуть в Мертвом море и правда так же затруднительно, как нырнуть с надувным кругом: вода, в десять раз солонее средиземноморской, выталкивает вас наверх. Зато если капля ее попадет в глаз, человек потом годы рассказывает об этом приятелям, наглядно изображая перенесенные им ужасы и муки. На вкус она так горька и солона, что этого тоже не забудешь. Купальщики не дрызгаются и не брызгаются, а торжественно и странно плавают в сидячем положении, как если бы под ними были невидимые стулья. На берегу — карусели душей с пресной водой, после моря и душа ощущение полного перерождения: как будто вам дали новое, легкое, неношеное тело с шелковой кожей. И невозможно не вспомнить, не задуматься о темном смысле сказки о вороне, который должен был куда-то слетать и принести мертвой воды и живой воды, чтобы воскресить убитого. И невозможно не думать о всех исцелениях, воскрешениях, преображениях, которыми полна история этой земли.

— Сейчас вас будет клонить в сон, — убеждает Эдик. — Надо ехать домой.

— Но ведь мы еще хотели...

— Ни в коем случае. Вас будет клонить в сон. И вам надо кушать.

— Но вы же обещали...

— И ребенок устал. Надо же думать о ребенке. Вот мы

сейчас поиграем в бадминтон и поедем. Вы пока фотографи-
руйте.

— Но ведь еще рано, можно съездить в Кумран!

— Там ничего нет, и дотуда не доедешь.

Спорить с Эдиком так же бессмысленно, как с водопро-
водчиком. Мы сидим и смотрим, как катается на роликах
десятый сынишка, как перебрасываются бадминтонным во-
ланом Миша с Эдиком, съездившие за наш счет искупаться,
как бродят по белесому берегу черные фигуры. Дорога вьется и бежит куда-то на далекий юг, но нам туда не попасть.
Эх, Моисей!..

... — Это же не страна, а удушье! — ноет Миша. Сынишка опять заснул, разморенный путешествием. — Разве
здесь можно воспитать детей? Разве здесь читают книги?
А народ? Разве это народ?

Мы молчим.

— А вот в Канаде один ученый десять лет расшифро-
вывал Библию, и расшифровал, — назидательно говорит
Эдик. — И там, если буквы правильно сложить, написано:
Ленин, Маркс и Энгельс. Да-да! Вы, конечно, слыхали?
Что вы думаете?

Мы молчим.

Скала

«Иерусалим весь устроен как одно здание», — говорил
еще Давид, и сегодня это справедливее, чем когда-либо.
Старый Город, обнесенный стеной, занимает всего один
квадратный километр площади и вмещает четыре квартала:
христианский, армянский, мусульманский и еврейский. Дом
громоздится на дом, то, что для одних — крыша, для других — пол; улицы идут ступенями; взбираясь по лестнице,
оказываешься не наверху, а внизу; идешь прямо, а возвра-
щаешься на то же место. Часть улиц — крытые, и кажется,
что идешь по коридору большой квартиры, жильцы которой

высыпали из своих комнат и хотят продать тебе все их наличное имущество: мясо, крестики, вазочки, сандалии, ковры, зелень, орехи, плюшевые одеяла с тиграми, бусы, кофе, пирожные, кастрюли, образки, кафель, фотопленку, игры нинтендо и иконы. По лестничным уступам плотно, локоть к локтю, в обоих направлениях торговой улицы движется толпа туристов, которая, как и повсюду в мире, соблюдает странный принцип: ни шага в сторону. Заманчивые переулочки и закоулочки ответвляются по обе стороны туристского тракта, но там пусто, разве что в глубине пройдет пухлая арабская красавица в люрексе и ослепительно белом платке. Сквозь толпу протискиваются дополнительные потоки: группы паломников и экскурсантов под предводительством гида. Мы идем по Виа Долороза — Крестному Пути на Голгофу, насчитывающему 14 стоянок. Путеводитель пишет, что Путь исторически недостоверен, в основном придуман в восемнадцатом веке. Тем не менее он весь расписан. Здесь Господь упал. Здесь он встретил свою Мать. Здесь Симон подставил плечо и помог нести крест. Здесь Господь опять упал. Вот тут он оперся на стену — вот и вмятина на стене. Женщины из нашей группы, и пожилая армянская пара, и какой-то бледный, потрясенный старик тихо плачут, шепчут, гладят вмятину. Мы листаем путеводитель: дом построен в четырнадцатом веке. Очень толстая женщина, с трудом передвигающаяся на распухших ногах, все время беззвучно трясется в сухих рыданиях, прикусив платок, вцепившись рукой в изможденную подругу. Другие, покрепче духом, отвлекаются поглазеть на торговые развалы, плотной полосой тянущиеся вдоль Крестного Пути. Кресты, мезузы, полумесяцы — все вперемешку на одном прилавке. Вы какой веры? Царь, царевич, сапожник, портной: кто ты такой?

Гид Саша терпеливо повторяет:

— Значит, та-ак, ничего не покупать. Золото не брать, иконы не брать, пленку не брать. После посещения Храма

Гроба Господня идем в магазин, где вы купите прекрасные вещи за полцены. Повторяю: за полцены. Все сюда. Все слушаем. Тут Иисус падает в третий раз, и мы поворачиваем направо, и все смотрят на мой зонт. Все-е-е смотрят на мой зонт. Когда я подниму руку с зонтом, все-е-е собираются и не отстают.

Саша легко бросается в толпу, и мы, как овцы за пастырем, пытаемся устремиться за ним, но вязнем в толпе, закручиваясь в ее водоворотах. Вон он на ступеньках — машет зонтом! Нет, это, кажется, не он. Это чужой гид. И вон еще один — тоже чужой. Вот оно что, они все машут зонтами! Ложные пастыри сбивают нас с толку, мы мечемся, но Саша привычно терпелив и ждет нас на вершине какой-то лестницы. Мы карабкаемся наверх, отставшую толстуху с подругой никто не ждет.

Маленький дворик, гроздья зданий: домик на домике, замшелая штукатурка, закоулки и повороты, зеленые двери под ребристыми козырьками: абиссинский монастырь. На садовом складном стуле сидит эфиоп в лиловой рясе, черном бурнусе, черной шапочке и смотрит на нас равнодушно, так, как смотрят, когда ты один из сотен тысяч.

Мы ныряем в какую-то дверь, а это церковь, причем мы — под потолком. Мы спускаемся вниз по лестнице, — тут же идет служба, поют; на стенах — эфиопские иконы, похожие на детские рисунки. Церковь — одновременно проходной двор, как и все тут, ведь весь город — как одно здание. Выходим к маленькой площади перед Храмом Гроба Господня — целью паломничества всех христиан. Саша дожидается отставших.

— Та-ак, приготовили крестики, иконки, что у кого. Входим и кладем на Камень Помазания, на правую часть. На правую, повторяю, часть. Возложенный предмет становится освященным. В храме ходим самостоятельно, там большая толпа. Направо по лестнице — Голгофа, налево — Гроб Господень. Самостоятельно встаем в очередь и прикладываемся к святыням. Жду всех через час, с зонтом. Приготовили предметы для освящения!

В группе волнение и торопливое копание в сумочках.

— А на левую часть если положить?..

— А через полиэтиленовый пакет пройдет?..

— А если я... вот... не свой образок, а меня соседка просила?..

Нашедшаяся толстуха с помощью подруги бредет к низкому входу, как слепая, шаря перед собой одной рукой. Бледный старик стоит столбом, охваченный чувством. Армяне переплели руки, поддерживают друг друга. Молодежь рванула вперед. Что в душе у всех этих людей? Что значит для них это святое место? И то ли это место? Или это неважно?

Путеводитель сухо сообщает, что многие посетители Храма бывают разочарованы: никакого величия, никакой архитектуры, здание втиснуто среди каких-то стен, сарайчиков, домишек; все строено-перестроено, делано и недоделано; шесть различных христианских общин совместно владеют храмом и не могут договориться между собой о том, как достроить крышу. Храм разрушался неоднократно, пострадал от землетрясения. Но помимо всего прочего, неясно, действительно ли он воздвигнут над Голгофой — местом распятия, и действительно ли найденная рядом гробница — это настоящая гробница Спасителя? Первые христиане знали, где был распят и похоронен Иисус, но они были евреями, и после 70 года Р.Х., после разрушения Иерусалима римлянами вход в город был им запрещен. Императрица Елена, мать Константина Великого, посетила Иерусалим в 326 году, где ей указали легендарное место. На месте Гроба стоял римский храм Венеры, на Голгофе — статуя Юпитера. Все это было снесено, и во время раскопок нашли римскую цистерну, куда сбрасывали кресты распятых. В одном из этих крестов Елена опознала Истинный Крест.

Верить Елене или не верить? Никакого откровения ей не было, обычные археологические раскопки, теперь уже освященные традицией.

Внутри храма полутьма, раздвигаемая тысячами свечей всех размеров: тонкие, толстые, витые, разукрашенные, расписные, гладкие, пучками, связками, — они стоят, висят, их носят с места на место. Пахнет ладаном, пахнет воском. Тьма народу, поодиночке и экскурсиями. Наши разделяются: одни проталкиваются в густую очередь к Гробу, другие взбираются по лесенке на Голгофу. Над Голгофой сооружен помост, или стол, — не знаю, есть ли у него специальное название. Если согнуться и залезть под него, то на полу, под толстым пуленепробиваемым стеклом, освещенная электрическим светом, видна скала — плоское темя камня. На нем какие-то подношения и украшения, кресты и, кажется, цветы, — не успеваешь ни разглядеть, ни запомнить, надо вылезать, пятясь, на карачках. Рад будешь, что вообще залез под эту штуку и приложился к зацелованному стеклу губами: у Голгофы немыслимая давка. Голгофа поделена между вечно ссорящимися католиками и православными: южная сторона — католическая, северная — православная. Народ напирает, впрочем, со всех сторон. Если не вклиниться в давку (ощущение, что втискиваешься в метро в час пик), то тебя вытолкнет нетерпеливый напор верующих. Как-то глупо и стыдно давиться и толкаться на Голгофе, но ведь не уходить же, не приложившись? Наши паломницы предсказуемо суетятся:

— Сережа, Сережа! Сейчас твоя очередь! Что ты их пропускаешь? Они за тобой занимали!

Напираю. Оттираю Сережу. Лезу. Целую. Пытаюсь благоговеть. Ничего не чувствую, хотя и стараюсь. Не могу я благоговеть на четвереньках. Пячусь.

— Побыстрее давайте, женщина! Вы тут не одна...

Внизу, у часовни, воздвигнутой над Гробом, — плотная длинная очередь. Вполголоса говорят на всех языках, стоит ровный гул. Уже узнаю знакомые лица. Бледный старик стал еще прямей и бледней, еще вдохновенней. Толстуха на грани кликушества, мотает головой, запрокидывает ее и изжеванным платком глушит в себе беззвучный крик. Армяне стоят все так же, плотно прижавшись друг к другу, переплетя руки. Глаза опущены в пол.

— Не знаете, по одному впускают?

— Кажется, по четверо.

— Долго как.

— Людей только мучают.

— А японцы что тут делают?

— Тоже интересуются...

Группы японцев — а может, китайцев — дисциплинированно, как октябрята, переходят с места на место и не теряются. Одна группа — вся в красных шапочках, другая — вся в желтых, третья — в синих, и никакого зонта не нужно, легко найти своих. Мы продвигаемся. Вдруг появляется священнослужитель со злыми сверкающими глазами, захлопывает дверь в часовню с Гробом и что-то почти кричит по-немецки, а потом по-гречески. На лице его — ненависть к толпе. К людишкам. К нам.

— Что он сказал? Что он сказал?

— Уже закрывают, что ли?

— Почему же нас Саша не предупредил?!

— Что у них, обед?!

— Это что за безобразие?!?! — вдруг громко кричит бледный вдохновенный старик.

Саша, откуда-то взявшись, протискивается к нам и успокаивает: закрыли на пятнадцать минут, а потом опять откроют. Какая-то у них там религиозная церемония. Всех пустят.

Душно, тесно, жарко, суетно, сумрачно. В пяти метрах от меня — гробница Иисуса, ученики пришли, а камень отвален, и гробница пуста, и вот Он — во плоти, воскресший, со светлым ликом, смертию смерть поправший...

> Я в гроб сойду и в третий день восстану,
>
> И как сплавляют по реке плоты,
>
> Ко мне на суд, как баржи каравана,
>
> Столетья поплывут из темноты.

И стоять скучно, и ноги устали. В конце концов, Он уже воскрес, и Его там нет, а только одна пустота.

Ну не откроют так не откроют... Нет, открыли. Внутри часовни — два крошечных помещения. В первом — камень. Путеводитель, вдруг оставив обычный скепсис, говорит: «Возможно, это часть того круглого камня, закрывавшего вход в гробницу, который Ангел откатил в сторону». Откатил. Ангел. Как автомеханик.

Во втором — Гроб. Склеп. Выдолбленное в скале каменное корытце — смертное ложе. Каменная полочка, каменные стены. Все сплошь в букетах цветов, в расшитых пологах и подзорах, ковриках, занавесочках. Шитье золотом по багряному. Жар свечей, лампад, но камни на ощупь все равно ледяные, поблескивают и лоснятся, затертые миллионами ладоней и губ. Эти свечи, и цветы, и домашние какие-то на вид, сельски-нарядные коврики как будто пытаются побороть давящую громаду камня, раздвинуть смертную тьму. Трогательно... но все мелькает лишь на миг, сзади топчутся нетерпеливые, и у Камня Ангела стоит и смотрит страшным византийским взором неулыбающийся священнослужитель, готовый облаять замешкавшихся. Отчего это православные попы так немилостивы к людям?.. — А ты веруй, — говорит во мне паломник. — А вы на меня не орите, — говорит во мне турист.

На воздухе чувствуешь облегчение после тесноты и суеты Храма и смутное чувство пристыженности: полагалось испытать подъем чувств, а подъема не вышло. Именно в Храме — ничего не вышло. И в Гефсиманском саду не получилось. И на Крестном Пути. А где-нибудь на повороте улочки, или когда глядишь с горы на башни и купола, или когда просто подъезжаешь к предместьям Иерусалима и город, кажется, висит у тебя над головой, или когда забредаешь в какой-то дворик, а там тишина, воркует горлица и висит белье — тогда вдруг иногда охватывает то чувство близости к святыне, которое, кажется, запросто дается вот этим моим случайным спутникам, — только что они препирались и толкались, и вот вышли просветленными и притихшими. Ибо их есть Царствие Небесное. Саша бодро взмахивает зонтом, и наш гурт плетется за ним.

— Вот теперь вы можете покупать! Вот и магазин! Сейчас вам дадут талончики. Помните: по талончику все за полцены. По-о-олцены любые предметы, включая золото! Прекрасные товары, одобренные Министерством туризма.

— Фсё долляр бабалям! Фсё долляр бабалям! — по-русски кричат продавцы.

— Все стоит полцены. Вы не поняли? — нервничает Саша. — Специально же для вас! Пополам! Ну?..

Но паломники садятся снаружи на ступеньки, вытягивают усталые ноги и думают о своем. Глаза их видели святыню, и тайваньского мусора им не нужно.

«Голгофа» значит «череп». Гора, или скала, на которой был распят Спаситель, по форме, видимо, напоминала мертвую голову. Казни совершались вне городских стен, так что Голгофа находилась за городом, где-то поблизости от стены. Храм же, воздвигнутый над Голгофой и Гробом, находится внутри стен. Проблема в том, что точно неизвестно, где проходили стены во времена Иисуса. Местонахождение Голгофы освящено традицией, так что если бы было доказано с археологической, с исторической точностью, что «наша» Голгофа — ненастоящая, то это все равно не поколебало бы ни одного верующего католика, ни одного православного. Если наука отрицает наши святыни, то тем хуже для науки. Тем не менее раскопки под руководством императрицы Елены в 326 году тоже были вполне научными. Результаты их не выдуманы, а вполне осязаемы и наглядны: вот скала, вот могила, вот цистерна с остатками крестов... А сколько таких скал, могил и цистерн в Иерусалиме, построенном как одно здание, прослоенном этажами культур, просверленном на огромную глубину катакомбами, пещерами, ходами, тайными лестницами! И чем одни археологические раскопки лучше других?

Православный паломник конца двадцатого века, пожалуй, сочтет оскорблением, сочтет кощунством сомнение в местонахождении Голгофы. Пусть же он представит, будто на дворе — 325 год Р.Х., и Елена еще только собирается в свой долгий путь, и могила Христа находится где-то там, а где — точно неизвестно. Разве не волновало бы его, как это волновало Елену: где же именно, чтобы без ошибки, без обману?

В 1882 году британский генерал Гордон, любитель-библеист, решил, что он нашел настоящую Голгофу. Буквально в нескольких шагах от городских ворот (Дамасских), вне стен, он нашел скалу, поразительно похожую на человеческий череп. В этой невысокой, но довольно заметной скале и сегодня видны впадины — небольшие пещерки, расположенные как глазницы, и — в самом низу — проваленный рот. На фотографиях начала века эти темные впадины видны очень отчетливо. Неподалеку от скалы, еще в 1867 году, была найдена гробница, высеченная в скале, схожая с той, что сейчас считается Гробом Господним. Евангелие говорит: «На том месте, где Он распят, был сад» *(Иоанн 19:41)*. Рядом с гробницей действительно нашли цистерны для масла, для воды и винодельню: стало быть, здесь действительно был виноградник, оливковая роща и некий сад, требовавший воды для орошения. Иосиф Аримафейский, богатый человек, выпросил тело Иисуса и похоронил его в новенькой гробнице, которую он готовил для себя. На внутренней стене гробницы высечен крест.

«Ему назначили гроб со злодеями, но Он погребен у богатого» *(Исайя 53:9)*.

В 1894 году в Англии образовалась Община Сада Гроба Господня. Община купила участок земли, где находится гробница, и сейчас тут — сад. Это место называется «протестантской Голгофой», и наши паломники сюда не ходят. И напрасно. Это удивительное место.

Не гордыня ли: полагать, что мы точно знаем, где, что и как происходило, настолько точно, что не хотим прислушаться к мнению, отличному от привычного? Протестантская Голгофа возвышается в минуте ходьбы от городских стен, в скромном и грязном месте, она нависает над вонючей автобусной станцией, удушаемой автобусными выхлопами. Земля под ней заасфальтирована, и «рот» черепа почти закрыт слоем асфальта: видимо, Община Сада почему-то не купила в свое время скалу с окружающим участком. Внизу — кошмар и грязь Восточного Иерусалима, арабского квартала, пропитанного запахом дешевых лавок. «Глаза» черепа заросли травой, а на вершине скалы — радиомачта и какой-то забор. Ни бронированного стекла, ни поцелуев, ни храма. А кто сказал, что место казни должно быть нарядным?

Зато гробница окружена восхитительным садом. Сюда не доносятся звуки города, здесь благоухание, цветы, чистые дорожки. Сама гробница, высеченная в белой скале, тоже чистая и — естественно — пустая. Люди заходят — постоят — и выйдут, никто не толкается и не крестится, — но протестанты вообще не толкаются и не крестятся.

Зато они поют. На тенистой, окруженной цветами и деревьями площадке стоят стулья, и хор паломников из Швеции, из Голландии, Англии, Германии, Америки, Финляндии — разные — ангельскими, или сиплыми, или какими Бог послал голосами поют псалмы, раскрыв книжки. Когда встречаешься с ними глазами, они вежливо, сдержанно улыбаются. Здесь все другое, здесь нет ни слез, ни истерики, ни вдохновения, ни кликушества, ни воспаленной суеты, такой родной и привычной. Тут все как будто бы немного бесстрастно. Но как мы смеем судить, и как заглянуть в чужую душу, и кто бросит хоть наималейший камушек в этот райский сад, с любовью, с такой любовью — с другой любовью — возделанный самыми непонятными, самыми таинственными существами: другими людьми? Теми, ради которых, собственно, Он и потрудился прийти?..

> ...И вот он стоит вокруг нас,
> И ждет нас, и ждет нас.

НЕХОЖЕНАЯ ГРЕЦИЯ

— За что вы любите Грецию?

— Ну уж, во всяком случае, не за истоптанные туристами места. Я имею в виду не «достопримечательности» — тут уж ничего не скажешь, Акрополь и правда упоителен, а Дельфы прекрасны до слез, до настоящих слез, когда теснится дыхание, — я имею в виду те стандартные, обычно приморские загоны, куда турбюро сгребают путешественников со всего света и говорят: вот вам море, вот песочек, вот бар с громкой музыкой, enjoy, будем считать, что это Греция. Если нетребовательного туриста устраивает игра в подкидного на пляже, много-много пива и несвежее море с плавающими полиэтиленовыми пакетами, которые он сам же и бросил с борта корабля, то эти заповедники он найдет безо всяких рекомендаций.

— А что, много бросают мусора в море?

— Яичко на Босфоре облупил, скорлупу за борт, — а она тебе же на Родосе в рожу. Штормом принесет.

— А что бы вы посоветовали требовательному путешественнику?

— Это, конечно, зависит от бюджета. Но самое первое, что совершенно необходимо и на чем наши неразумные туристы всегда экономят, — это карта. Надо купить самую обычную туристическую карту, они продаются на каждом углу. Выбрать надо самую подробную, долларов за пять. А еще лучше не поскупиться и на подробный общий путеводитель. За 20 долларов вы купите себе знания и свободу, сбережете время, да и те же деньги. Тогда вы сразу поймете, где вы находитесь и куда вам ехать и как. И если вы в Греции впервые, и ничего не знаете, и боитесь запутаться, что совершенно естественно, то можно, например, сделать так: пойти в книжный магазин или в обычную туристскую лавку, коих множество, — они тоже торгуют хорошими, прекрасно иллюстрированными справочниками, — и там спокойно пролистать эти справочники, выбирая место, куда вам хотелось бы поехать. Книги сейчас есть и на русском языке — довольно уморительном, но внятном. Эти иллюстрированные справочники даже не обязательно покупать: вы составите себе представление о городе или острове, а потом по путеводителю сориентируетесь. Может быть, это совсем близко и можно поехать на автобусе. А может быть, это на другом конце страны, и лучше взять машину напрокат — что я очень рекомендую. С машиной вы можете за неделю объехать всю страну и увидеть столько, сколько другой в десяти странах не увидит. Все дикие пляжи — ваши, все горные перевалы — ваши, все сосновые леса — ваши, все маленькие монастыри, спрятавшиеся в лесах и на горах, — ваши. В каких-нибудь пяти километрах от города — тишина такая, что в ушах звенит. Впрочем, это звенят цикады — днем и ночью. Но пять километров — это если речь идет о большом городе, а на самом деле иногда и пятисот метров достаточно, особенно если вы забираетесь на гору. Или просто в сторону от шоссе по узкой, петляющей дороге. Никого, только цветы, колючки и ветер, и всегда внизу море сверкает — синее, как в раю. И в море — острова, такие розоватые, как пенка какао. И такое впечатление, что страна пустая, ненаселенная, только птицы, звери, неизвестно чья коза с колокольчиком, и боги, всюду боги, и в ветре, и в скалах, и в сосновых рощах. Иногда это божественное присутствие так сильно, что, кажется, быстро обернешься — и поймаешь краем глаза край мелькнувшей эфирной одежды. Однажды мы, путешествуя так, забрались в долину Амфиарая. Это пустынное место в Аттике, на берегу моря, в сосновом лесу. Аттика — сухая, красная, скалистая, а тут — свежая долина, душистый ветер с моря, пахнет соснами. И сосны южные — с длинными и мягкими шелковистыми иголками. Там в древности находился храм Асклепия, бога врачевания, а сейчас — развалины, археологический участок и музей. И совершенно ясно, что там должен быть храм, он сам туда просится. Больные приходили в храм и ночевали в нем, во сне им являлся Асклепий и исцелял их или же давал советы. Кстати, один современный английский археолог, который в Асклепия совершенно не верил, а только в археологическую науку, тем не менее решил переночевать в развалинах храма и посмотреть, что будет. Проверить Асклепия на вшивость.

— И что было?

— Он пишет, что действительно ему явился во сне оскорбленный Асклепий. И наорал на него: «Пшел вон отсюда!.. Дрянь такая!..»

— ...Вы говорите: «всегда видно море». Это преувеличение?

— Можно объехать почти всю страну по ободку, не удаляясь от моря больше, чем на несколько минут езды. Или же забраться высоко на гору и увидеть не одно море, а два. А в море всегда виден остров, а с него — другой, а с другого — третий.

— Хорошо, допустим, вы наняли машину и отправились путешествовать по Греции. Сколько это стоит и где вы будете ночевать, где и что будете есть?

— Греция — все еще дешевая страна. Цены очень зависят от сезона и от того, в каком бюро вы будете нанимать машину. Но надо рассчитывать приблизительно на 30—50 долларов в день, в зависимости от класса машины, если же вы берете ее на три дня — неделю, обязательно будет скидка. Можно и нужно торговаться. И то, что вы потратите на машину, вы сэкономите на гостинице. Ночлег вы найдете всегда, даже в пик сезона. В людных, туристских местах будет дорого или все занято, но, опять-таки, шаг в сторону — и к вашим услугам пансионаты, комнаты в чистых домиках с белоснежным бельем и ласковыми бабушками, с душем, с завтраком — за 10—20 долларов за ночь. И опять-таки, вместо стандартного номера с видом из окна на немца, пьющего пиво, вы будете каждый день ночевать в настоящем греческом доме с домоткаными кружевными занавесками, с запахом кофе и сухих трав, с синими или зелеными ставнями. Или же в маленькой гостинице, стоящей в стороне от шума, ночных воплей, доносящихся из дискотеки, от грохота мотоциклов. Главное — у вас будет выбор: не понравился этот дом или хозяйка, перейдете улицу и постучите в другой. Вы легко найдете эти домашние гостинички по надписи «Rooms for rent» или иногда «Bed and break-fast». Не нравится тишина и узкие улочки, не нравятся белые домики с синими ставнями, не нравятся маленькие площади, где на плетеных стульях сидят десять мужчин, играя в нарды, попивая кофе и перебирая четки, — а некоторым не нравится, — тогда надо ехать в типично туристское место.

— А как выглядит типично туристское место?

— Многокилометровая цепь «пансионатов» вдоль моря. Сначала полоса пляжа — лежбище котиков, потом «эспланада» — попросту говоря, бетонная набережная с кофейными, сувенирными, пляжными лавками, потом полоса гостиниц, и наконец — шумная проезжая дорога с грузовиками и мотоциклами. Круглосуточная оглушающая музыка, «Макдоналдсы» или их греческие собратья, пицца-хаты, бары, магазины с чудовищными сувенирами, 90 процентов которых изготовлено на Тайване, открытки, вазы, сандалии, пряности, губки, куклы, вино, бусы, золото, жареная картошка, проявка фотопленок, надувные круги для плавания, снова золото, снова вазы, визг, бетон, жара, теснота, автобусы, увозящие осатанелых туристов вон из этого ада. Все дорого, все не очень-то вкусно, все утомительно. Хорошо, если туристу повезло и он попал в живописный городок, где хотя бы горы подступают к морю и где невозможно проложить трассу для грузовиков. Или если он живет на краю деревни. Но ведь некоторые равнодушные турбюро таких деталей не сообщают, не предупреждают, что ждет путешественника. А хорошо бы, чтобы предупреждали. Это им же выгоднее. Ведь я знаю многих, кто неудачно съездил в Грецию — неудачно! в Грецию! звучит немыслимо — и больше не поедут. То есть жадное турбюро быстро хапнуло вашу денежку и сунуло вас куда попало, не заботясь ни о вашем, ни о своем будущем. А то, что человек весь отпуск чувствовал себя как в подземном переходе на «Павелецкой» в июле, думают они, — так он перетопчется.

— Скажите, а пляжи платные?

— Пляжи бесплатные. Более того, в Греции существует закон, по которому вся прибрежная полоса — общественная. И это относится даже к частным островам. Скажем, у покойного Онассиса был собственный остров. Но любой человек мог на него высадиться и валяться на миллионерском песочке. Метра три, что ли, от кромки моря, — точно не помню, но на всех хватит. А вот за пользование зонтиками и лежаками надо платить. Это долларов пять. Иногда дешевле купить собственный раскладной зонтик и приносить с собой. А также легкую циновку — стоит она меньше доллара. Все это повсюду продается. Часто вдоль песчаной полосы растут тамариски. Это дерево, дающее чудесную легкую тень, под ним не обгоришь. Но они растут на песке, а если пляж галечный, то там обычно голо. Если вы идете на пляж, надо взять с собой денег на зонтик и лежак. К вам подойдут, и вы заплатите. Берите квитанцию, потому что, бывает, подойдет жулик и соберет деньги раньше, чем настоящий сборщик... Если же вы сами — жулик и забрались на пляж, где зонтики бесплатно предоставлены прибрежной гостиницей, и валяетесь там, как будто так и надо, то это на ваше усмотрение. Еще надо взять денег на воду — доллар, два. (То есть, конечно, не доллар, а драхмы, долларов в Греции не берут. Это я для простоты счета.) Причем если это не дикий пляж, то на нем обязательно будет продаваться ледяная и очень вкусная вода. Не стоит заранее покупать ее и приносить с собой: вода сейчас же нагреется. Больше ничего не надо, если вы не собираетесь пить кофе или обедать на берегу.

— А что, могут обжулить?

— В общем, как и повсюду, где много туристов. Например, вы даете бумажку в 5000 драхм (около 8 долларов), а вам дадут сдачи, как с 500. Или цену взвинтят, или блюдо приготовят спустя рукава: обрезков насуют. Хотя это уже не жульничество, а просто бывают же скобари и криворукие. Но это случается нечасто, хотя, может быть, просто со мной случалось нечасто, потому что я знаю, где надо есть, а где не надо.

— Так расскажите же, где надо, а где не надо.

— Здесь опять-таки работает общее правило: там, где туристы идут плотным косяком, кормят хуже и дороже. Из этого правила, конечно, есть существенные исключения, но тут уж места надо знать. Все кафе и рестораны европейского типа, с европейским меню, с преобладанием надписей по-английски, расположенные на шумных центральных улицах, скорее всего, предложат что-то очень средненькое (по греческим меркам, конечно, потому что греки так любят вкусно поесть и настолько знают толк в еде, что в Греции практически невозможно съесть дрянь). Все «Макдоналдсы» и прочая механическая штамповка пищи — долой. Хотя в Греции и они, по рассказам (я туда из принципа — ни ногой), лучше, чем где-либо, потому что и мясо без химии, и овощи лучше, и даже пиво «Амстель», которое делается в Греции, вкуснее, чем повсюду, потому что делается на очень хорошей родниковой воде. Тем не менее не затем вы приехали, чтобы идти в «Макдоналдс». Если вы хотите настоящего, надо идти в таверну. На ней так и написано: ТАВЕРНА, как по-русски, только, конечно, Н другое. Часто это ничем не приметное здание, ни витрины, ни блеска, просто глухая стена с деревянной дверью. Или — через окно видно — как заводская столовка, столы простые с клеенками, лампочки в бумажных колпаках. Вот туда вам и надо. Правило буравчика: иди туда, куда грек идет, не пожалеешь. Он же себе не враг, бигмак не съест. Идти на ужин надо часам к 8, а то и к 9 вечера, а днем таверны закрыты. Можно в 10. Отворив неприметную дверь, вы оказываетесь либо в этой самой столовке, либо в саду (что летом — отрада), либо в большом зале. В основном вокруг вас — греки, пришедшие семьями, с малыми детьми. Таверны дешевы, а дома еще готовить, возиться, покупать, посуду мыть! Вы можете заказать себе основное блюдо, но это неинтересно. Интереснее заказать пять-шесть-семь-восемь небольших блюд и все перепробовать. Десять, если на то пошло. Двенадцать. Имеет смысл идти в таверну большой компанией, тогда вы закажете хоть все по списку, и всем достанется, и все попробуете. Невкусных блюд в таверне просто не бывает. Берут обычно так: салат «хориатико» один на всех (большая миска с огурцами, помидорами, луком, брынзой, маслинами, иногда зеленым перцем, все заправлено изумительным оливковым маслом). Жареную картошку горкой («пататес»). Хлеб — свежий, не из полиэтилена — принесут. Воду и домашнее вино, белое или красное (часто красным называют розовое). Вино в каждой таверне свое, и оно исключительно дешево, но не всегда лучшего качества. Вино в бутылках — хорошее, но сильно дороже. Разливное вино меряется на «кило». Можно взять «полкило» вина — его принесут в металлическом сосуде, вроде кружки, и если не понравится — ну, попросите другое. Обычно белое разливное в тавернах бывает лучше красного, и оно подается холодным. Кто любит смолистый вкус — заказывает «рицину» (она дешевле пива). Дальше берут так: зеленый салат, вареную горьковатую траву («хорта», всюду своя), «дзадзики» (йогурт, свежий огурец, чеснок, травки), салат из баклажанов (растертых в белую пасту), «тарамасалата» (намазка из растертой икры и еще чего-то морского), «кефтедес» (котлетки), «псевдокефтедес» (те же котлетки, но ловко сделанные из овощей, не догадаешься), «фава» (особый растертый горох, с луком и чесноком), долма (понятно), кабачки и баклажаны, обжаренные в тесте, «гемиста» (фаршированные рисом овощи: помидоры, перец), фасоль в томате, всевозможные мясные тефтельки, поджарки, подливки, перечислять которые бессмысленно, потому что их множество и всюду их готовят по-разному. Изобильный обед с вином (залейся) обойдется в десять долларов. Можно взять и десерт, самый легкий — это фрукты, обычно есть и йогурт с медом и орехами, а для худых — баклава и кадаиф (та же баклава, но не пластинками, а как бы волосами). Кофе, конечно. Вечером в тавернах играет музыка, часто ходит средь столиков какой-нибудь давно безголосый старик с огнем в глазах и национальным инструментом в руках и играет вам прямо в ухо якобы национальные песни. Если вы их благосклонно выслушали — надо немного заплатить (300 драхм, то есть доллар), а если жалко — не поворачивайтесь к нему и не улыбайтесь приветливо. Делайте вид, что вы увлечены беседой, — он отойдет. Можно сделать легкий жест рукой: мол, не надо. Другой раз, дескать. У таких стариков глаз — алмаз: приметив издалека, что вы русский, он подойдет услаждать ваш слух «Подмосковными вечерами» или «Выходиланаберегкатюшей». Трогательно, но не стоит доллара.

В другой таверне названия могут быть те же, а вкус другой, так что интересно бывает экспериментировать. Иногда подходит к вам хозяин таверны, пожилой, с белыми усами времен русско-турецкой войны, не говорящий ни слова ни на одном языке, кроме родного. Он, видя ваше замешательство, сам скажет вам, что вы хотите съесть, и его выбору и количеству блюд можно довериться: он принесет самое вкусное, что сегодня получилось, и ровно столько, чтобы вы, не объедаясь, были сыты до предела. Курочку как-то особо приготовленную, баранину с картошкой в горшочке, «стифаду» — мясо с таким особенным мелким перламутровым луком... В общем, таверна — это как дома, доверьтесь хозяевам. На чай оставьте 100—300 драхм, но, если обслуживает сам хозяин, чаевых не оставляют.

Во многих городах, особенно на морском берегу, есть «псаротаверны», к собакам это не имеет никакого отношения, «псари» — это рыба. Рыба в Греции, как ни странно, много дороже мяса. Но и много вкуснее.

— Остановитесь, вы разошлись!..

— Нет уж, не остановлюсь.

— Я хочу есть!

— Я тоже. Так вот. Вся рыба — морская; пресноводную греки презирают. Названий по-русски я не знаю, да и они вам ничего не скажут, кроме главной — барабульки (по-гречески «барбуни»). Морская рыба — колючая, и — на картинках — со страшным, я бы сказала, рылом. Во многих тавернах (и ресторанчиках) на стене висят плакаты, изображающие этих рыб. Похожи на помесь ежа с барбосом. Например, «саргос» — ну кто это? Не знаю, но его надо есть. Готовят, как правило, на решетке, а когда подадут с пылу с жару, надо рыбу надрезать вдоль хребта и залить соусом, который в хорошем ресторане вам уже подали, — смесь оливкового масла с лимоном. Да! Забыла сказать, что любое блюдо поливают лимонным соком, можно даже жареную картошку. Долгий жизненный опыт показывает, что к этой рыбе надо попросить белого вина «Лак де Рош».

Морской ветер, запах водорослей, клетчатые скатерти, бело-синие лодки в гавани — не уйдешь, а будешь приходить снова и снова. Помимо рыбы, конечно, разнообразные морские гады: кальмары, сепия, осьминоги, лангусты, моллюски. Все это очень вкусно, если прямо из моря. К сожалению, определить это туристу сложно: ведь вся морская живность лежит на льду, и сколько она на нем пролежала — два часа или два дня, — как узнаешь? В общем, опять работает правило буравчика: присматривайся к местным. Они знают, где рыба свежая, а где — для туристов. Между прочим, заказав рыбу, можно и даже нужно пойти с хозяином на кухню и там выбрать экземпляр, который вам приглянулся. Вы этим покажете, что вы знаток и уважаете кулинарию, себя, хозяина, да, собственно, и саму рыбу. Вы съедите не рыбу вообще, а вот эту самую Рыбу Иванну. И опять-таки, лучше избегать заведений с мягкими креслами, с гарсонами, хорошо говорящими по-английски. Если же у столиков стоят простые плетеные, «вангоговские» стулья, а хозяйка ни слова не знает по-иностранному, а в глубине кухни маячит маленькая бабушка, вся в черном, — она-то главный шеф-повар и есть, — смело садитесь и на языке жестов заказывайте все, что приглянулось. А после того, как вы попросите счет, вам всегда и всюду за счет заведения принесут еще либо по рюмочке раки (виноградная водка), либо тарелку черешен, либо пирожки.

— А есть рестораны, которые выглядят аутентичными, но которые надо во что бы то ни стало избегать?

— Те, где слишком хорошо говорят по-английски или немецки, те, где настойчиво зазывают: «к нам, к нам», и те, где висит большая вывеска, гласящая, что ресторан так необыкновенно хорош, что даже попал в путеводитель.

— Почему?

— Потому что либо вранье, либо попасть-то он попал, но с тех пор сбежал шеф, разорился хозяин и ресторан перешел в другие руки, либо они развратились от такой непомерной славы, либо, наконец, ел там тупой дурак, и ему понравилось. Все, как у него, у дурака, дома: из консервной банки, не пахнет, все на один вкус. Если вы совсем растерялись, сделайте так: просто погуляйте по городу, ведь часто столики стоят прямо на улицах. Вы идете между столиков. Поглядите искоса в тарелки: нравится? Пахнет вкусно? Так садитесь и заказывайте.

— Хорошо, я нанял машину, я объехал горы и побережье, я наелся и напился, а теперь я хочу на острова.

— Если вы начинаете путешествие из Афин, то вы едете в порт, в Пирей. Конечно, предварительно вы опять-таки изучите карту и путеводитель, а также проконсультируетесь в любом турбюро. Вы можете не расставаться с машиной, если вы решили поехать на Крит, на Родос, на Корфу (Керкира) — большие острова, где машина вам очень пригодится. Впрочем, на Корфу ездят не из Пирея, а доезжают до ближайшего к острову города на побережье и берут паром. Если вы собрались на Родос и Крит, можно взять машину с собой, а можно сдать ее и нанять на островах новую. Надо только помнить, что на островах машины стоят чуть дороже. Но и перевоз машины на пароме что-то стоит, может быть, долларов 20. Цены постоянно меняются, все вам скажут в турбюро. В целом получается так на так. Если же вы решили совершить однодневную поездку по островам и вечером вернуться в Афины, то машина не нужна. Пароход выйдет рано утром (часов в 8 или раньше), и за один день можно посмотреть три острова. На одном из них можно высадиться и побродить в ожидании обратного рейса. Очень хороший маршрут — на остров Идра. Вы там выйдете, и у вас будет три часа свободного времени. Успеете все посмотреть, пообедать и сесть на пароход. Идра — единственный остров, на котором запрещено автомобильное движение и нет ни одного нового здания. Зато там ездят на ослах, там полно котов, там белые старинные домики, крошечная, игрушечная гавань. Это модель любого острова в миниатюре.

Есть другой маршрут, с ночевкой, на остров Миконос — нарядный, с городком, будто сложенным из сахарных кубиков, с ночной космополитической жизнью, с великолепными пляжами на все вкусы — есть пляжи нудистов, есть обычные. Очень туристское, но заманчивое место, дорогое. Есть поездка на Санторин (он же Тира, или Фира) — уникальный остров на спящем вулкане. Считается, что взрыв этого вулкана (полторы тысячи лет до нашей эры), сотрясший все Средиземное море, уничтоживший древние царства на Крите, пославший цунами вплоть до Египта, — что этот взрыв и породил миф об Атлантиде. На Санторине пляжи из вулканического песка — черные, зеленые... Все это — острова Эгейского моря, скалистые и розовые. А можно поехать на острова Адриатики — зеленые и голубые, поросшие лесами.

— Погодите, но как же разобраться во всех этих маршрутах, если я не говорю по-гречески?

— Во всех турагентствах говорят по-английски, а часто вам встретится бывший соотечественник, и вы сможете объяснить, что вы хотите. Но с соотечественниками поосторожнее: начнется с приглашения в гости, в ресторан, угощения и так далее, а кончится предложением совместно украсть тыщу тонн цветных металлов или организовать на паях бордель с украинскими девушками.

— Ну а что вы посоветуете человеку, у которого нет денег на машину, на гостиницу, на рестораны, на цветные металлы, но который всю жизнь мечтал побывать в Греции? Студенту, искателю приключений, просто небогатому мечтателю?

— И это возможно. Надо собраться как в турпоход, взять с собой рюкзак, спальный мешок и флягу, хорошую обувь. Ведь Греция — первый и последний земной рай, земля, благосклонная к человеку, и недаром же боги неслышно носятся в ветре над ее скалами и заливами. От острова к острову — на кораблях, на палубе, под звездами, — так, кстати, ездят и многие простые греки: завернулся в теплый плащ, как во времена Одиссея, или в спальный мешок — и спишь, как счастливое дитя природы, под шум моря. Хлеб и вода стоят копейки, а в маленьких дешевых забегаловках за доллар-два можно купить горячего мяса, лепешек, жареной картошки или вкусного пирога со шпинатом или сыром. На пляжах или вообще на природе ночевать в принципе не разрешается, — но на многие километры вокруг нет ни одного человека, который вам об этом напомнил бы, — мало ли что не разрешается! Для грека, а стало быть, и для вас, свобода — понятие священное. Кому какое дело, где хочу, там и сплю! Куда хочу, туда и иду! И надо знать, помнить: в трех метрах от шоссе, за кустами, за колючками, за одиноким белым домиком у дороги, за дешевой и яркой туристской полосой прячется самая настоящая древняя Греция, пастушеская, земледельческая, гесиодовская. В начале октября в мягком и жарком воздухе с деревьев падают грецкие орехи, где-то журчит родник, и одинокая крестьянская фигурка, вся в черном, только что согбенно возившаяся в поле, вдруг машет тебе рукой и бежит к тебе со всех ног — это женщина торопится поднести тебе, усталому путнику, миску с пыльным и прозрачным черным виноградом: оттого, что идешь, оттого, что в пути, оттого, что неизвестно, найдешь ли кров, оттого, что все мы путники, скитальцы, гости в этом мире, оттого, что еда, вино и любовь — не грех перед Господом, а радость на пиру его, как сказал мне один старый мудрый грек, обернувшись и замешкавшись на пороге между земным раем и раем небесным.

СМОТРИ НА ОБОРОТЕ

Горячий майский день в Равенне, маленьком итальянском городке, где похоронен Данте. Когда-то — в самом начале пятого века Р. Х. — император Гонорий перенес сюда столицу Западной Римской империи. Когда-то здесь был порт, но море давно и далеко отступило, и его место заняли болота, розы, пыль и виноград. Равенна знаменита своими мозаиками, и толпы туристов передвигаются из одного храма в другой, чтобы, задирая головы, рассмотреть тускловатый блеск мелкой разноцветной смальты там, высоко, под сумеречными сводами. Что-то видно, но не очень хорошо. На глянцевых открытках видно лучше, но очень уж ярко, плоско и дешево.

Мне душно, жарко, пыльно. Мне смутно на душе. Мой отец умер, а я его так любила! Когда-то, давным-давно, лет сорок назад, мимоходом, он был здесь, в Равенне, и прислал мне отсюда открытку с изображением одной из знаменитых мозаик. На обороте надпись — почему-то карандашом, видимо, впопыхах: «Дочка! Ничего прекраснее (смотри на обороте) я в жизни своей не видел! Плакать хочется! Ах, если бы ты была здесь! Твой отец!»

Каждая фраза заканчивается дурацким восклицательным знаком — он был молодой, он был веселый, может быть, он выпил вина. Я вижу его в заломленной на затылок фетровой шляпе — по моде конца пятидесятых годов, с сигаретой в белых, тогда еще собственных зубах, с мелкими капельками пота на лбу, — высокий, стройный, красивый; глаза его счастливо сияют под круглыми стеклышками очков... На открытке, которую он бросил в почтовый ящик, легкомысленно доверив ее двум ненадежным почтам — итальянской и русской, — рай. Господь сидит посреди ослепительно зеленого, вечно весеннего рая, вокруг него пасутся белые овечки. Две ненадежные почты, русская и итальянская, обломили и затрепали углы открытки, но ничего, послание получено, все, в общем-то, можно разглядеть.

Если рай существует, то отец там. Где же ему еще быть? Вот только он умер, умер и больше не пишет мне открыток с восклицательными знаками, больше не посылает весточек из всех точек земли: я тут, я тебя люблю, любишь ли ты меня? радуешься ли вместе со мной? видишь ли ту красоту, которую я сейчас вижу? привет тебе! вот открытка! вот дешевая, глянцевая фотография — я тут был! тут замечательно! ах, если бы и ты могла тоже!

Он объездил весь мир, и мир понравился ему.

Теперь я, по мере возможности, иду по его следам, еду в те города, где он был, и пытаюсь увидеть их его глазами, пытаюсь представить себе его, молодого, заворачивающего за угол, поднимающегося по ступеням, облокотившегося на парапет набережной с сигаретой в зубах. Вот сейчас я в Равенне, пыльной, душной, утомительной, как все туристские места, с толпами на узких улочках. Мертвый, суетный, жаркий город, и негде присесть. Могила Данте, изгнанного из родной Флоренции. Могила Теодориха. Мавзолей Галлы Плацидии, жены Гонория, того самого, что сделал Равенну столицей империи. Прошло пятнадцать столетий. Все переменилось. Все запылилось, мозаика осыпалась. То, что бы-

279

ло некогда важно, — стало неважно, то, что волновало, — ушло в песок. Само море ушло, и на месте, где плескались веселые зеленые волны, теперь пустоши, пыль, безмолвие, горячие виноградные плантации. Сорок лет назад — жизнь назад — мой отец ходил, и смеялся тут, и щурил близорукие глаза, и присаживался за уличные столики, и пил красное вино, и откусывал пиццу собственными, крепкими зубами. И спускалась синяя ночь. И на краешке стола, карандашом, он писал мне торопливые слова своего восторга и любви к этому миру, расставляя как попало восклицательные знаки.

Душное облачное небо. Жарко, но солнца не видно. Пыль. То, что некогда было морским дном, теперь лежит вокруг городка широкими плодородными полями; там, где ползали крабы, теперь ходят ослы, на месте водорослей разрослись розы. Все умерло и заглохло, и по некогда блистательной столице западного мира бродят разочарованные американские туристки в розовых распашонках, недовольные тем, что их опять обмануло туристское бюро: в этой Европе все такое мелкое, такое маленькое, такое старое! Пятнадцать столетий. Могила Данте. Могила Галлы Плацидии. Могила моего отца. Какой-то наивный зеленый рай на помятой открытке.

Что его здесь так поразило? Я нахожу нужный храм, я смотрю наверх — да, что-то зеленое, там, высоко под сводом. Белые овцы на зеленом лугу.

Обыденный, тускловатый свет. Разноголосый говор туристов внизу. Показывают пальцами, ищут пояснения в путеводителях. Такой-то век, такое-то искусство. Все как всюду, как всегда. Плохо видно. В каждом итальянском храме на стене висит коробка для денег — дополнительная услуга для интересующихся. Если опустить туда триста лир — четверть доллара, — то на несколько мгновений под потолком загораются яркие прожекторы, освещая свежим белым светом камешки мозаичного узора. Краски становятся ярче. Видны детали. Толпа возбуждается, и гул ее становится громче. Всего лишь четверть доллара. Все равно ведь вы приехали сюда издалека, заплатили за самолет, за поезд, за гостиницу, за пиццу, за прохладительные напитки, за кофе. Вам что, жалко еще нескольких центов?.. Но многим жалко. Они недовольны: их не предупреждали. Они хотят видеть рай даром. Кучка туристов ждет, пока кто-нибудь один, щедрый и нетерпеливый, опустит монетку в прорезь жульнического итальянского аппарата — все итальянцы жулики, правда ведь? — и тогда вспыхнут прожекторы, и на короткий, недостаточный для человеческого глаза миг рай станет зеленее, овцы — невиннее, Господь — добрее. Толпа рокочет громче... — но свет гаснет, и гул разочарованных туристов на миг складывается в ропот протеста, в ворчание жадности, в шепот разочарования. И опять все подернуто сумраком.

Я бреду из церкви в церковь вместе с толпой, слушаю приглушенный разноязыкий говор, похожий на морской шум, меня крутит в медленных людских водоворотах, мелькают бессмысленные усталые лица — такие же бессмысленные, как мое, — блестят стекла очков, шуршат страницы путеводителей. Я протискиваюсь в узкие двери храмов, стараясь оттеснить ближнего, стараясь, так же, как и каждый, занять место получше, стараясь не очень раздражаться. Ведь если рай и правда существует, — думаю я, — то войду я в него вместе с такой же, точно такой же толпой овец, толпой людей — старых, неумных, жадноватых. Ибо если рай не для нас, то для кого же, интересно знать? Разве есть другие, особенные, те, что заметно лучше нас, обычных, среднестатистических?

Нету их, и очень может статься, что брести по зеленым лугам мне придется в стаде американских туристов, недовольных тем, что тут все такое древнее и невысокое. А если это так, то это значит, что в раю — скучно и плохо, чего быть не должно по определению. В раю должно быть изумительно прекрасно.

«Ничего прекраснее (смотри на обороте) я в жизни своей не видел!» — написал мне отец. Смотрю на обороте. Обычный рай. Что же он видел такого, чего я не вижу?

Вместе с толпой я втискиваюсь в маленькое здание, о котором русский путешественник начала века, Павел Муратов, написал в свое время в знаменитой книге «Образы Италии»:

«Необычайно и как-то непостижимо глубок очень темный синий цвет на потолке Мавзолея Галлы Плацидии. В зависимости от игры света, проникающего сюда через маленькие оконца, он изумительно и неожиданно прекрасно переливает то зеленоватыми, то лиловыми, то багряными оттенками. На этот фон положено знаменитое изображение юного Доброго пастыря, сидящего среди белоснежных овец. Полукруги у окон украшает крупный орнамент с оленями, пьющими из источника. Гирлянды листьев и плодов вьются по низеньким аркам. При виде их великолепия невольно думается, что человечество никогда не создавало лучшего художественного средства для убранства церковных стен. И здесь благодаря крохотным размерам надгробной часовни мозаика не кажется делом суетной и холодной пышности. Сияющий синим огнем воздух, которым окружен саркофаг, некогда содержавший набальзамированное тело императрицы, достоин быть мечтой пламенно-религиозного воображения. Не к этому ли стремились, только другим путем, художники цветных стекол в готических соборах?»

Чудные слова! Но, протиснувшись в часовню, я ничего не вижу. Может быть, для Муратова в свое время проводник освещал храм факелом, но сейчас здесь попросту темно, и тот скупой свет, что еле-еле проникает из окон, заслонен спинами туристов. Толпа стоит плотно и упрямо, локоть к локтю. Надо бросать монеты в осветительную коробку, но никто не торопится, каждый ждет, что это сделает кто-нибудь другой. Я тоже не спешу. «Я уже много раз броса-

ла, — внутренне оправдываюсь я, — пусть теперь другие».
Проходит минута в душной тьме. Другая минута. «Не уступлю», — думает каждый. Тьма давит на голову. Пахнет мышами, плесенью и еще чем-то очень старым, — как если бы так пахло само время. Потом проступают людские запахи — стареющей плоти, духов, мятных таблеток, пота, табака. Вот так будет сразу после смерти: темнота, чье-то дыхание и сопение в темноте, жара, ожидание, неуловимая неприязнь к попутчикам, вежливая решимость эту неприязнь не показывать, маленький эгоизм, упрямство, надежда, сомнение. Зал ожидания на пути в рай — куда же еще? «Ничего прекраснее (смотри на обороте) я в жизни своей не видел! Плакать хочется!» — написал отец из рая.

Наконец раздается характерный щелчок — кто-то все же решился, и, как и прежде, на несколько мгновений зажигается свет. На кратчайший миг — глаз не успевает охватить потолок, глаз мечется, — на кратчайший миг тупая и жаркая тьма над головой внезапно становится звездным небом, темно-синим куполом с огромными, переливающимися, близко приближенными к глазам звездами. «А-аххх!» — раздается внизу, и свет гаснет, и снова тьма, еще темнее прежней. И снова щелчок, и снова фантастические, разноцветные звезды, словно крутящиеся колеса, и тот самый «горящий синим огнем воздух» — секундное видение, — и снова мрак. И опять звяканье падающей монетки, опять щелчок, — дивное видение, не уходи, побудь с нами! — и опять удар темноты. Как заколдованная стоит толпа грешников, подняв вверх лица. Во тьме открылся путь, дано обещание, предъявлено доказательство, все будут спасены, не надо никаких объяснений — волшебная синяя бездна, воздвигнутая над нами безымянными художниками, сама говорит, поет на языке без слов. Синева стекает вниз, к корзинам с плодами и листьями... все исчезает, но снова и снова вспыхивает свет, и праздник становится бесконечным, и вот-вот раздастся пение ангелов. Да будет свет!

Я осторожно протискиваюсь сквозь толпу, я хочу посмотреть украдкой на того ненасытного, что устроил фейерверк, раздвигая светом стены гробницы. Он сидит в инвалидном кресле, опустив лицо. На коленях у него коробка с монетами. Он нашаривает монету рукой, пропихивает ее в щель автомата, и в короткое мгновение, пока синева переливает лиловым и багряным огнем, женщина-поводырь торопливо шепчет ему на ухо слова, которых я не слышу, да и услышав, не пойму: этот язык мне неизвестен.

Этот человек — слепой. У него замкнутое и терпеливое лицо, как у всех слепых, веки сомкнуты, голова опущена, ухо он склонил к своей спутнице. Кто она ему — дочь, или жена, или просто нанятая для путешествия компаньонка? Он слушает ее шепот и изредка коротко кивает головой: да. Да. Он хочет слушать еще, он кидает монету за монетой. Он бросает монеты в темноту, и из темноты раздается голос, который рассказывает, как умеет, о великом утешении красотой.

Он дослушал, и кивнул, и улыбнулся, и женщина, ловко управляясь в толпе с инвалидным креслом, развернула его и выкатила из Мавзолея. На них смотрели: ему было все равно, а ей, должно быть, привычно. Кресло запрыгало по мощенной камнями площади, причиняя мелкие дополнительные муки сидящему. Из тучи покапал дождь, но сразу перестал.

«Смотри на обороте»! Но на обороте ничего нет, на обороте лишь темнота, жара, молчание, раздражение, сомнение, уныние. На обороте — затертое от старости изображение чего-то, что было важно давным-давно, но не для меня. «Плакать хочется!» — писал отец сорок лет назад о красоте, поразившей его тогда (и может быть, о чем-то большем), мне же хочется плакать, потому что его больше нет, и я не знаю, куда он ушел, и от него осталась только гора бумаг и вот эта открытка с зеленым раем, которую я перекладывала, как закладку, из книги в книгу.

Но, может быть, все не так, может быть, все было задумано давным-давно и все шло по плану и отозвалось только сегодня? Неизвестному византийскому мастеру, одухотворенному верой, представилась красота Господнего сада. Как мог, он выразил ее на своем языке, может быть, досадуя, что не хватает сил на большее. Прошли века, мой отец приехал в Равенну, поднял голову, увидел изображение Эдема, купил дешевенькое изображение его изображения, с любовью послал мне его, подкрепив для верности восклицательными знаками — каждый выбирает свой язык. И если бы он ее не послал, я не приехала бы сюда, не пришла в темную часовню, не встретила слепого, не увидела бы, как по мановению его руки на обороте тьмы вспыхивает синий свет райского преддверия.

Ибо мы так же слепы, нет, мы в тысячу раз более слепы, чем этот старый человек в коляске. Нам шепчут, но мы затыкаем уши, нам показывают, но мы отворачиваемся. У нас нет веры: мы боимся поверить, потому что боимся, что нас обманут. Мы уверены, что мы — в гробнице. Мы точно знаем, что во тьме ничего нет. Во тьме ничего быть не может.

А они удаляются по узким улочкам маленького мертвого города, и женщина толкает коляску, и что-то говорит, склоняясь к уху слепого, и запинается, наверное, и подбирает слова, какие мне никогда не подобрать. Он смеется чему-то, и она поправляет его завернувшийся воротник, она подсыпает монет в коробку на его коленях, она заходит в таверну и выносит ему кусок пиццы, и он ест, благодарно, старательно и неряшливо, нашаривая в темноте рукой невидимую и чудесную еду.

СЮЖЕТ

КУПЦЫ И ХУДОЖНИКИ

«Русский человек задарма и рвотного выпьет», — замечает Вас. Вас. Розанов.

И в другом месте: «В России вся собственность выросла из «выпросил», или «подарил», или кого-нибудь «обобрал». *Труда* собственности очень мало. И от этого она не крепка и не уважается».

И еще: «Вечно мечтает, и всегда одна мысль: как бы уклониться от *работы*

(*Русские*)».

Писано это девяносто с лишним лет назад, в мирное время, когда, можно сказать, и нива колосилась, и трудолюбивый пахарь преумножал добро, и купец торговал мануфактурой и баранками, и Фаберже нес яички не простые, а золотые, и воин воевал, и дворник подметал, и инженер в фуражке со скрещенными молоточками строго и с достоинством всматривался в будущий прогресс, в то далекое время, когда все расцветет и в каждом доме будет водопровод и лампочка Эдисона. А русский чай был так хорош, что его подделывали завистливые иностранцы. Смотришь старые фотографии: боже! Богатство-то какое!

Будет скоро тот мир погублен!
Посмотри на него тайком,
Пока тополь еще не срублен
И не продан еще наш дом.

(Марина Цветаева)

Жаловались друг другу на лень русского человека, на его любовь к дармовщинке. Мечтали. Пили. Пели.

Лето красное пропели, уж война катит в глаза. А вскоре допрыгались и до революции, начисто отменившей само понятие собственности. Корова ли у вас, штангенциркуль, бриллиантовые ли сережки, — изъять, а собственника с малыми детушками — в тайгу, да без лопаты; все это под рефрен: «владыкой мира станет труд». К штыку приравняли не только перо, но и, например, швейную машинку: ведь на ней можно что-нибудь сшить, а потом, не дай бог, продать, да, не дай бог, заработать. А значит, обогатиться. А это грозит приобретением собственности. А это преступление.

Труд, не создающий собственности, не создающий твоей *собственной* собственности, есть парадокс и издевательство, подневольная поденщина скотины. «Свободный труд свободно собравшихся людей», подхалимски воспетый Маяковским, применим разве что к перетаскиванию партийного бревна с места на место, к разгребанию завалов; но завалы образуются там, где стихия или чья-то злая воля что-то развалила. В хорошем хозяйстве завалов нет.

Апологетом бессмысленного, непроизводительного труда, труда, который прекрасен «сам по себе», вне зависимости от продукта, был великий старик Лев Толстой. Интересно, что литературный труд он за труд не считал, хотя работал безжалостно много и упорно. Его тянуло тачать сапоги (получалось криво), идти за плугом (об урожае не слыхать), то есть мышечную радость он принимал за духовную, а к результату был равнодушен. Саморучно крыл соломой крестьянскую крышу. Крыша осенью протекала, крестьянин бранился, но граф был доволен, о чем и вносил записи в дневник.

Неуважение к труду и собственности в России часто объясняли последствием трехсотлетнего крепостного права, то есть, для рабов, — бесправия. Если ты сам — чужая собственность, если твои ложки-плошки, урожай, жена и дети тебе не принадлежат, то о каком уважении может идти речь? В начале XX века, когда Розанов писал свои книги, ситуация понемногу начала исправляться (все же выросло поколение, не знавшее рабства), но большевички разрушили хрупкую скорлупку гражданского мира, и весь двадцатый век прошел под страхом владеть чем-либо материальным, осязаемым. Ведь у настоящего коммуниста не должно быть ничего, кроме веры в отвлеченное.

> Возле речки, у бугра
> Волк Петром питался.
> Что осталось от Петра?
> Партбилет остался.
>
> *(Сергей Николаев, 70-е гг.)*

Указывают, и справедливо, на перекличку, или же тесное родство русской общественной мысли XIX—XX веков с раннехристианскими ожиданиями Второго пришествия, с бессребреничеством, самопожертвованием и фанатизмом первых поколений уверовавших в Сына Божия. Человек — раб, но он прежде всего раб Божий, и вот-вот будет призван, и не пролезть ему в игольное ушко со всеми своими кастрюльками, и теплыми сапогами, и детскими чистошерстяными костюмчиками на вырост, и кустиками рассады, и мотками провода, и сервантом, и старыми фотографиями, и закатанными в банки огурцами, и пятирожковыми люстрами, и коврами ручной работы, и плюшевыми медведями, и зажигалками «Ронсон», и микроволновой плитой. И действительно, там микроволновая плита вряд ли пригодится. Не надо денег, раздай имущество, не собирай себе сокровищ на земли, где воры подкапываются и крадут. Спать ложись в саване, радостно. *«Ибо вы... и расхищение имения вашего приняли с радостью, зная, что есть у вас на небесах имущество лучшее и непреходящее»* («Послание апостола Павла к Евреям»). *«Горе, горе тебе, великий город Вавилон, город крепкий! ибо в один час пришел суд твой. И купцы земные восплачут и возрыдают о ней* (о блуднице-Вавилоне. — ТТ), *потому что товаров их никто уже не покупает. Товаров золотых и серебряных, и камней драгоценных и жемчуга, и виссона и порфиры, и шелка и багряницы, и всякого благовонного дерева, и всяких изделий из слоновой кости, и всяких изделий из дорогих дерев, из меди и железа и мрамора, корицы и фимиама, и мира и ладана, и вина и елея, и муки и пшеницы, и скота и овец, и коней и колесниц, и тел и душ человеческих. (...) Повержен будет Вавилон, великий город, и уже не будет его; и голоса играющих на гуслях и поющих, и играющих на свирелях и трубящих трубами в тебе уже не слышно будет; не будет уже в тебе никакого художника, никакого художества...»*

Повержен будет Вавилон, говорит Апокалипсис. А апостол Павел обещает «имущество лучшее и непреходящее». И не потому ли русский человек пьет рвотное, а русская литература, должным образом ужасаясь качеству и количеству выпитого, отказывается всерьез говорить о земном устройстве человеческой жизни, о быте, о пользе, о выгоде, о прибылях, о покупках, о радостях приобретательства и строительства, о муке, овцах и виссоне?

Русская литература чурается темы денег и в то же время не может отвести пристального взора от хрустящих бумажек. Бедность ужасна, бедность унизительна, — говорит русская литература. Но и богатство ужасно, богатство порочно; вид сытого, жующего, самодовольного владельца непереносим. Нищета — мать всех пороков. Но и деньги —

всемирное зло, источник преступлений. И то и другое — верно. Так как же быть? Одним махом все уничтожить?

И не будет ни купцов, ни художников.

Собственно, русская литература, взыскуя «имущества лучшего и непреходящего», совершенно обошла стороной практическую пользу денег, их неимоверное удобство. Ее не заинтересовали возможности разумного менеджмента, грамотного управления финансами, она осталась равнодушна к хитростям банковской системы. Наверно, она права, великая и любимая русская классика. Но я, например, не могла понять, что такое вексель, пока не прочитала Бальзака. Как Настасья Филипповна швыряет деньги в камин — вижу ясно. А что с ними можно еще сделать — не понимаю. Как Раскольников швакнул топором Лизавету, представляю. А собственно, как именно работала старуха-процентщица, откуда у нее образовывался процент? Что такое залог, ипотека? Почему рубль серебром не равен рублю ассигнациями? Никто из русских писателей не снизошел мне это доходчиво объяснить.

Западная литература, пусть не в лучших своих образцах, охотно и с удовольствием вплетала денежную, земную тему в свои сюжеты. В ранней юности я соблазнилась прочесть роман Золя «Дамское счастье», естественно, ожидая альковных подробностей: хозяйке, так сказать, на заметку. Оказалось, это не про любовь, а про универмаг, про новый, прогрессивный, капиталистический способ торговли. Оказалось, это интереснее любых поцелуев. В темной холодной лавчонке пожилой, почтенный, основательный торговец торгует дорогим сукном. А по соседству молодой прощелыга строит роскошный дворец-магазин, многоэтажный, с зеркалами, калориферами и ярким освещением, под названием «Дамское счастье». И столько денег он убухивает во всякие лифты и резной дуб, что сейчас, ясное дело, разорится, на радость старику-конкуренту. Чтобы покрыть расхо-

ды на показную роскошь, молодой торговец должен продавать свои ткани дороже, думает старик. Тут-то ему и конец
придет. А он продает их дешевле. Разве это не безумие?
Этого не может быть! — думает старик, а вместе с ним и не-
опытная в финансовых делах юная читательница.

А секрет в том, что у молодого-прогрессивного большой
ОБОРОТ. Пока старик продаст один рулон драдедама,
молодой продаст три: в магазине так красиво, в нем столько
народу — у прилавков не протиснуться, — что драдедам
улетает со свистом, и он заказывает на лионских фабриках
все новые и новые партии, а кроме того, как хороший опто-
вый покупатель, получает их со скидкой.

*«Пятьсот восемьдесят семь тысяч двести десять
франков тридцать сантимов! — провозгласил кассир,
и его вялое, изможденное лицо словно осветилось солнечным лучом, исходившим от всего этого золота».*

Золя так ясно и увлекательно объяснил азы рыночной
экономики, что с тех пор мой мозг отказался воспринимать
миф об «экономике социализма», и по соответствующему
предмету у меня всегда была двойка. Не могла я учить наизусть бессмысленное, когда вот совсем рядом, в Париже
второй половины XIX века, стоит и блистает огнями газо-
вых рожков такая четкая, логичная, органическая конструк-
ция.

Конечно, не без «ужасов капитализма». Суконный старик разоряется, все владельцы мелких окрестных лавок ра-
зоряются, жадные парижские модницы разоряют своих
трудолюбивых мужей, выбрасывая целые состояния на ленты и тряпки, аристократическое семейство, не устояв, вору-
ет мотки кружев, запихивая их в атласные свои рукава, а потом с позором попадается на этом деле, — конечно, ужасы!
Разврат и алчность! Просто отлично! Оторвешься от книги,
глянешь в окно, а там социализм, свободный труд свободно
собравшихся, мокнет тара под дождем, и трое мечтателей
пьют рвотное.

Если бы Золя был русским писателем, то в литературном пантеоне наша критика разместила бы его где-нибудь рядом с Боборыкиным, так как сердце его, очевидно, не растревожено горестями народными, и воспел он торговлю, кассу, барыши, а не бессмертную душу, тоскующую об имуществе лучшем и непреходящем. А Гонкуровская академия тем временем включила роман «Дамское счастье» в список одиннадцати лучших французских романов, наравне, страшно сказать, с Прустом, Флобером и Шодерло де Лакло. Пойми этих французов.

Западное сознание, отразившееся в изящных искусствах, вообще тяготеет к подробностям, деталям, мелочам мира Божьего. Буржуазное, то есть городское, рукотворное, тщательно выделанное, продуманное, удобное, для человека сделанное, подогнанное по фигуре, нужное, земное, здешнее и т. д. — вот ключевые слова. Мы живем пока здесь, и имущество наше — здесь. Можно сунуть ногу в валенок — тепло, удобно, пальцами шевелить сподручно. И-эх, где наша не пропадала! А можно осмотреть и обдумать форму ступни, тоже Господне творение, между прочим, — а в ней и мышцы, и косточки; и изготовить удобную колодку, и вывести носок, и рассчитать каблук, и сшить такой сапог, чтобы в любую погоду, по любой дороге дойти куда тебе нужно. Голландский художник любовно прописывает блик на ручке швабры. Хорошая вещь швабра, удобная и полезная. Жюль Верн дает подробные инструкции, как выжить на необитаемом острове, как из палочек, ниточек и прочих обломков кораблекрушения построить все вплоть до электростанции. О Робинзоне Крузо и говорить нечего: это гимн буржуазности, ода человеку разумному и трудолюбивому. Англичанин-мудрец, чтоб работе помочь, изобрел за машиной машину. Часы, ружье, английскую булавку, банковскую систему, страховые общества. Изобрел — и возрадовался делам рук своих.

Кстати, об этих лионских фабриках, где молодой предприниматель заказывал свои конкурентоспособные рулоны. Мы зачем-то в школе проходили «восстание лионских ткачей», должны были сочувствовать, что они там забастовали и отказались ткать. А того мы не проходили, что Лион — стариннейший европейский центр производства натурального шелка и что там с XV века проходят ежегодные европейские торгово-финансовые ярмарки. Вот только сейчас узнала из энциклопедического словаря. То есть нас в школе учили дурному: как не работать. А про музей тканей, про ярмарки — ни слова. Значит, непрерывный, с пятнадцатого века, труд и созидание этих тысяч людей — тьфу. А как бастовать — пожалуйте в учебники.

Кстати же, поинтересовалась, почему они бастовали. Потому что Жозеф-Мари Жаккар, он же Жаккард, изобрел станок для производства жаккардовых тканей. «Рост производства тканей, а следовательно, их дешевизна и доступность вызвали социальный взрыв», — пишет источник. То есть они там не стонали у станков от непосильной работы, а возмутились падением прибылей. В трудовом ткаче ворочался разъяренный буржуа, а вовсе не постная Ниловна.

А наш русский мужик, коль работать невмочь, так затянет родную «Дубину». Про то же и Вас. Вас. Розанов: «Вечно мечтает, и всегда одна мысль: как бы уклониться от *работы*».

В общем, всенародное зубоскальство на тему «хотим работать, как в Монголии, а жить, как в Париже» несколько приелось. Шутка, повторенная дважды, становится пошлостью. Россия, скрипя всеми колесами и рассохшимися приводными ремнями, разворачивается в сторону нормального рынка. Хочешь жить как в Париже — поработай как в Лионе, — это понимает все большая часть населения. Но словесность наша, как и встарь, пренебрегает этой важнейшей социальной темой, дескать, не царское это дело. Пусть бальзаки роются в авизовках, нам это западло. Ну западло так западло, но добро бы писали о трансцендентном и сверхчувственном. А то все больше кровавые ментовские разборки, женские сиськи и «как я нанюхался».

Тут еще традиционное презрение к «беллетристике» как низшей, по сравнению с горными вершинами, литературной продукции. Наша критика, современная русская литературная критика, заменила собой выездные комиссии, ранее бушевавшие в райкомах-обкомах. Брюзгливое недовольство писательским трудом, углы рта вниз, ноздри раздуты. Где шедевр? Шедевр подавай! Где *Вечное? Вечное* где, я спрашиваю?! И суп им жидок, и жемчуг мелок.

Между тем беллетристика — прекрасная, нужная, востребованная часть словесности, выполняющая социальный заказ, обслуживающая не серафимов, а тварей попроще, с перистальтикой и обменом веществ, то есть нас с вами, — остро нужна обществу для его же общественного здоровья. Не все же фланировать по бутикам, — хочется пойти в лавочку, купить булочку. Не всегда, знаете, приятно, придя домой и уже переобувшись в тапочки, столкнуться в коридоре с Ангелом: «*над головою его была радуга, и лице его как солнце, и ноги его как столпы огненные; в руке у него была книжка раскрытая*» (Откр., 10, 1—2). Невротиком станешь.

А невротик, как известно, более всего сопротивляется тогда, когда врач вплотную подобрался к его неврозу и пробует поломать замки, развязать узлы, вскрыть истинные причины заболевания. Тогда невротик кричит особенно истошно, отпихивает врачевателя, зажимает свою болячку обеими руками. У русского общества застарелый невроз на имущественной, финансовой почве: мы сильно битые.

> Сорок тысяч стоит «Волга»,
> Люди копят деньги долго.
> Но какой владельцу прок?
> Все отнимут — дайте срок.

> *(NN, 1960)*

294

скольким Большим Писателям с личной просьбой поучаствовать в конкурсе, но нас не пустили и с черного хода. Из критиков отозвался только один: обозвал наш проект проституцией и сейчас же пообещал принять участие. Мы ждали, раскинувшись, но он не пришел.

На конкурс было прислано более пятисот рукописей очень разного достоинства. Иногда и совсем без достоинства. Так, некоторые авторы, приученные, вероятно, читать рекламные обещания под крышечками содовых напитков, поняли нас слишком буквально: они решили, что мы заказываем беспардонное, бессовестное восхваление купюр как таковых. Двое незнакомых между собой людей наперебой слали нам тексты такого содержания: «Я обожаю вас, деньги! Нежная зелень бакса, медовые подпалины гульдена, розовый рассвет еще чего-то там. О, прекрасные мои!.. Ваш хруст!.. О, я целую ваши водяные знаки!..» и т. д. Этих казначейских бальмонтов мы отвергли.

Другие, тоже не разобравшись в простом школьном задании, прислали прозу и стихи о том, что не в деньгах счастье: утверждение, настолько смехотворно верное, что не стоило бы снова и снова к нему возвращаться, особенно учитывая, что Гран-при у нас сто тысяч рублей.

Третьи просто, без лирики, предложили купить у них административное здание в Казани.

Четвертые — их было большинство — поведали о любовном томлении своих героев и подробно описали привлекательные стати их избранников и избранниц. Некоторые описания были даже неплохи, но совсем не по теме. Как бы спохватившись, авторы назначали своих жеребцов главными менеджерами и, отделавшись от обузы конкурсного условия, уже беспрепятственно бросали их в водовороты жарких простыней, черных кружев и лиловых атласов. Все у них, понятно, вздымалось, задыхалось и колыхалось. Таких рассказов, не соврать, пришло под сотню. Подтвердилось, кстати, что джентльмены предпочитают блондинок: в текстах с мая по сентябрь всего две дамы со «жгучими, смоля-

297

ными кудрями». (Мы передадим корпус рукописей знакомым маркетологам, чтобы они соображали, сколько пудов басмы и сколько гектолитров перекиси водорода нужно разместить на рынке.) Глаза у красавиц голубые, но у двух — черные (жгучие, ясен пень), одна скромно кареглазая, и у одной — «огромные лиловые». Таких не бывает, но, конечно, красиво. Ноги без исключения длинные, талия неактуальна. В целом — вкусы шофера-дальнобойщика, купившего в ларьке куклу Барби для подвешивания к зеркалу заднего вида. Причем авторы-женщины не отстают от мужчин. Только у мужчин все больше буря и натиск, а дамы послезливее, с душой. Все предсказуемо.

Демографически эти шикарные любовники — в основном начальство, президенты «крупных нефтяных компаний», менеджеры, старшие бухгалтеры, владельцы казино и ресторанов. Средний и мелкий бизнес в рукописях отражен мало, хотя каждый из нас знает не одного и не двух мелких бизнесменов, а президента крупной компании еще поди встреть. Вряд ли и наши авторы хороводятся с Абрамовичем или Ходорковским, но, видимо, когда впадаешь в жестокий эротизм, хочется бурлить в кружевах, отождествляя себя не с челноком Вовкой, как бы могуч он ни был, а с самим Мамутом.

Представления о роскошной жизни убоги до визга. Это, в порядке частоты упоминания, «шестисотый» «Мерседес», много реже «Ауди». Один раз в текстах встретился «Роллс-Ройс», но вообще наши люди его не хотят. Поневоле призадумаешься, не отразились ли в вожделенном «шестисотом» былые мечтания советских граждан о своих шести сотках? Часы — «Ролекс», тупо так, без вариантов. Море разливанное C_2H_5OH, неопределенно дорогая еда (с преобладанием морепродуктов). Тонкий замшевый пиджак. Остальное размыто: «изящное» то и «дорогое» это. В целом, как срез массовой культуры, — страшно любопытно.

Откуда герои берут деньги? У Василь Василича Розанова — триада: «выпросил», «подарили» или «обобрал».

У наших авторов, предположительно знающих современную русскую жизнь или думающих, что знают, — и того меньше. «Обобрал».

Много реже — «нашел клад», «Господь послал», «иду, а под ногами — кошелек». То есть начальный капитал сваливается с неба. Ни один из пятисот не воспользовался чубайсовским ваучером, чтобы подняться. Ау, ваучер! Был ли ты?.. Несколько человек распорядились наследством (то есть продали родительские вещи или квартиру). Есть несколько инцидентов дарения, но какие-то нереалистические: богатые бизнесмены дарят кучу денег старику («возьми, отец, мой батяня тоже ветеран» — «спасибо, родные») или же богатый человек в церкви встречает «худую, усталую» женщину с ребенком и, неизвестно с какого бодуна, проливает на этого ребенка золотой дождь.

Зато «обобрал» — через одного. Авторы предлагают бесчисленные рецепты бессовестного обирания ближнего: торговля фальшивым или гнилым товаром, недовложение, нечестная реклама, неоправданное завышение цен, «кидание», подсовывание «куклы», «наезды», то есть рэкет, подставление компаньонов, «пирамиды». Должно быть, это бывает; не обманешь — не продашь; но мы решительно и безусловно отбросили те рукописи, где автор упивается ловкостью рук своего героя, держащего всех сограждан за лохов. Тем более что художественных достоинств (а это для нас было главным) рассказы не содержали: не О. Генри. А скорее та пакость, что несется из магнитофонов в ларьках с шавермой: «Мы — веселые громилы, тум-бала-ла».

Господа, господа, среди нас есть нечестные люди!.. Это неприятно и опасно!

Нам ни разу не встретился персонаж, который у Золя описан как «маниакально честный торговец». Должно быть, в нашей жизни он пока (или уже) невозможен. Зато во многих рассказах — и очень убедительных — наш герой, предприниматель, честнее и трудолюбивее тех, кто его несет и хает, сам при этом палец о палец не ударяя, чтобы улучшить свою жизнь. Вообще, понимание того, что предпринимательство — это не купание в шампанском с голыми бабами, а прежде всего труд, и труд тяжелый и опасный, труд полезный, труд радостный, труд, целью которого является производство, строительство, созидание, улучшение, — такое понимание понемногу, как нам кажется, начинает распространяться. А деньги — что деньги? Деньги сами по себе не могут быть плохими или хорошими, деньги — это всеобщий эквивалент, подобно овцам, быкам, медным пластинам, ракушкам, беличьим шкуркам и другой валюте иных культур и времен. Плохими или хорошими, злыми или добрыми могут быть только люди. Поэтому, в общем-то, рассказы о деньгах — это рассказы о людях, только объединенные вот такой шелестящей или звенящей темой.

И вот мы отобрали тридцать лучших рассказов, веселых и грустных, про людей, про купцов и художников, про жизнь с деньгами — и без них.

Это, понятно, было предисловие к сборнику, то есть петля от этой пуговицы находится в другом месте. Сборник конкурсных рассказов называется «Талан» (старинное слово, означающее «счастье»). Внутри сборника, именно что на счастье, я пришила запасную пуговицу: один из рассказов — мой, напечатан под псевдонимом. Как называется, не скажу.

КВАДРАТ

В 1913, или 1914, или 1915 году, в какой именно день — неизвестно, русский художник польского происхождения Казимир Малевич взял небольшой холст: 79,5 на 79,5 сантиметра, закрасил его белой краской по краям, а середину густо замалевал черным цветом. Эту несложную операцию мог бы выполнить любой ребенок — правда, детям не хватило бы терпения закрасить такую большую площадь одним цветом. Такая работа под силу любому чертежнику — а Малевич в молодости работал чертежником, — но чертежникам не интересны столь простые геометрические формы. Подобную картину мог бы нарисовать душевнобольной — да вот не нарисовал, а если бы нарисовал, вряд ли у нее были бы малейшие шансы попасть на выставку в нужное время и в нужном месте.

Проделав эту простейшую операцию, Малевич стал автором самой знаменитой, самой загадочной, самой пугающей картины на свете — «Черного квадрата». Несложным движением кисти он раз и навсегда провел непереходимую черту, обозначил пропасть между старым искусством и новым, между человеком и его тенью, между розой и гробом,

301

между жизнью и смертью, между Богом и Дьяволом. По его собственным словам, он «свел все в нуль». Нуль почему-то оказался квадратным, и это простое открытие — одно из самых страшных событий в искусстве за всю историю его существования.

Малевич и сам понял, что он сделал. За год-полтора до этого знаменательного события он участвовал вместе со своими друзьями и единомышленниками в Первом всероссийском съезде футуристов — на даче, в красивой северной местности, — и они решили написать оперу «Победа над Солнцем» и там же, на даче, немедля принялись за ее осуществление. Малевич оформлял сцену. Одна из декораций, черно-белая, чем-то напоминающая будущий, еще не родившийся квадрат, служила задником для одного из действий. То, что тогда вылилось из-под его кисти само собой, бездумно и вдохновенно, позже в петербургской мастерской вдруг осозналось как теоретическое достижение, последнее, высшее достижение, — обнаружение той критической, таинственной, искомой точки, после которой, в связи с которой, за которой нет и не может быть больше ничего. Шаря руками в темноте, гениальной интуицией художника, пророческой прозорливостью Создателя он нащупал запрещенную фигуру запрещенного цвета — столь простую, что тысячи проходили мимо, переступая, пренебрегая, не замечая... Но и то сказать, немногие до него замышляли «победу над Солнцем», немногие осмеливались бросить вызов Князю Тьмы. Малевич посмел — и, как и полагается в правдивых повестях о торговле с Дьяволом, о возжаждавших Фаустах, Хозяин охотно и без промедления явился и подсказал художнику простую формулу небытия.

В конце того же 1915 года — уже вовсю шла Первая мировая война — зловещее полотно было представлено среди прочих на выставке футуристов. Все другие работы Малевич просто развесил по стенам обычным образом, «Квадрату» же он предназначил особое место. На сохранившейся фотографии видно, что «Черный квадрат» расположен в углу, под потолком — там и так, как принято вешать икону. Вряд ли от него — человека красок — ускользнуло то соображение, что этот важнейший, сакральный угол называется «красным», даром что «красный» означает тут не цвет, а «красоту». Малевич сознательно вывесил черную дыру в сакральном месте: свою работу он назвал «иконой нашего времени». Вместо «красного» — черное (ноль цвета), вместо лица — провал (ноль линий), вместо иконы, то есть окна вверх, в свет, в вечную жизнь — мрак, подвал, люк в преисподнюю, вечная тьма.

А. Бенуа, современник Малевича, сам великолепный художник и критик искусства, писал о картине: «Черный квадрат в белом окладе — это не простая шутка, не простой вызов, не случайный маленький эпизодик, случившийся в доме на Марсовом поле, а это один из актов самоутверждения того начала, которое имеет своим именем мерзость запустения и которое кичится тем, что оно через гордыню, через заносчивость, через попрание всего любовного и нежного, приведет всех к гибели».

За много лет до того, в сентябре 1869 года, Лев Толстой испытал некое странное переживание, оказавшее сильнейшее влияние на всю его жизнь и послужившее, по всей очевидности, переломным моментом в его мировоззрении. Он выехал из дома в веселом настроении, чтобы сделать важную и выгодную покупку: приобрести новое имение.

Ехали на лошадях, весело болтали. Наступила ночь. «Я задремал, но вдруг проснулся: мне стало чего-то страшно. (...) Вдруг представилось, что мне не нужно, незачем в эту даль ехать, что я умру тут, в чужом месте. И мне стало жутко». Путники решили заночевать в городке Арзамасе. «Вот подъехали наконец к какому-то домику со столбом. Домик был белый, но ужасно мне показался грустный. Так что жутко даже стало. (...) Был коридорчик; заспанный человек с пятном на щеке, — пятно это мне показалось ужасным, — показал комнату. Мрачная была комната. Я вошел — еще жутче мне стало.

(...) Чисто выбеленная квадратная комнатка. Как, я помню, мучительно мне было, что комнатка эта была именно квадратная. Окно было одно, с гардинкой красной... (...) Я взял подушку и лег на диван. Когда я очнулся, никого в комнате не было и было темно. (...) Заснуть, я чувствовал, не было никакой возможности. Зачем я сюда заехал? Куда я везу себя? От чего, куда я убегаю? Я убегаю от чего-то страшного и не могу убежать. (...) Я вышел в коридор, думал уйти от того, что мучило меня. Но оно вышло за мной и омрачило все. Мне так же, еще больше, страшно было.

— Да что это за глупость, — сказал я себе. — Чего я тоскую, чего боюсь?

— Меня, — неслышно отвечал голос смерти. — Я тут.

(...) Я лег было, но только что улегся, вдруг вскочил от ужаса. И тоска, и тоска, — такая же духовная тоска, какая бывает перед рвотой, только духовная. Жутко, страшно. Кажется, что смерти страшно, а вспомнишь, подумаешь о жизни, то умирающей жизни страшно. Как-то жизнь и смерть сливались в одно. Что-то раздирало мою душу на части и не могло разодрать. Еще раз прошел посмотреть на спящих, еще раз попытался заснуть; все тот же ужас — красный, белый, квадратный. Рвется что-то и не разрывается. Мучительно, и мучительно сухо и злобно, ни капли доброты я в себе не чувствовал, а только ровную, спокойную злобу на себя и на то, что меня сделало».

Это знаменитое и загадочное событие в жизни писателя — не просто внезапный приступ сильнейшей депрессии, но некая непредвиденная встреча со смертью, со злом — получила название «арзамасского ужаса». Красный, белый, квадратный. Звучит как описание одной из картин Малевича.

Лев Толстой, с которым случился красно-белый квадрат, никак не мог ни предвидеть, ни контролировать случившееся. Оно предстало перед ним, набросилось на него, и под влиянием произошедшего — не сразу, но неуклонно — он отрекся от жизни, какую вел до того, от семьи, от любви, от понимания близких, от основ мира, окружавшего его, от искусства. Некая открывшаяся ему «истина» увела его в пустоту, в ноль, в саморазрушение. Занятый «духовными поисками», к концу жизни он не нашел ничего, кроме горстки банальностей — вариант раннего христианства, не более того. Последователи его тоже ушли от мира и тоже никуда не пришли. Пить чай вместо водки, не есть мяса, осуждать семейные узы, самому себе шить сапоги, причем плохо шить, криво, — вот, собственно, и весь результат духовных поисков личности, прошедшей через квадрат. «Я тут», — беззвучно прошептал голос смерти, и жизнь пошла под откос. Еще продолжалась борьба, еще впереди была Анна Каренина (безжалостно убитая автором, наказанная за то, что захотела жить), еще впереди было несколько литературных шедевров, но квадрат победил, писатель изгнал из себя животворящую силу искусства, перешел на примитивные притчи, дешевые поучения и угас прежде своей физической смерти, поразив мир под конец не художественной силой своих поздних произведений, но размахом своих неподдельных мучений, индивидуальностью протеста, публичным самобичеванием неслыханного дотоле масштаба.

Малевич тоже не ждал квадрата, хотя и искал его. В период до изобретения «супрематизма» (термин Малевича) он исповедовал «алогизм», попытку выйти за границы здравого смысла, исповедовал «борьбу с логизмом, естественностью, мещанским смыслом и предрассудком». Его зов был услышан, и квадрат предстал перед ним и вобрал его в себя. Художник мог бы гордиться той славой, что принесла ему сделка с Дьяволом; он и гордился. Не знаю, заметил ли он сам ту двусмысленность, которую принесла ему эта слава. «Самая знаменитая картина художника» — это значит, что другие его произведения менее знаменитые, не такие значимые, не столь притягивающие, словом, они — хуже. И действительно, по сравнению с квадратом все его вещи странно блекнут. У него есть серия полотен с геометрическими, яркими крестьянами, у которых вместо лиц — пустые овалы, как бы прозрачные яйца без зародышей. Это красочные, декоративные полотна, но они кажутся мелкой, суетливой возней радужных цветов, перед тем как они, задрожав последний раз, смешаются в пеструю воронку и уйдут на бездонное дно Квадрата. У него есть пейзажи, розоватые, импрессионистические, очень обычные, — такие писали многие, и писали лучше. Под конец жизни он попытался вернуться к фигуративному искусству, и эти вещи выглядят так страшно, как это можно было предсказать: не люди, а набальзамированные трупы, восковые куклы напряженно смотрят из рамок своих одежд, словно бы вырезанных из ярких клочков, обрезков «крестьянской» серии. Конечно, когда ты достигаешь вершины, то дальше — путь только вниз. Но ужас в том, что на вершине — ничего нет.

Искусствоведы любовно пишут о Малевиче: «Черный квадрат» вобрал в себя все живописные представления, существовавшие до этого, он закрывает путь натуралистической имитации, он присутствует как абсолютная форма и возвещает искусство, в котором свободные формы — не связанные между собой или взаимосвязанные — составляют смысл картины».

Верно, «Квадрат» «закрывает путь» — в том числе и самому художнику. Он присутствует «как абсолютная форма», — верно и это, но это значит, что по сравнению с ним все остальные формы не нужны, ибо они по определению не абсолютны. Он «возвещает искусство...» — а вот это оказалось неправдой. Он возвещает конец искусства, невозможность его, ненужность его, он есть та печь, в которой искусство сгорает, то жерло, в которое оно проваливается, ибо он, Квадрат, по словам Бенуа, процитированным выше, есть «один из актов самоутверждения того начала, которое имеет своим именем мерзость запустения и которое кичится тем, что оно через гордыню, через заносчивость, через попрание всего любовного и нежного приведет всех к гибели».

Художник «доквадратной» эпохи учится своему ремеслу всю жизнь, борется с мертвой, косной, хаотической материей, пытаясь вдохнуть в нее жизнь; как бы раздувая огонь, как бы молясь, он пытается зажечь в камне свет, он становится на цыпочки, вытягивая шею, чтобы заглянуть туда, куда человеческий глаз не дотягивается. Иногда его труд и мольбы, его ласки увенчиваются успехом; на краткий миг или на миг долгий «это» случается, «оно» приходит. Бог (ангел, дух, муза, порой демон) уступают, соглашаются, выпускают из рук те вещи, те летучие чувства, те клочки небесного огня — имени их мы назвать не можем, — которые они приберегали для себя, для своего скрытого от нас, чудесного дома. Выпросив божественный подарок, художник испытывает миг острейшей благодарности, неуниженного смирения, непозорной гордости, миг особых, светлейших и очищающих слез — видимых или невидимых, миг катарсиса. «Оно» нахлынуло — «оно» проходит, как волна. Художник становится суеверным. Он хочет повторения этой встречи, он знает, что может следующий раз и не допроситься божественной аудиенции, он отверзает духовные очи, он понимает глубоким внутренним чувством, что именно (жадность, корысть, самомнение, чванство) может закрыть перед ним райские ворота, он старается так повернуть свое внутреннее чувство, чтобы не согрешить перед своими ангельскими проводниками, он знает, что он — в лучшем случае только соавтор, подмастерье, но — возлюбленный подмастерье, но — коронованный соавтор. Художник знает, что дух веет где хочет и как хочет, знает, что сам-то он, художник, в своей земной жизни ничем не заслужил того, чтобы дух выбрал именно его, а если это случилось, то надо радостно возблагодарить за чудо.

Художник «послеквадратной» эпохи, художник, помолившийся на квадрат, заглянувший в черную дыру и не отшатнувшийся в ужасе, не верит музам и ангелам; у него свои, черные ангелы с короткими металлическими крыльями, прагматичные и самодовольные господа, знающие, почем земная слава и как захватить ее самые плотные, многослойные куски. Ремесло не нужно, нужна голова; вдохновения не нужно, нужен расчет. Люди любят новое — надо придумать новое; люди любят возмущаться — надо их возмутить; люди равнодушны — надо их эпатировать: подсунуть под нос вонючее, оскорбительное, коробящее. Если ударить человека палкой по спине — он обернется; тут-то и надо плюнуть ему в лицо, а потом непременно взять за это деньги, иначе это не искусство; если же человек возмущенно завопит, то надо объявить его идиотом и пояснить, что искусство заключается в сообщении о том, что искусство умерло, повторяйте за мной: умерло, умерло, умерло. Бог умер, Бог никогда не рождался, Бога надо потоптать, Бог вас ненавидит, Бог — слепой идиот, Бог — это торгаш, Бог — это Дьявол. Искусство умерло, вы — тоже, ха-ха, платите деньги, вот вам за них кусок дерьма, это — настоящее, это — темное, плотное, здешнее, держите крепче. Нет и никогда не было «любовного и нежного», ни света, ни полета, ни просвета в облаках, ни проблеска во тьме, ни снов, ни обещаний. Жизнь есть смерть, смерть здесь, смерть сразу.

«Как-то жизнь и смерть сливались в одно», — в ужасе записал Лев Толстой и с этого момента и до конца боролся как мог, как понимал, как сумел — титаническая, библейского масштаба битва. «И боролся с Иаковом некто до восхода зари...» Страшно смотреть на борьбу гения с Дьяволом: то один возьмет верх, то другой... «Смерть Ивана Ильича» и есть такое поле битвы, и трудно даже сказать, кто победил. Толстой в этой повести говорит, — говорит, повторяет, убеждает, долбит наш мозг, — что жизнь есть смерть. Но в конце повести его умирающий герой рождается в смерть, как в новую жизнь, освобождается, переворачивается, просветляется, уходит от нас куда-то, где он, кажется, получит утешение. «Новое искусство» глумится над самой идеей утешения, просветления, возвышения, — глумится и гордится, пляшет и торжествует.

Разговор о Боге либо так бесконечно сложен, что начинать его страшно, либо, напротив, очень прост: если ты хочешь, чтобы Бог был, — он есть. Если не хочешь — нет. Он есть все, включая нас, а для нас он в первую очередь и есть мы сами. Бог не навязывается нам — это его искаженный, ложный образ навязывают нам другие люди, — он просто тихо, как вода, стоит в нас. Ища его, мы ищем себя, отрицая его, мы отрицаем себя, глумясь над ним, мы глумимся над собой, — выбор за нами. Дегуманизация и десакрализация — одно и то же.

«Десакрализация» — лозунг XX века, лозунг неучей, посредственностей и бездарностей. Это индульгенция, которую одни бездари выдают другим, убеждая третьих, что так оно все и должно быть — все должно быть бессмысленным, низменным (якобы демократичным, якобы доступным), что каждый имеет право судить о каждом, что авторитетов не может быть в принципе, что иерархия ценностей непристойна (ведь все равны), что ценность искусства определяется только спросом и деньгами. «Новинки» и модные скандалы удивительным образом не новы и не скандальны: поклонники «Квадрата» в качестве достижений искусства все предъявляют и предъявляют разнообразные телесные выделения и изделия из них, как если бы Адам и Ева — один страдающий амнезией, другая — синдромом Альцгеймера, — убеждали друг друга и детей своих, что они суть глина, только глина, ничего, кроме глины.

* * *

Я числюсь «экспертом» по «современному искусству» в одном из фондов в России, существующем на американские деньги. Нам приносят «художественные проекты», и мы должны решить, дать или не дать денег на их осуществление. Вместе со мной в экспертном совете работают настоящие специалисты по «старому», «доквадратному» искусству, тонкие ценители. Все мы терпеть не можем «Квадрат» и «самоутверждение того начала, которое имеет своим именем мерзость запустения». Но нам несут и несут проекты очередной мерзости запустения, только мерзости и ничего другого. Мы обязаны потратить выделенные нам деньги, иначе фонд закроют. А он кормит слишком многих в нашей бедной стране. Мы стараемся, по крайней мере, отдать деньги тем, кто придумал наименее противное и бессмысленное. В прошлом году дали денег художнику, расставлявшему пустые рамки вдоль реки; другому, написавшему большую букву (слово) «Я», отбрасывающую красивую тень; группе творцов, организовавших акцию по сбору фекалий за собаками в парках Петербурга. В этом году — женщине, обклеивающей булыжники почтовыми марками и рассылающей их по городам России, и группе, разлившей лужу крови в подводной лодке: посетители должны переходить эту лужу под чтение истории Абеляра и Элоизы, звучащей в наушниках. После очередного заседания мы выходим на улицу и молча курим, не глядя друг другу в глаза. Потом пожимаем друг другу руки и торопливо, быстро расходимся.

СЮЖЕТ

И долго буду тем любезен я народу...

                              Пушкин

Вот зачем, в часы заката
Уходя в ночную тьму,
С белой площади Сената
Тихо кланяюсь ему.

                              Блок

Допустим, в тот самый момент, когда белый указательный палец Дантеса уже лежит на спусковом крючке, некая рядовая, непоэтическая птичка Божия, спугнутая с еловых веток возней и топтанием в голубоватом снегу, какает на длань злодея. Кляк! Рука, естественно, дергается непроизвольно; выстрел, Пушкин падает. Какая боль! Сквозь туман, застилающий глаза, он целится, стреляет в ответ; падает и Дантес; «славный выстрел», — смеется поэт. Секунданты увозят его, полубессознательного; в бреду он все бормочет, все словно хочет что-то спросить.

Слухи о дуэли разносятся быстро: Дантес убит, Пушкин ранен в грудь. Наталья Николаевна в истерике, Николай в ярости; русское общество быстро разделяется на партию убитого и партию раненого; есть чем скрасить зиму, о чем поболтать между мазуркой и полькой. Дамы с вызовом вплетают траурные ленточки в кружева. Барышни любопытствуют и воображают звездообразную рану; впрочем, слово «грудь» кажется им неприличным. Меж тем Пушкин в забытьи, Пушкин в жару, мечется и бредит; Даль все таскает и таскает в дом моченую морошку, силясь пропихнуть горьковатые ягодки сквозь стиснутые зубы страдальца, Василий Андреевич вывешивает скорбные листы на дверь, для собравшейся и не расходящейся толпы; легкое прострелено, кость гноится, запах ужасен (карболка, сулема, спирт, эфир, прижигание, кровопускание), боль невыносима, и старые друзья-доброхоты, ветераны двенадцатого года, рассказывают, что это как огонь и непрекращающаяся пальба в теле, как разрывы тысячи ядер, и советуют пить пунш и еще раз пунш: отвлекает.

Пушкину грезятся огни, стрельба, крики, Полтавский бой, ущелья Кавказа, поросшие мелким и жестким кустарником, один в вышине, топот медных копыт, карла в красном колпаке, грибоедовская телега, ему мерещится прохлада пятигорских журчащих вод — кто-то положил остужающую руку на горячечный лоб — Даль? — Даль. Даль заволакивает дымом, кто-то падает, подстреленный, на лужайке, среди кавказских кустиков, мушмулы и каперсов; это он сам, убит, — к чему теперь рыданья, пустых похвал ненужный хор? — шотландская луна льет печальный свет на печальные поляны, поросшие развесистой клюквой и могучей, до небес, морошкой; прекрасная калмычка, неистово, туберкулезно кашляя, — тварь дрожащая или право имеет? — переламывает над его головой зеленую палочку — гражданская казнь; что ты шьешь, калмычка? — Порт-ка. — Кому? — Себя. Еще ты дремлешь, друг прелестный? Не спи, вставай, кудрявая! Бессмысленный и беспощадный мужичок, наклонившись, что-то делает с железом, и свеча, при которой Пушкин, трепеща и проклиная, с отвращением читает полную обмана жизнь свою, колеблется на ветру. Собаки рвут младенца, и мальчики кровавые в глазах. Расстрелять, — тихо и убежденно говорит он, — ибо я перестал слышать музыку, румынский оркестр и песни Грузии печальной, и мне на плечи кидается анчар, но не волк я по крови своей: и в горло я успел воткнуть и там два раза повернуть. Встал, жену убил, сонных зарубил своих малюток. Гул затих, я вышел на подмостки, я вышел рано, до звезды, был, да весь вышел, из дому вышел человек с дубинкой и мешком. Пушкин выходит из дома босиком, под мышкой сапоги, в сапогах дневники. Так души смотрят с высоты на ими сброшенное тело. Дневник писателя. Записки сумасшедшего. Записки из Мертвого дома. Ученые записки Географического общества. Я синим пламенем пройду в душе народа, я красным пламенем пройду по городам. Рыбки плавают в кармане, впереди неясен путь. Что ты там строишь, кому? Это, барин, дом казенный, Александровский централ. И музыка, музыка, музыка вплетается в пенье мое. И назовет меня всяк сущий в ней язык. Еду ли ночью по улице темной, то в кибитке, то в карете, то в вагоне из-под устриц, ich sterbe, — не тот это город, и полночь не та. Много разбойники пролили крови честных христиан! Конь, голубчик, послушай меня... Р, О, С, — нет, я букв не различаю... И понял вдруг, что я в аду.

«Битая посуда два века живет!» — кряхтит Василий Андреевич, помогая тащить измятые простыни из-под выздоравливающего. Все норовит сделать сам, суетится, путается у слуг под ногами, — любит.

«А вот бульончику!» Черта ли в нем, в бульончике, но вот хлопоты о царской милости, но вот всемилостивейшее прощение за недозволенный поединок, но интриги, лукавство, притворные придворные вздохи, всеподданнейшие записки и бесконечная езда взад-вперед на извозчике, «а доложи-ка, братец...». Мастер!

Василий Андреевич сияет: выхлопотал-таки победившему ученику ссылку в Михайловское — только лишь, только лишь! Сосновый воздух, просторы, недальние прогулки, а подзаживет простреленная грудь — и в речке поплавать можно! И — «молчи, молчи, голубчик, доктора тебе разговаривать не велят, все потом! Все путём. Все образуется».

Конечно, конечно же, вой волков и бой часов, долгие зимние вечера при свече, слезливая скука Натальи Николаевны, — сначала испуганные вопли у одра болящего, потом уныние, попреки, нытье, слоняние из комнаты в комнату, зевота, битье детей и прислуги, капризы, истерики, утрата рюмочной талии, первая седина в нечесаной пряди, и каково же, господа, поутру, отхаркивая и сплевывая набегающую мокроту, глядеть в окно, как по свежевыпавшему снегу друг милый в обрезанных валенках, с хворостиной в руке, гоняется за козой, объедавшей сухие стебли засохших цветов, торчащие там и сям с прошлого лета! Синие дохлые мухи валяются между стекол — велеть убрать.

Денег нет. Дети — балбесы. Когда дороги нам исправят?.. — Никогда. Держу пари на десять погребов шампанского «Брют» — ни-ко-гда. И не жди, не будет. «Пушкин исписался», — щебечут дамы, старея и оплывая. Впрочем, новые литераторы, кажется, тоже имеют своеобразные взгляды на словесность — невыносимо прикладные. Меланхолический поручик Лермонтов подавал кое-какие надежды, но погиб в глупой драке. Молодой Тютчев неплох, хоть и холодноват. Кто еще пишет стихи? Никто. Пишет возмутительные стихи Пушкин, но не наводняет ими Россию, а жжет на свечке, ибо надзор, господа, круглосуточный. Еще он пишет прозу, которую никто не хочет читать, ибо она суха и точна, а эпоха требует жалостливости и вульгарности (думал, что этому слову вряд ли быть у нас в чести, а вот ошибся, да как ошибся!), и вот уже кровохаркающий невротик Виссарион и безобразный виршеплет Некрасов, — так, кажется? — наперегонки несутся по утренним улицам к припадочному разночинцу (слово-то какое!): «Да вы понимаете ль сами-то, что вы такое написали?..» ...А впрочем, все это смутно и суетно и едва проходит по краю сознания. Да, вернулись из глубины сибирских руд, из цепей и оков старинные знакомцы: не узнать, и не в белых бородах дело, а в разговорах — неясных, как из-под воды, как если бы утопленники, в зеленых водорослях, стучались под окном и у ворот. Да, освободили крестьянина, и теперь он, проходя мимо, смотрит нагло и намекает на что-то разбойное. Молодежь ужасна и оскорбительна: «Сапоги выше Пушкина!» — «Дельно!» Девицы отрезали волосы, походят на дворовых мальчишек и толкуют о правах: mon Dieu! Гоголь умер, предварительно спятив. Граф Толстой напечатал отличные рассказы, но на письмо не ответил. Щенок! Память слабеет... Надзор давно снят, но ехать никуда не хочется. По утрам мучает надсадный кашель. Денег все нет. И надо, кряхтя, заканчивать наконец — сколько же можно тянуть — историю Пугачева, труд, облюбованный еще в незапамятные годы, но все не отпускающий, все тянущий к себе, — открывают запретные прежде архивы, и там, в архивах, завораживающая новизна, словно не прошлое приоткрылось, а будущее, что-то смутно брезжившее и проступавшее неясными контурами в горячечном мозгу, — тогда еще, давно, когда лежал, простреленный навылет этим, как бишь его? — забыл; из-за чего? — забыл. Как будто неопределенность приотворилась в темноте.

Старый, уже старчески неопрятный, со слезящимися глазами, с трясущейся головой, маленький и кривоногий, белый как вата, но все еще густоволосый и курчавый, припадающий на клюку, собирается Пушкин в дорогу. На Волгу. Обещал один любитель старины показать кое-какие документы, имеющие касательство к разбойнику. Дневники. Письмо. Но только из рук: очень ценные. Занятно, должно быть. «Куда собрался, дурачина! — ворчит Наталья Николаевна. — Сидел бы дома». Не понимает драгоценность трудов исторических. Не спорить с ней, — это бесполезно, а делать свое дело, как тогда, когда стрелялся с этим... как его?.. черт. Забыл.

Зима. Метель.

Маленький приволжский городок занесен снегом, ноги скользят, поземка посвистывает, а сверху еще валит и валит. Тяжело волочить ноги. Вот... приехал... Зачем? В сущности (как теперь принято выражаться), — зачем? Жизнь прошла. Все понять тебя хочу, смысла я в тебе ищу. Нашел ли? Нет. И теперь уж вряд ли. Времени не остается. Как оно летит... Давно ли писал: «Выстрел»?.. Давно ли: «Метель»?.. «Гробовщик»?.. Кто это помнит теперь, кто читает старика? Скоро восемьдесят. Мастодонт. Молодые кричат: «К топору!», молодые требуют действия. Жалкие! Как будто действие может что-то переменить... Вернуть... Остановить... И старичок, бредущий в приволжских сумерках, приостанавливается, вглядывается в мрак прошлый и мрак грядущий, и вздымается стиснутая предчувствием близкого конца надсаженная грудь, и наворачиваются слезы, и что-то всколыхнулось, вспомнилось... ножка, головка, убор, тенистые аллеи... и этот, как его...

Бабах! Скверный мальчишка со всего размаху всаживает снежок-ледышку в старческий затылок. Какая боль! Сквозь туман, застилающий глаза, старик, изумленно и гневно обернувшись, едва различает прищуренные калмыцкие глазенки, хохочущий щербатый рот, соплю, прихваченную морозцем. «Обезьяна! — радостно вопит мальчонка, приплясывая. — Смотрите, обезьяна! Старая обезьяна!»

Вспомнил, как звали! Дантес! Мерзавец! Скотина... Сознание двоится, но рука еще крепка! И Пушкин, вскипая в последний, предсмертный раз, развернувшись в ударе, бьет, лупит клюкой — наотмашь, по маленькой рыжеватой головке негодяя, по нагловатым глазенкам, по оттопыренным ушам — по чему попало. Вот тебе, вот тебе! За обезьяну, за лицей, за Ванечку Пущина, за Сенатскую площадь, за Анну Петровну Керн, за вертоград моей сестры, за сожженные стихи, за свет очей моих — Карамзину, за Черную речку, за всё! Вурдалак! За Санкт-Петербург!!! За всё, чему нельзя помочь!!!

«Володя, Володя!» — обеспокоенно кричат из-за забора. «Безобразие какое!» — опасливо возмущаются собирающиеся прохожие. «Правильно, учить надо этих хулиганов!.. Как можно, — ребенка... Урядника позовите... Господа, разойдитесь!.. Толпиться не дозволяется!» Но Пушкин уже ничего не слышит, и кровь густеет на снегу, и тенистые аллеи смыкаются над его черным лицом и белой головой.

Соседи какое-то время судачат о том, что сынка Ульяновых заезжий арап отлупил палкой по голове, — либералы возмущены, но указывают, что скоро придет настоящий день и что всего темней перед восходом солнца, консервативные же господа злорадничают: давно пора, на всю Россию разбойник рос. Впрочем, мальчонка, провалявшись недельку в постели, приходит в себя и, помимо синяков, видимых повреждений на нем не заметно, а в чем-то битье вроде бы идет и на пользу. Так же картавит (Мария-то Александровна втайне надеялась, что это исправится, как бывает с заиканием, но — нет, не исправилось), так же отрывает ноги игрушечным лошадкам (правда, стал большой аккуратист и, оторвав, после непременно приклеит на прежнее место), так же прилежен в ученье (из латыни — пять, из алгебры — пять), и даже нравом вроде бы стал поспокойнее: если раньше нет-нет да и разобьет хрустальную вазу или стащит мясной пирог, чтобы съесть в шалаше с прачкиными детьми, а то, бывало, и соврет — а глазёнки ясные-ясные! — то теперь не то. Скажем, соберется Мария Александровна в Казань к сестре, а Илья Николаевич в дальнем уезде с инспекцией — на кого детей оставить? Раньше, бывало, кухарка предлагает: я, мол, тут без вас управлюсь, — а Володенька и рад. Теперь же выступит вперед, ножкой топнет, и звонко так: «Не бывать этому никогда!» И разумно так все разберет, рассудит и представит, почему кухарка управлять не может. Одно удовольствие слушать. С дворовыми ребятами совсем перестал водиться. Носик воротит: дескать, вши с них на дворянина переползти могут. (Прежде живность любил: наловит вшей в коробочку, а то блох или клопов, и наблюдает. Закономерность, говорит, хочу выявить. Должна непременно быть закономерность.) Теперь если где грязцу увидит — сразу личико такое брезгливое делается. И руки стал чаще мыть. Как-то шли мимо нищие на богомолье, остановились, как водится, загнусавили — милостыню просят. Володенька на крыльцо вышел, ручкой эдак надменно махнул: «Всяк сверчок знай свой шесток! — высказался. — Проходите!.. Ходоки нашлись...» Те рты закрыли, котомки подхватили и давай Бог ноги...

А как-то раз старшие, шутки ради, затеяли домашний журнал и название придумали вроде как прогрессивное, с подковыркой: «Искра». Смеху!.. Передовую потешную составили, международный отдел — «из-за границы пишут...», ну, и юмор, конечно. Намеки допустили... Володенька дознался, пришел в детскую такой важный, серьезный, и ну сразу: «А властями дозволено? А нет ли противуречия порядку в Отечестве? А не усматривается ли самоволие?» И тоже вроде в шутку, а в голосишке-то металл...

Мария Александровна не нарадуется на средненького: Поверяет дневнику тайные свои материнские радости и огорчения: Сашенька тревожит — буян, младшие туповаты, зато Володенька, рыженький, — отрада и опора. А когда случилась беда с Сашенькой — дерзнул преступить закон и связался с социалистами, занес руку — на кого? страшно вымолвить, но ведь и материнское сердце не камень, ведь поймите, господа, ведь мать же, мать! — кто помог, поддержал, утешил в страшную минуту, как не Володенька? «Мы пойдем другим путем, маменька!» — твердо так заявил. И точно: еще больше приналег на ученье, баловства со всякими там идеями не допускал ни на минуточку, да и других одергивал, а если замечал в товарищах наималейшие шатания и нетвердость в верности царю и Отечеству, то сам, надев фуражечку на редеющие волоски, отправлялся и докладывал куда следует.

Илья Николаевич помер. Перебрались в столицу. Жили небогато. Володечка покуривать начал. Мария Александровна заикнулась было: «Володя, ведь это здоровье губить, да и деньги?..» — Володечка как заорет: «Ма-алчаать! Не сметь рассуждать!!!» — даже напугал. И с тех пор курил только дорогие сигары: в пику матери. Робела, помалкивала. Ликеры тоже любил дорогие, французские. На женщин стал заглядываться. По субботам к мадамкам ездил. Записочку шутливую оставит: «ушел в подполье», возвращается навеселе. Мать страшилась, все-таки докторова дочка: «Вовочка, ты там поосторожнее, я все понимаю, ну а вдруг люэс?.. Носик провалится!» — «Не тревожьтесь, маман, есть такое архинадежное французское изобретение — гондон!» Любил Оффенбаха оперетки слушать: «Нечеловеческая музыка, понимаете ли вы это, мамахен? Из театра на лихаче едешь — так и хочется извозчика, скотину, побить по головке: зачем музыки не понимает?» Квартиру завел хорошую. Обставил мебелью модной, плюшевой, с помпончиками. Позвал дворника с рабочим гардины вешать — те, ясно, наследили, напачкали. С тех пор рабочих, и вообще простых людей очень не любил; «фу, — говорил, — проветривай после них». И табакерки хватился. Лазил под оттоманку, все табакерку искал, ругался: «Скоты пролетарские... Расстрелять их мало...»

В хорошие, откровенные минуты мечтал, как сделает государственную карьеру. Закончит юридический — и служить, служить. Прищурится — и в зеркало на себя любуется: «Как думаете, маменька: до действительного тайного дослужусь?.. А может, лучше было по военной части?..» Из елочной бумаги эполеты вырежет и примеряет. Из пивных пробок ордена себе делал, к груди прикладывал.

Карьеру, шельмец, и правда сделал отличную, да и быстро: знал, с кем водить знакомства, где проявить говорливость, где промолчать. Умел потрафить, с начальством не спорил. С молодежью, ровесниками водился мало, все больше с важными стариками, а особенно с важными старухами.

И веер подаст, и моську погладит, и чепчик расхвалит: с каким, дескать, вкусом кружевца подобраны, очень, очень к лицу! Дружил с самим Катковым и тоже знал, как подойти: вздохнет — и как бы невзначай в сторону: «Какая глыба, батенька! какой матерый человечище!» — а тому и лестно.

Были и странности, не без того. Купил дачу в Финляндии, нет чтобы воздухом дышать да в заливе дрызгаться, — ездил без толку туда-сюда, туда-сюда, а то на паровоз просился: дайте прокатиться. Что ж, хозяин — барин, платит — пускали. До Финляндского доедет, побродит по площади, задумывается... Потом назад. Во время японской войны все на военных любовался, жалел, что штатский. Раз, когда войска шли, смотрел, смотрел, не выдержал, махнул командиру: «Ваше превосходительство, не разрешите ли патриоту на броневичок взобраться? Очень в груди ноет». Тот видит — господин приличный, золотые очки, бобровый воротник, отчего не пустить? — пустил. Владимира Ильича подсадили, он сияет... «Ребята! Воины русские! За веру, царя и Отечество — ура!» — «Ура-а-а!..» Даже в газетах пропечатали: такой курьез, право!

Еще чудил: любил на балконах стоять. Ухаживал за балеринами — ну, это понятно, кто ж не ухаживал, — напросится в гости и непременно просит: «Прэлэсть моя, чудное дитя, пустите на балкончик!» Даже зимой, в одной жилетке. Выйдет — и стоит, смотрит вокруг, смотрит... Вздохнет и назад вернется. «Что вы, Владимир Ильич?» Затуманится, отвечает нехотя, невпопад: «Народу мало...» А народу — как обычно.

Патриот был необыкновенный, истовый. Когда мы войну с немцем выиграли — в 1918-м, он тогда уже был министром внутренних дел, — кто, как не он, верноподданнейше просил по поводу столь чаемой и достославной победы дать салют из трехсот залпов в честь Его Величества, еще столько же в честь Ее Величества, еще полстолька в честь наследника-цесаревича и по сто штук обожаемым цесаревнам? Даже Николай Александрович изволили смеяться и крутить головой: эк хватили, батенька, у нас и пороху столько не наскребется, весь вышел... Тогда Владимир Ильич предложил примерно наказать всех инородцев, чтобы крепко подумали и помнили, что такое Российская империя и что такое какие-то там они. Но и этот проект не прошел, разве что отчасти, в южных губерниях. Предлагал он — году уже в двадцатом — двадцать втором — перегородить все реки заборами и уже представил докладную записку на высочайшее имя, но так и не сумел толком объяснить, зачем это. Тут и заметили, что господин Ульянов заговаривается и забывается. Стал себя звать Николаем — патриотично, но неверно. Цесаревичу наследнику подарил на именины серсо с палочкой и довоенную игру «диаболо» — подкидывать катушку на веревочке, словно забыв, что цесаревич — молодой человек, а не малое дитя и уже был сговор с невестой. (Впрочем, цесаревич его очень любили и звали «дедушкой Ильичом».) Черногорским принцессам козу пальцами строил! И при болгарском царе Борисе кричал: «Бориску на царство!», оконфузив и Его Величество, и присутствующих. Прощали: знали, что дедуля хоть и дурной, но направления самого честного.

Читать не любил и писак не жаловал, а сам пописывал, но только докладные. В Зимнем любили, когда он, бывало, попросит аудиенции и стоит навытяжку у дверей кабинета, дожидается вызова, — портфель под мышкой, бородка одеколоном благоухает, глазки хитро так прищурены. «Опять наш Ильич прожекты принес! Ну, показывай, что у тебя там?» Смеялись, но по-доброму. А он все не за свое дело брался. То столицу предложит в Москву перенести, то распишет «Как нам реорганизовать Сенат и Синод», а то и вовсе мелочами занимается. Где предложит ручей перекопать, где ротонду срыть. А особо норовил переустроить Смольный институт: либо всю мебель зачехлить в белое, либо перекроить коридоры. Тамошних благородных девиц навещать любил и некоторым, особенно лупоглазым, покровительствовал: конфет сунет или халвы в бумажке. Звал их всех почему-то Надьками.

Когда же Его Величество Николай Александрович почили в Бозе, Владимира Ильича хватил удар. Отнялась вся правая половина, и речь пропала. Не пришлось идти и в отставку. Графиня Т., всегда к нему благоволившая, отвезла его в свое имение в Горках, где его держали целый день в саду в гамаке, под елкой. Кормили спаржей, клубникой, шоколадом. Давали кота погладить. Раз пришли — а он уже умер.

Придворный доктор, лейб-медик Боткин, из научного любопытства испросил дозволения вскрыть покойнику череп. Молодой царь плакали, но дозволили. Мозг с одной стороны оказался хорошего, мышиного цвета, а с другой — где арап ударил — вообще ничего не было. Чисто.

Сейчас ждем, когда нового министра внутренних дел назначат. Говорят, бумаги уже подписаны. Господин Джугашвили, кажется, фамилия.

Июнь 1937, СПб.

ЛЮБОВЬ И МОРЕ

В чеховском рассказе «Дама с собачкой» есть загадочный пассаж.

«В Ореанде [они] сидели на скамье, недалеко от церкви, смотрели вниз на море и молчали. Ялта была едва видна сквозь утренний туман, на вершинах гор неподвижно стояли белые облака. Листва не шевелилась на деревьях, кричали цикады, и однообразный, глухой шум моря, доносившийся снизу, говорил о покое, о вечном сне, который ожидает нас. Так шумело внизу, когда еще тут не было ни Ялты, ни Ореанды, теперь шумит и будет шуметь так же равнодушно и глухо, когда нас не будет. И в этом постоянстве, в полном равнодушии к жизни и смерти каждого из нас кроется, быть может, залог нашего вечного спасения, непрерывного движения жизни на земле, непрерывного совершенства. Сидя рядом с молодой женщиной, которая на рассвете казалась такой красивой, успокоенный и очарованный ввиду этой сказочной обстановки — моря, гор, облаков, широкого неба, Гуров думал о том, как, в сущности, если вдуматься, все прекрасно на этом свете, все, кроме того, что мы сами мыслим и делаем, когда забываем о высших целях бытия, о своем человеческом достоинстве».

Зачем Чехову в рассказе о любви, внезапно случившейся с людьми, которые ее никак не предвидели и не ожидали, понадобилось это отступление, поэтическое размышление о вечности, равнодушной к нашему существованию? И почему в этом равнодушии — залог спасения?

Конец отрывка, по-видимому, более прозрачен: природа прекрасна и гармонична, а мы — нет. В ней есть некая высшая цель, а мы ведем себя недостойно, безобразно. Гуров только что склонил к адюльтеру замужнюю, неопытную молодую женщину, которую он нисколько не любит и через несколько дней забудет навсегда. Это немножко нехорошо, но очень по-человечески. Он сам понимает это, но не очень расстраивается и будет продолжать вести себя точно так же и сегодня, и завтра, ибо ничего больше не умеет, ничего другого не знает. Когда через несколько дней он простится с Анной Сергеевной навсегда, когда он будет провожать ее на вокзале, он будет чувствовать так: «Он был растроган, грустен и испытывал легкое раскаяние... Все время она называла его добрым, необыкновенным, возвышенным: очевидно, он казался ей не тем, чем был на самом деле, значит, невольно обманывал ее...»

Это понятно, это по-человечески, но почему все же залог спасения — в равнодушии моря, в равнодушии мертвой вечности?

Между тем Гуров сидит на скамейке, созерцая равнодушную красоту, и еще не подозревает о том, что с ним что-то случилось. А оно уже случилось.

Проходит месяц и другой, и он осознает, что женщина, встреченная на юге, не отодвинулась в прошлое, не покрылась туманом, но неотступно с ним, в его жизни. «Анна Сергеевна не снилась ему, а шла за ним всюду, как тень, и следила за ним. «Она по вечерам глядела на него из книжного шкапа, из камина, из угла, он слышал ее дыхание, ласковый шорох ее одежды».

И однажды он, задетый невинным замечанием приятеля, вдруг осознает, что весь мир, окружающий его, резко переменился:

«Эти слова, такие обычные, почему-то вдруг возмутили Гурова, показались ему унизительными, нечистыми. Какие дикие нравы, какие лица! Что за бестолковые ночи, какие неинтересные, незаметные дни! Неистовая игра в карты, обжорство, пьянство, постоянные разговоры все об одном отхватывают на свою долю лучшую часть времени, лучшие силы, и в конце концов остается какая-то куцая, бескрылая жизнь, какая-то чепуха, и уйти и бежать нельзя, точно сидишь в сумасшедшем доме или в арестантских ротах!»

Буквально только что, до своего отъезда на юг, Гуров принадлежал этой жизни в полной мере, сам много пил, ел, говорил, заводил романы с разными женщинами и получал удовольствие от полноценности своего существования. Так что на самом деле перемена происходит не в мире, но в нем самом. Он не хотел ее, не просил, не предполагал, но она уже случилась.

Когда и как это произошло? И что, собственно, произошло? «...О чем говорить? Разве он любил тогда? Разве было что-нибудь красивое, поэтическое, или поучительное, или просто интересное в его отношениях к Анне Сергеевне?..»

Гуров соблазнил Анну Сергеевну механически, привычно, как поступил бы с любой сколько-нибудь заинтересовавшей его женщиной. Он задумывает свой летний роман с ней, еще не зная ее имени. Просто «дама с собачкой». А могла бы быть «дама с сумочкой», «дама в шляпе», «дама с родинкой» — нечто безымянное, родовое, часть природы, с маленькой отличительной деталью, с украшением. Прекрасная дама как часть той самой природы, в которой «все прекрасно на этом свете, все, кроме того, что мы сами мыслим и делаем, когда забываем о высших целях бытия, о своем человеческом достоинстве».

«Соблазнительная мысль о скорой, мимолетной связи, о романе с неизвестною женщиной, которой не знаешь по имени и фамилии, вдруг овладела им».

И свое знакомство с ней он начинает через ее побрякушку, через собачку:

«Он ласково поманил к себе шпица, и, когда тот подошел, погрозил ему пальцем. Шпиц заворчал. Гуров опять погрозил».

Это — модель гуровского обращения с женщинами: ласково поманил, а когда подошли поближе, погрозил. Подойди, но не слишком близко.

В эти дни мимолетного, обреченного на скорый конец романа Гуров оценивает Анну Сергеевну едва ли не как часть природы. «Что-то в ней есть жалкое все-таки», — подумал он и стал засыпать», «Гуров, глядя на нее теперь, думал: «Каких только не бывает в жизни встреч!» Анна Сергеевна стыдится своего грехопадения, и «Гурову уже было скучно слушать, его раздражал наивный тон, это покаяние, такое неожиданное...»

«На столе в номере был арбуз. Гуров отрезал ломоть и стал есть не спеша. Прошло, по крайней мере, полчаса в молчании».

Полчаса — это очень много, и внимательный читатель рассказа должен сам заполнить это длинное молчание тихими звуками поедаемого холодного арбуза, непоказанными, необозначенными мыслями персонажей, их чувствами: унынием и душевным дискомфортом женщины и терпеливым равнодушием мужчины, пережидающего, пока посткоитальная скука пройдет и нарушенный баланс эмоций восстановится. Между тем, единственная фраза, обозначившая телесное соитие, не имеет никакого отношения к телесному восторгу, которого ждали, которого хотели оба любовника:

«...и было впечатление растерянности, как будто кто вдруг постучался в дверь».

«Кто-то» постучался и, очевидно, вошел. «Кто-то» невидимый, незваный, тот, кто ходит где хочет, приходит тогда, когда сам захочет прийти. «Кто-то», кто выбирает случайных людей — совершенно обычную, ничем не особенную, одну из многих Анну Сергеевну, совершенно обычного, каких много, стареющего Гурова. Этот «кто-то» приходит не для того, чтобы принести радость и красоту, — радоваться и любоваться они и без него умеют. Он приходит не для того, чтобы облегчить жизнь: после его визита жить героям становится бесконечно труднее, чем раньше, они будут обманывать близких, и лжи в их жизни сильно прибавится. Но он приходит — и все переворачивается, превращается, сдвигается, осмысляется.

Гуров «спал дурно, все сидел в постели и думал или ходил из угла в угол. Дети ему надоели, банк надоел, не хотелось никуда идти, ни о чем говорить». И он решается поехать в серый, пыльный, провинциальный город С., где живет Анна Сергеевна. «Он все ходил по улице и около забора поджидал этого случая. ...Парадная дверь вдруг отворилась, и из нее вышла какая-то старушка. А за нею бежал знакомый белый шпиц. Гуров хотел позвать собаку, но у него вдруг забилось сердце, и он от волнения не мог вспомнить, как зовут шпица».

Читатель тоже так и не узнает имени собаки. Да, собственно, с этого момента он больше и не услышит о ней. Здесь поразительно то, что Гуров забыл имя собаки не потому, что собака играет в рассказе мелкую, вспомогательную роль. Наоборот. Гуров забывает ее имя «от волнения»: его чувства смятены этим маленьким белым животным, при взгляде на него у героя бьется сердце. Собака, которую недавно, на юге, он использовал как предлог для знакомства с женщиной, собака, которой в рассказе и места-то почти не уделено, которая неизвестно где находилась в грешные часы, которые проводил Гуров в номере гостиницы с Анной Сергеевной, собака, с которой Гуров не попрощался, словно не заметив, на вокзале (нам ничего об этом не сказано, словно она невидима), — эта ничтожная декоративная собачка вдруг становится личностью, важным, дорогим существом, способным взволновать до сердцебиения. Собака больше не часть равнодушной природы, в которой «все прекрасно», она почти человек.

Гуров едет в театр, рассчитывая встретить там Анну Сергеевну, и она правда оказывается там.

«Когда Гуров взглянул на нее, то сердце у него сжалось, и он понял ясно, что для него теперь на всем свете нет ближе, дороже и важнее человека; она, затерявшаяся в провинциальной толпе, эта маленькая женщина, ничем не замечательная, с вульгарною лорнеткой в руках, наполняла теперь всю его жизнь, была его горем, радостью, единственным счастьем, какого он теперь желал для себя; и под звуки плохого оркестра, дрянных обывательских скрипок он думал о том, как она хороша. Думал и мечтал».

С чеховским героем происходит ПРЕОБРАЖЕНИЕ, без всякой причины, без всякого объяснения, нипочему. Эта, самая большая и таинственная правда, которая известна, наверное, каждому, не объяснима ничем, кроме вмешательства сил метафизических, духовных, тех, что выше нас, тех, что могут невидимо «постучать в дверь». «Ничем не замечательная» Анна Сергеевна, непонятно почему полюбившая Гурова и необъяснимо необходимая ему, заменившая весь мир, — один из самых прекрасных и волнующих персонажей в литературе, а рассказ «Дама с собачкой» по праву считается шедевром, хотя что в нем такого происходит? Да ничего, кроме чуда. После того как Гуров осознает, что не может жить без Анны Сергеевны, встречи их — на этот раз в Москве, куда она тайно приезжает, — на первый взгляд, бесконечно скучны, банальны, пошлы, неотличимы от их южных встреч, разве что тогда сияло солнце, а сейчас идет мокрый снег. Но это именно на первый взгляд. Герои делают все то же, что делали и тогда: Анна Сергеевна плачет, а Гуров терпеливо пережидает, пока она наплачется. Тогда, на юге, он ел холодный арбуз, а теперь, на севере, он пьет горячий чай. Внешнее уличное тепло сменяется холодом, а внутреннее, интимное, наоборот: холод становится теплом. Герои стали другими.

Русская классическая литература стыдлива и целомудренна в описании сцен любви, но Чехов оставляет подробности адюльтера вне поля зрения читателя не по этой причине, а просто потому, что адюльтер тут ни при чем. Эротическая притягательность объекта страсти, волнующая внешность, душевные страсти, от самых восторженных до самых мрачных, в русской литературе представлены достаточно широко и подробно. Русская литературная традиция знает (во всяком случае, знала раньше), что техническое описание процесса совокупления, физиологические подробности, занимающие такое важное место в литературе западной, да, впрочем, и восточной, не могут передать внутренних ощущений, эмоций, переживаний героев. Технические упражнения, телесная эквилибристика — необходимая и прекрасная часть любовного акта — остаются за рамкой текста, возможно, потому, что они не индивидуальны, неличностны, предсказуемы, механистичны, повторяемы, воспроизводимы, заранее известны, они суть часть Большой Природы и сами по себе не отмечены таинственным отпечатком этического, личного, интимного божества. Совокупление роднит нас с животными, с растениями, с рептилиями, с безличным родовым началом, с морем, которое «теперь шумит и будет шуметь так же равнодушно и глухо, когда нас не будет». И недаром Гуров вспоминает о безымянных женщинах, которые прошли через его жизнь до встречи с Анной Сергеевной, так: «и когда Гуров охладевал к ним, то красота их возбуждала в нем ненависть, и кружева на их белье казались ему тогда похожими на чешую».

Совершенно неважно, по большому счету, что Гуров и Анна Сергеевна «согрешили», и если кто-либо хотел бы подробностей того, как именно это происходило на юге и на севере, никому не возбраняется пустить в ход воображение и представить себе любые, самые смелые акробатические кувыркания. Здесь нет тайны — вот и нечего описывать. Тайна — в том преображении, в том превращении, в том непонятном и беспричинном, что случилось с героями, и замечательно то, что Чехов ее ТОЖЕ НЕ ОПИСЫВА-ЕТ. Он не может ее описать, как не может, не способен, не в состоянии описать ни один из самых гениальных писателей. Ибо это есть Чудо, это выше всякого понимания, и описать этого нельзя.

Чехов делает то возможное, что доступно писателю: он описывает состояние «до» и состояние «после» того, как кто-то словно бы постучал в дверь. Рассказ делится на две почти одинаковые половины, зеркально отраженные одна в другой: юг — север, холод — тепло, пустота — полнота, неживое — живое, равнодушие — сердцебиение, нелюбовь — любовь. И в первой, и во второй половинах рассказа плачет в гостиничном номере женщина, а мужчина ест, дожидаясь, пока она закончит это делать. Но если в начале рассказа, до невидимой черты, в комнате присутствуют «скука», «раздражение», «уныние», «печаль», то в конце их место занимают «прощение», «сострадание», «искренность», «нежность», «любовь».

Этот невидимый переход, этот неслышный «стук в дверь», это посещение — одно из самых поразительных описаний того, как между нами, неразличимый внешним зрением, ходит ангел любви; одна из самых достоверных фотографий, на которой ничего не изображено, но все отчетливо видно.

Вопреки расхожему мнению, неглубокому, как все расхожее, любовь существует не для продолжения человеческого рода. Одного взгляда на человечество достаточно, чтобы убедиться, что человечество, так же как и весь животный мир, прекрасно размножается без всякой любви, исключительно благодаря физиологическому инстинкту. Во всех обществах, во всех культурах любовь и брак существовали раздельно, сливаясь в одно только при исключительно редких и благоприятных обстоятельствах. Это не говоря уже о том, что во многих культурах любовь как условие для брака просто запрещается и для обеспечения этого запрета жених и невеста не имеют права видеть друг друга до свадьбы. Любовь часто бежит брака, любовь тяготится браком, и о каком размножении можно говорить при любви гомоэротической? Традиционное общество неодобрительно относится к такой любви, а также ко всем «странным» видам любви, например к любви к предметам (это сразу называется фетишизмом и рассматривается как нечто не вполне здоровое), к животным, к искусству, наконец, к Богу. Влюбленный ведет себя антисоциально, нарушает установившиеся табу, разрушает семьи, причиняет горе невинным детям, убивает, кончает с собой, повинуясь миллион раз описанной, но все еще не уясненной потребности делать так, а не иначе. Со стороны он выглядит странно, глупо и даже иногда неприятно. Поставить себя на его место может только тот, кому знакомо это чувство изнутри, да и то это сочувствие здорового больному. Чувства любящего обостренно индивидуальны, он видит и слышит иначе, чем другие, он действительно словно болен, но заразить своей болезнью он может лишь тот объект, на которого они направлены. Подменить объект нельзя, ведь он тоже совершенно уникальный, и, например, близнец любимого существа нам не годится, хотя бы он был неотличим от любимого.

Оскорбительное и, скажем даже, тупое бесчувствие «здорового» по отношению к «больному» сказалось в том непонимании, которым встретил чеховский рассказ его современник, Лев Толстой. 16 января 1900 года он записал в дневнике: «Читал «Даму с собачкой» Чехова. Это все Ницше. Люди, не выработавшие в себе ясного миросозерцания, разделяющего добро и зло. Прежде робели, искали; теперь же, думая, что они по ту сторону добра и зла, остаются по сю сторону, т.е. почти животные».

Это — поздний Толстой, воображающий, что «миросозерцание» может удержать от порыва страсти, осуждающий природу за то, что она — природа, а не ясная, разумная позиция. Впрочем, на то он и поздний, на то и старик, на то и Толстой: уже тридцать лет как он сам борется с живыми страстями, сначала своими собственными, а потом и с чужими, но побороть никак не может. Удивительна же эта запись потому, что принадлежит перу автора «Анны Карениной», поставившего к роману эпиграф: «Мне отмщение, и Аз воздам», а теперь забывшего, что воздаст действительно Бог, а не перегоревший и много грешивший старик из Ясной Поляны. Удивительна она и потому, что усмотреть в отношениях чеховских персонажей ницшеанство и торжество животного начала может только безумный. Или, наоборот, слишком разумный человек, разумный до бесчувствия. Словно бы Толстой не прочел чеховскую фразу в финале рассказа: «Прежде, в грустные минуты, он [Гуров] успокаивал себя всякими рассуждениями, какие только приходили ему в голову, теперь же ему было не до рассуждений, он чувствовал глубокое сострадание, хотелось быть искренним, нежным…»

Однако надо вернуться к вопросу, заданному нами в самом начале: почему же в равнодушии природы — залог спасения? Спасения от чего? В чем гибель, от которой мы хотим спастись?

И ответ, как ни странно, будет такой: гибель — в любви. Равнодушие природы — залог спасения от любви, обещание, что все пройдет и любовь тоже пройдет.

Недаром, недаром этот рассказ так мучительно волнует, так неуловимо печален, так воздушно прослоен оговорками, недомолвками, оброненным то тут, то там странным, неожиданным словом, словно бы попавшим в текст по ошибке. Это — Чехов, двухслойный, трехслойный, не дающийся в руки, как отражение на воде. Чехов, никогда ничего не утверждающий, не дающий клятв и не осуждающий, отменяющий только что сказанное, перетекающий из одного невидимого сосуда в другой, едва заметный глазу; это Чехов, прихотливо, как дым, меняющий свое направление, упорно и постоянно превращающийся, словно по законам некоей химической реакции, про которую мы все время забываем, хотели бы забыть. Никогда Чехов не написал ни одного рассказа на тему: «Поженились — и жили счастливо», это для него невозможно. В самом сердце счастья зреет горе, в самом желанном и блаженном чувстве заложена гибель самого чувства; из каждого начала виден конец.

«Вы должны уехать... — продолжала Анна Сергеевна шепотом. — ...Я никогда не была счастлива, я теперь несчастна и никогда, никогда не буду счастлива, никогда! Не заставляйте же меня страдать еще больше! Клянусь, я приеду в Москву. А теперь расстанемся! Мой милый, добрый, дорогой мой, расстанемся!

Она пожала ему руку и стала быстро спускаться вниз, все оглядываясь на него, и по глазам ее было видно, что она в самом деле не была счастлива».

«...Она плакала от волнения, от скорбного сознания, что их жизнь так печально сложилась; они видятся только тайно, скрываются от людей как воры! Разве жизнь их не разбита?»

«Для него было очевидно, что эта их любовь кончится еще не скоро, неизвестно когда. Анна Сергеевна привязывалась к нему все сильнее, обожала его, и было бы немыслимо сказать ей, что все это должно же иметь когда-нибудь конец».

«Потом они долго советовались, говорили о том, как избавить себя от необходимости прятаться, обманывать, жить в разных городах, не видеться подолгу. Как освободиться от этих невыносимых пут?

— Как? Как? — спрашивал он, хватая себя за голову. — Как?»

Никак. Спасение — в забвении, в смерти чувства, в смерти любви. Спасение в том, что «так шумело внизу, когда еще тут не было ни Ялты, ни Ореанды, теперь шумит и будет шуметь так же равнодушно и глухо, когда нас не будет». Спасение — в полном равнодушии древнего как мир моря к жизни и смерти каждого из нас. «Непрерывное движение жизни на земле, непрерывное совершенство» возможно не для отдельного человека, а лишь для расы людей, для множества таких разных и таких похожих, таких повторяющихся женщин и мужчин, с собачками и без собачек, плачущих о своей земной клетке, о жажде счастья и терпеливо пережидающих эти слезы. Спасение в том, чтобы выпасть из мучительной и чудесной ловушки, в которую неизвестно почему поймал тебя тот, кто постучал в дверь, в том, что выход есть, выход горький, двусмысленный, выход через смерть.

«Что-то в ней есть жалкое все-таки», — подумал он и стал засыпать». С этой мыслью Гуров впускает Анну Сергеевну в свою жизнь, с этой мыслью, может быть, он и проводит ее, когда настанет срок, потому что «все это должно же иметь когда-нибудь конец», и дверь открыта, и нужные слова лежат наготове. Дерево еще в цвету, но секира лежит у корней.

Всмотревшись в текст, мы с ужасом обнаруживаем возможность смерти, ее тень, трупные пятна, проступающие сквозь цветущий румянец: да, несомненно, они тут. Эта мысль невыносима для сердца, мы не хотим, чтобы умерла любовь Гурова и Анны Сергеевны. Мы очень просим кого-то, чтобы этого не случилось. Ведь это едва ли не единственный рассказ Чехова, где люди наконец глубоко полюбили друг друга. Но Чехов двоится и ускользает от ответа и здесь: смерть возможна, но не обязательна, может быть, ничего плохого и не случится, может быть, эти двое удержатся и не умрут, может быть, только они двое и окажутся бессмертными... во всяком случае, времени еще много, путь еще долог. «И казалось, что еще немного — и решение будет найдено, и тогда начнется новая, прекрасная жизнь: и обоим было ясно, что до конца еще далеко-далеко и что самое сложное и трудное только еще начинается». Этой двусмысленной в каждом слове, «муаровой», одновременно безутешной и утешительной фразой заканчивается рассказ.

Через одиннадцать лет после Чехова, когда писателя уже не было на свете, другой писатель, Томас Манн, пришлет другого персонажа, Ашенбаха, умирать у другого моря, в Венецию. С Ашенбахом тоже совершенно неожиданно случится прекрасное и ужасное событие: он полюбит, тоже впервые в жизни, и эта любовь, запретная и разрушительная, не найдя себе выхода, убьет его. Люди решат, что убила его болезнь, невидимо идущая по городам и побережью, но люди всегда все видят неправильно. Перед самой смертью «...ему чудилось, что бледный и стройный психагог издалека шлет ему улыбку, кивает ему, сняв руку с бедра, указует ею вдаль и уносится в роковое необозримое пространство».

В то море, наверно, куда все когда-нибудь вернутся?

ЛИЛИТ

НЕБО В АЛМАЗАХ

Очевидцы в один голос описывают изумительную погоду, стоявшую в ту ночь, когда самый большой плавучий предмет из созданных человеческими руками, «Титаник», на полном ходу несся по водам Северной Атлантики — из Саутхемптона в Нью-Йорк. Было 14 апреля 1912 года, близилась полночь по местному времени. Океан лежал гладкий, как пруд, как лужа черного масла, как зеркало. Прозрачность ночного воздуха была такой, что звезды — казалось, их было больше, чем темных участков на небосводе, — заходили за горизонт не сразу, а как будто частями, по четвертям. Было воскресенье. Кто-то уже уютненько спал, кто-то сидел в кресле с книжкой, в кафе «Паризьен» шла небольшая вечеринка для своих, в курительной комнате собрались игроки в бридж. Двадцать новобрачных пар упивались радостями медового месяца. В кабине второго класса глупая баба, мать семилетней Эвы Харт, опять принялась за свое: отоспавшись днем, она уселась ждать, когда корабль потонет, и так четвертую ночь подряд, господа. Ей же говорили, объясняли, что этот корабль — непотопляемый, так нет же, она заявила, что это — вызов Богу, что таких слов произносить нельзя, что корабль никогда не доплывет до цели, а потонет, и непременно ночью. Харт, строитель, ехал с семьей в Виннипег начинать новую жизнь в Новом Свете, и дурь жены его раздражала.

В этом году в Арктике установилась необычно теплая погода — тридцать лет такой не было, и от ледника, толстой корой сковавшего северные воды, одна за другой стали откалываться ледяные горы. Холодное течение Лабрадор относило их к югу, где погода была холоднее, чем на севере — такое вот явление природы, — и айсберги не таяли. Из Европы в Америку тем же маршрутом шло много кораблей. Встречая на пути айсберг, капитан судна посылал радиограмму (маркониграмму, как тогда говорили) капитанам других судов. Чудесное изобретение господина Маркони — «беспроволочный телеграф» — было, конечно, установлено и на «Титанике». Но капитан «Титаника» Э. Дж. Смит не очень волновался — ведь его корабль был непотопляемым, не то что другие. Так что новинка техники в основном использовалась для того, чтобы пассажиры могли послать радиограмму друзьям, похвастаться, что плывут на самом большом, самом роскошном, самом удобном и безопасном корабле в мире. Радиограмма стоила недешево, но на «Титанике» было много людей, которые могли себе позволить невинное удовольствие подразнить приятелей и родню: мы плывем, а вы нет. Жаль, что вас нет с нами. Завидуйте. Посланий скопилось столько, что радист Филипс еле управлялся отстукивать приветственную морзянку. К вечеру радиосигналы особенно хорошо и далеко проходили, поэтому всякие глупые сообщения о встреченных айсбергах его стали раздражать. Еще в 9 утра 14 апреля пришло сообщение — он передал его капитану. В 11.40 — еще одно. В 13.42 — еще. Передал и это. Сколько же можно? И когда через три минуты, в 13.45, пришло очередное сообщение, Филипс и передавать его не стал.

Мать Эвы Харт не зря боялась гнева Господня; как известно, когда Бог хочет погубить человека, он лишает его разума. Так, капитан Смит последнюю из полученных им марконниграмм не объявил команде, а взял с собой, идя на ланч. По дороге он встретил председателя компании «Уайт Стар» Дж. Исмэя и, как бы лишившись разума, отдал ему. Тот, по тому же необъяснимому сценарию, сунул сообщение в карман, где оно и провалялось пять с половиной часов, до ужина.

Капитана Смита на последний ужин в его жизни пригласила чета Уайденер. Они были богатыми людьми: у Элеонор Уайденер, например, было жемчужное ожерелье стоимостью 4 миллиона долларов на теперешние деньги. Ужин был изысканный, а-ля карт. В ресторане было тепло, а снаружи температура быстро падала: корабль на всех парах несся к ледяным полям. В 19.30 пришла еще одна радиограмма. Помощник радиста Брайд отнес ее на капитанский мостик и кому-то сунул, но кому — после не мог вспомнить. Наконец в 21.40 пришло сообщение с корабля «Месаба». Оно содержало точные координаты того айсберга, до которого «Титанику» оставалось ровно два часа ходу. Филипс отбросил марконниграмму в сторону. Разум покинул и его. В 23.00 громкий сигнал с «Калифорнийца» прервал увлеченного работой Филипса: «Калифорниец» сообщал, что встал во льдах. Разъяренный Филипс отбил в эфир: «Заткнись, заткнись! Ты глушишь мой сигнал!» — и вырубил помеху прежде, чем радиооператор успел сообщить свои координаты. Тот прождал еще четверть часа, но связи не дождался.

Температура упала ниже нуля, море было как черный шелк, и Лоренс Бизли, самый поэтичный пассажир, с чувством космического восторга и ужаса смотрел, как купол неба, перевернувшись, отражен в зеркальном противокуполе воды: словно бы моря и вовсе не было, словно бы корабль, сияя огнями десяти палуб, несется в алмазной бездне, полной миллиардов огромных немерцающих звезд.

НЕПРЕВЗОЙДЕННАЯ РОСКОШЬ

Не только Уайденеры и капитан Смит хорошо покушали перед смертью в ресторане а-ля карт; сервис в обычном ресторане первого класса тоже был прекрасным. 14 апреля подавали обед (то есть ужин) из семи перемен: устрицы, филе миньон, куриное соте, утка, паштет из гусиной печенки, спаржа и многое другое; четыре вида десерта — например, персики в желе из шартреза. Второй класс (девочку Эву, ее нервную маму и спокойного папу) тоже не обидели: прозрачный суп, рыбное блюдо, на второе — на выбор: курица с рисом и карри, или весенний барашек, или жаркое из индюшки с овощами. На десерт можно было взять кокосовый сандвич, а можно — винное желе, а то — американское мороженое, а не хочешь — бери плам-пудинг. Потом, конечно, орехи, фрукты, сыр, печенье, кофе. У третьего класса выбор блюд был поменьше, зато порции огромные. На «Титанике» были две самые большие в мире плиты, каждая с 19 духовками. Да что там, корабль вез 75 000 фунтов мяса, 11 000 фунтов свежей рыбы, 2 и 3/4 тонны помидоров, 50 ящиков грейпфрутов, луку, спаржи, сливок, винограда, лимонов без меры и счета. 1000 вилочек для устриц, 2000 ложечек для яиц всмятку, 1500 — для горчицы, 400 щипчиков для спаржи, 1500 вазочек для суфле. Одних ножниц для разрезания гроздьев винограда было сто штук. Сорок пять тысяч столовых салфеток. Восемьсот пуховых одеял. Пятьдесят тысяч пятьсот полотенец общим счетом. Все кухонное оборудование — миксеры, разрезалки, машинки для очистки картошки (ее взяли 40 тонн), мясорубки и прочее — было электрическое. Электричество еще считалось модной роскошью, им было оснащено все, что можно было оснастить. 10 000 светильников, 48 часов, 1500 звонков, почтовые и пассажирские лифты, 8 палубных кранов, турбины, вентиляция, беспроволочный телеграф; утюги, холодильники, нагреватели для воды, паровые свистки — все. Был установлен специальный таймер на случай густых туманов, чтобы свистки автоматически подавали сигнал каждые восемь-десять секунд, и для нервных пассажиров (вроде мамы Харт) были предусмотрены крошечные электрические ночнички, уютно горевшие в ночи наподобие свечек. «Титаник» был оснащен как лучший из возможных отелей или даже как маленький плавучий город. У корабля было 10 палуб, длина его была 882 фута 9 дюймов; водоизмещение — 66 000 тонн, мощность — 46 000 лошадиных сил. Впрочем, простому пассажиру, незнакомому с тонкостями кораблестроения, мощность или лошадиные силы ничего не говорят, а вот 300 штук щипцов для орехов, или 100 полоскательниц, или 5500 тарелок для мороженого представляются зримо, равно как и мебель в стиле трех Людовиков (а также в стиле итальянского Ренессанса, ампир, регентства и так далее), турецкие бани (и при них залы для «остывания» в арабском стиле XVII века) и зал для физических упражнений с аппаратами, имитирующими процесс гребли, езду на велосипеде и скачку на коне. Никто прежде не видывал такой роскоши на корабле, чем и гордилась компания «Уайт Стар». У конкурирующей компании «Кунард» корабли были, может быть, и быстрее, но поплоше, а главное, «Титаник» ведь был непотопляемым. Корпус корабля был двойным, наружная оболочка была сделана из стали дюймовой толщины, внутренняя — чуть тоньше, между ними мог спокойно пройти человек. На корпус пошло три миллиона железных заклепок, из них полмиллиона (весом 270 тонн) — только на днище. Корабль был разделен на 16 водонепроницаемых отсеков, разделенных 15 переборками. В переборках были расположены водонепроницаемые двери, приводившиеся в движение все тем же электричеством. В случае если корабль получит пробоину, капитан одним поворотом выключателя приведет двери в движение, и поврежденный отсек будет изолирован от остальной части судна. Даже при двух полностью затопленных отсеках корабль останется на плаву, — восхищались газеты, в том числе и специализированный орган «Кораблестроитель». О том, что будет, если вода затопит хотя бы три отсека, как-то не говорилось.

ПРЕДЧУВСТВИЯ И ПРЕДСКАЗАНИЯ

Приятно нестись сквозь ночь по гладкой воде при хорошей погоде, — только легчайшая дрожь корпуса, потому что там, внизу, работают мощные турбины, — но к этому быстро привыкаешь. Да и вообще жить хорошо и приятно. Едем на новом, надежном корабле, воплотившем все достижения цивилизации. Войны нет, а скоро и вообще войн не будет. На корабле, например, едет знаменитый журналист Уильям Стэд — едет на конференцию в Америку, чтобы сделать доклад о прекращении войн во всем мире навсегда. Первый класс доволен жизнью, потому что богат, второй и третий — исполнены надежд на новую жизнь в Новом Свете. Многие сначала зарезервировали места на другие судна, но из-за забастовки угольщиков пароходы не ходят — угля нет, и пассажиров, к их восторгу, перевели на «Титаник». А третий класс на «Титанике» роскошней, чем первый на других судах! Повезло! Всего на корабле едут 2207 человек, включая команду. Это на 1000 с лишним человек меньше, чем ожидалось, и пароходная компания этим, понятно, несколько огорчена. 55 человек в последний момент отменили резервацию на корабль. Причины самые разные: у кого жена растянула лодыжку, кто опоздал, один член команды нанялся на корабль и на радостях так напился в кабаке, что его обокрал завистливый собутыльник: вытащил у него документы и сам явился на судно под фальшивым именем. Проспавшись, обворованный матрос долго материл свое невезение, грозил кулаком горизонту и с горя пил еще месяц, прежде чем вернуться домой к маме.

Но немало было и тех, кто, подобно миссис Харт, был внезапно охвачен страхом и мистическими предчувствиями. Кто-то просто не доверял новой технике и необкатанному судну, но одна филадельфийская пара, например, предвкушавшая морское путешествие на роскошном новом лайнере, поменяла билеты после того, как жена внезапно почувствовала необъяснимый ужас и, к неудовольствию мужа, умолила его сесть на другой корабль. Мать фермера, собравшегося эмигрировать в Америку, три ночи подряд видела сон, что корабль тонет, и уговорила сына переждать. Другой человек добился долгожданной работы на «Титанике» и уже выехал в Саутхемптон (порт отправки), но, охваченный предчувствием, вернулся домой с полдороги. На корабле ехало несколько человек, чьи матери или друзья, тоже видевшие странные сны или просто испытавшие чувство необъяснимого страха, уговаривали их остаться, но они не послушались суеверных советчиков. И наоборот: некая миссис Бакнелл «так и знала», что корабль утонет, и не хотела ехать, но ее уговорили друзья. Накануне столкновения, за ужином, она только и говорила, что о своем страхе. Предчувствия были и у тех, кто и не собирался плыть. Самый странный из документированных случаев — предсказание некой Бланш Маршалл, которая вместе с друзьями смотрела, как «Титаник» проплыл мимо острова Уайт вскоре после выхода из Саутхемптона. «Этот корабль утонет, не достигнув Америки», — сказала она, и когда ей напомнили, что он ведь непотопляемый, воскликнула: «Разве вы слепые, разве вы не видите сотни людей, барахтающихся в ледяной воде?»

(Через три года г-жа Маршалл таким же необъяснимым образом точно предсказала гибель «Лузитании», пропоротой немецкой торпедой.) Но мало того: рабочие-католики на верфи Белфаста, где строился «Титаник», увидели дурное предзнаменование в номере корабля: 3909 04, — если прочитать номер в зеркальном изображении (зачем бы это?), то при некотором воображении можно прочесть слова: NO POPE, то есть «Без Папы» — непереносимая весть для добрых католиков. Но мало и этого: ни с того ни с сего газета «Белфаст морнинг ньюс» еще в июне 1911 года написала следующее: «Трудно понять, почему владельцы и строители корабля нарекли его «Титаником». Ведь титаны были мифическими существами, возомнившими, что они достигли власти и знания больших, чем сам Зевс, и это их погубило. Зевс низвергнул сильных и дерзких титанов громовыми ударами; местом их последнего упокоения стала мрачная бездна, тьма, лежащая ниже глубочайших глубин Тартара». Но мало и этого: за 14 лет до катастрофы, в 1898 году, некий Морган Робертсон написал плохой, копеечный фантастический роман, в котором корабль под названием «Титан», выйдя из Саутхемптона в Нью-Йорк с 2000 людей на борту, тонет в апрельскую ночь, столкнувшись с айсбергом, и все пассажиры гибнут из-за нехватки посадочных мест в спасательных шлюпках. Но и этого мало: тот самый Стэд, который едет на «Титанике» на мирную конференцию, сам написал роман еще в 1892 году; в этом романе тоже тонет корабль, столкнувшись с айсбергом в Атлантике. Пассажиров подбирает другое судно, капитана которого зовут Э. Дж. Смит, — точно так, как будут звать капитана «Титаника» через 20 лет. (Стэд до Америки не доедет.) Кроме того, в Ливерпуле (порте приписки «Титаника») в девять часов вечера 15 апреля внезапно и по неизвестной причине упало напряжение и отключилось электричество во всем городе почти на час.

Может быть, нервные люди перед любым рейсом любого судна видят стандартные сны о катастрофах, может быть, мисс Маршалл вообще имела привычку предрекать гибель всякому проходящему кораблю, может быть, столкновение с айсбергом — основная причина гибели атлантических судов (не морской же змей утягивает корабли на дно), — тем не менее фольклор, сложившийся вокруг «Титаника», с годами только окреп, и известный жанр «мистика загадочных тайн» буйно цветет на обломках трагедии века. Вот еще одно питательное блюдо для любителей потустороннего: в апреле 1935 года в том же районе Атлантики матрос Ривз с корабля «Титаниан» внезапно ощутил «необъяснимое чувство» и закричал: «Опасность впереди!» — прежде, чем айсберг выплыл из мрака; «Титаниан» еле избежал столкновения; чуткий матрос Ривз был рожден на свет 15 апреля 1912 года, в роковую ночь.

ЧЕРНЫЙ АЙСБЕРГ

Впередсмотрящие на вахте всматривались в звездный горизонт, корабль несся вперед со скоростью 21 1/2 узла, то есть около 40 км/час. Перед отплытием вахтенные прошли медосмотр, но зрение им не проверяли. И бинокля им не дали. После, во время расследования, шли разговоры о том, что «бинокль может улучшать зрение», да, собственно, один из вахтенных, как выяснилось, подавал рапорт с просьбой выдать этот несложный прибор, но просьбу проигнорировали. Ведь это не ложечка для горчицы и не полоскательница для рук — обойдется. Гляди в оба! Он и глядел. И, внезапно осознав, что часть звезд на небосклоне словно бы исчезла, вытесненная куском мрака, — закричал и позвонил по телефону в рубку, и прозвучала команда «право руля» (при этом корабль, в отличие от современного автомобиля, поворачивал влево), и моторы были остановлены, но было уже поздно. «Титаник» на всем ходу процарапал правый борт о подводную часть айсберга. Ему не хватило 15 секунд.

Пассажиры почти ничего не ощутили, спавшие не проснулись. У игрока в бридж расплескалась рюмка с коктей-

346

лем, другие просто ощутили легчайшую дрожь. Кто-то услышал шорох, будто днище прошуршало «по тысяче камушков». Заметили скорее другое: наступившую тишину. Богатые пассажиры с интересом выглянули на широкую палубу первого класса. «Отчего стоим?» — «Ничего страшного: айсберг». Забавно. От столкновения куски льда осыпали палубу с правого борта. Кто помоложе, принялись кидаться снежками, как дома. Другие вернулись к напиткам и книжкам.

Капитан Смит, строитель «Титаника» Эндрюз и кочегар пошли посмотреть на пробоину. Конечно, водонепроницаемые электродвери уже были закрыты. (Это было роковой ошибкой, такой же, как поворот право руля.) Вода хлестала в пропоротую обшивку. «Это плохо?» — спросил капитан. «Очень плохо». — «Насколько плохо?» Эндрюз, строивший корабль и знавший про него все, сказал: повреждено шесть отсеков. Корабль утонет. Времени осталось часа два. Надо без паники выгружать в шлюпки пассажиров — женщин и детей, конечно. Посадочных мест в шлюпках хватило бы только на треть пассажиров, и Эндрюз это знал.

Эвакуация сначала шла неспешно и галантно, почти без паники. Никто не понимал, что и зачем происходит, никому не было сказано, в чем дело, многие сопротивлялись посадке в шлюпки: море холодное и неверное, а на корабле тепло и уютно, но раз так надо… Мать Эвы Харт, которая «так и знала», была готова. Она немедленно потащила мужа и дочь к лодкам, женщин пропустили, мужа, конечно, нет. «Слушайся маму!» — напутствовал дочку строитель — и больше его никто не видел. Приказ «только женщины и дети» по-разному был интерпретирован офицерами команды на левом и правом борту: в одном случае, когда женщин в поле зрения больше не было, сажали и мужчин, в другом понимали приказ буквально и мужчин вообще не допускали в шлюпки. Мужчинами (о, британская честь!) считались мальчики старше восьми лет. Один такой мальчик забрался в лодку, где сидела Эва, и офицер вышвырнул его назад, на борт, плачущего; среди спасенных мальчика не было. Садиться в лодку было страшно: толчками, переваливаясь то на нос, то на корму, они спускались с борта, как с высоты десятиэтажного дома, — одна переполненная сверх нормы, другая полупустая; а за ней уже шла другая, грозя раздавить своей тяжестью, а тут вдруг самые умные и самые негалантные из мужчин поняли, что происходит, и стали прыгать с высоты в шлюпки, а тут вдруг выяснилось, что перепуганный и плохо оповещенный третий класс рванул на палубы, — а ведь там дикие люди, итальянцы, эмигранты, по-нашему не понимают и вообще; паника нарастала, решетки, отгораживавшие третий класс от второго, были заперты, корабль стал крениться на нос и налево, третий класс завыл и застучал в решетки, кто-то бросился в обход, кто-то, прорвавшись к палубе, стал прыгать с борта в замерзающую воду, матери волокли детей, матросы отдирали матерей от детских рук, если дети были мальчиками, председатель компании «Уайт Стар» Исмэй с женой и секретаршей прыгнул в шлюпку и приказал грести — шлюпка отошла полупустая, из 65 мест заполнено было только 12. Некоторые жены не хотели оставить мужей — кого-то оторвали силком, на кого-то махнули рукой. Корабль наполовину ушел в воду, кренясь все сильнее. «Теперь каждый за себя!» — объявил капитан тому, кто мог это услышать. Огни горели до конца, матросы пускали сигнальные ракеты, радист Филипс отстукивал морзянку и стал первым человеком, пославшим сигнал SOS — новинку, недавно введенную и впервые опробованную на «Титанике». Какой-то безумец ворвался в радиорубку и стал срывать спасательный жилет с Филипса; Филипс и его помощник Брайд убили его. На борту офицер застрелил двух обезумевших пассажиров и немедленно застрелился сам. Все шлюпки теперь поспешно отгребали от корабля, боясь быть затянутыми в воронку. Оркестр «Титаника» — все мужчины, конечно, — играл вальсы. Корма корабля поднялась вверх на необозримую высоту под углом в 45 градусов. Люди, вцепившиеся в поручни, стали отрываться и падать в воду. Тут наконец погасли огни, раздался страшный треск, и кормовая часть судна обломилась и рухнула в океан. Носовая, наполнившись наконец водой, нырнула на четырехкилометровую глубину, взрываясь котлами, ломая трубы, унося с собой бедняков, итальянцев, кочегаров, увлекая на дно шестьдесят запертых поваров, только что бережно подрумянивавших филе миньон и заливавших желейным сиропом персики для тех, кто теперь греб во тьму, подальше от страшных криков, от напрасных воплей о помощи. Через две минуты кормовая часть, набрав воды, нырнула вслед за носовой. Она была меньше, воздушного пузыря в ней не было, скорость ее была как у хорошей машины на шоссе: обе части «Титаника» достигли дна одновременно. Страшный удар о дно вогнал носовую часть в океанское дно на глубину 50 футов; она разломилась пополам еще раз. На бешеной скорости в нее врезалась корма, и — вместе с этим — увлекаемая кораблем за собой толща воды, которая ударилась об остановившиеся в разбеге обломки и окончательно сплющила палубы в слоеный пирог, скрутила башенные электрокраны веревочкой, придавила труп корабля и рассеялась в океане.

Наверху стоял страшный, долгий получасовой крик. Попадавшие в ледяную воду хватались в кромешной тьме за обломки и мусор, за стулья, за пробковые плоты, друг за друга. Люди в лодках держались на расстоянии. Жена председателя компании Исмэя причитала: «О, мой халатик, мой чудный халатик!» — халатик погиб с «Титаником». Кто-то из матросов на веслах предложил подъехать и попробовать спасти хоть кого-нибудь из тонущих, но супруги воспротивились: ведь тонущие имеют привычку хвататься за борта и могут перевернуть лодку. Позже, во время публичного расследования, Исмэи подтвердили, что крики слышны были еще полчаса (пока люди не замерзли насмерть в ледяной воде), но они были слишком расстроены, и им было о чем подумать, так что им как-то не пришло в голову поехать на крики, а никакого злого умысла тут, поверьте, не было. В других лодках были свои драмы: кто-то замерз прямо в лодке, стоя по колено в ледяной воде, и пришлось выбросить их трупы в море; матросы одной из шлюпок не умели грести (это был их первый рейс в жизни), и тогда светские дамы сели на весла и распорядились ситуацией с честью: отдали шубы раздетым, согрели младенцев, прикрикнули на перепуганных мужчин. К утру подошел корабль «Карпатия», принявший на борт оставшихся в живых. Из полутора тысяч оставленных на борту спаслись сорок человек. Тот, кто не был заперт в корабле, кого не утянуло в воронку, окоченели в воде. Спаслись счастливчики; здоровые; сильные; спасся и член команды, осознавший, что происходит и бросившийся в недоступный прежде бар первого класса, чтобы на халяву выпить стакан виски. Из пассажиров первого класса погибло 6 процентов женщин и детей (в основном те, кто отказался сесть в лодки), из третьего — 58. Из двадцати пар новобрачных спаслась одна; девятнадцать молодых жен вернулись на берег вдовами. Радист Филипс погиб, погиб и капитан Смит, погиб весь оркестр. Девочка Эва спаслась, прожила долгую жизнь и умерла в 1996 году.

РАССЛЕДОВАНИЕ

Расследование не окончено до сих пор. Кое-что до сих пор неясно: так, всего в нескольких милях от гибнущего «Титаника» тонущие видели огни другого, «загадочного» корабля, который постоял-постоял да и скрылся; что это было — неизвестно. То ли это было браконьерское шведское судно, испугавшееся морской инспекции и быстро скрывшееся в ночи, то ли «Калифорниец», застрявший во льдах, чей капитан и команда вроде бы видели и ракеты, и странность накренившихся мачтовых огней, позевали-позевали, решили: «должон быть «Титаник», больше некому» — и легли спать; не наше дело; то ли — для вечно суеверных — «Летучий Голландец», что всегда проплывает мимо обреченных, предвещая гибель? Кое-что, конечно, прояснилось, например, то, что корпус роскошного и непотопляемого был сделан из низкокачественной стали с большим содержанием серы: такая сталь становится хрупкой при низких температурах. Ошибкой признаны и действия команды: если бы корабль ударился об айсберг носом, то затоплены были бы от силы два передних отсека, и корабль остался бы на плаву, но кто мог знать? И кто мог сообразить, что водонепроницаемые двери лучше было оставить открытыми, — тогда вода ровно распределилась бы по днищу, и корабль лег бы «на ровный киль», а не черпал носом воду, при том что вода, под напором, перехлестывала через невысокие переборки и переливалась из отсека в отсек. Выжившие члены команды жаловались на несчастливое стечение обстоятельств: ни рябинки на воде, ни ветерка; а ведь при малейшем дуновении очертания айсберга, говорили они, очерчены сияющей линией. И повернулся он к ним не белой стороной, а черной, а черное в черноте ночи не видать. Конечно, не надо было гнать с такой скоростью, нельзя было пренебрегать радиограммами (здесь преступная небрежность становится необъяснимой), надо было дать вахтенным бинокли, надо было провести тренировку плавсостава и пассажиров с утра 14 апреля, как было предусмотрено, чтобы каждый знал, что делать, если... Надо было иметь достаточно шлюпок. (Еще в 1909 году, когда корабль был только задуман, на обсуждение декора, по показаниям очевидца, было потрачено четыре часа, на обсуждение числа мест в шлюпках — 5—10 минут.) Не надо было отпускать их в море полупустыми, не надо было запирать третий класс как скот, не давая людям ни шанса выжить... но это уже не техническая, а моральная проблема.

И если с тех пор на кораблях броня крепка, а посадочных мест в шлюпках вволю, если радиосвязь не отвлекается на праздные пустяки, если береговая служба обязана своим рождением «Титанику», если все техническое становится все лучше и лучше, — можно ли извлечь какой-нибудь нравственный урок из гибели «Титаника»? Жена председателя оплакивала халатик под крики тонущих. Что же про это думать: богатая гадина, все они такие? А миллионерша Ида Страус отказалась сесть в лодку без своего мужа: всю жизнь жили вместе, вместе и погибнем; сжалившись над стариками, офицер предложил сесть в лодку и Исидору Страусу, обоим вместе, но старик отказался: не хочу привилегий; обнявшись, миллионеры пошли на дно. За оставшимися в каюте вещичками побежали богатый и бедный: оба не вернулись назад. Капитан Смит своими действиями погубил себя и других; последнее, что о нем вспоминают, — это то, что он подплыл к перегруженной лодке с младенцем в руках, передал младенца матросам, отказался забраться в шлюпку, махнул рукой и уплыл во тьму, и больше его не видели. Спасшиеся предъявили счет пароходной компании. Миссис Кардеза заполнила 14 страниц требований на сумму 177 тысяч долларов (помножьте на шесть с половиной, чтобы получить сегодняшние цены). Эдвина Траут — на 8 шиллингов 5 пенсов: вместе с кораблем и полутора тысячами живых душ утонула ее машинка для изготовления мармелада. Мистер Дэниел потребовал вернуть деньги за призового бульдога, а Элла Уайт — за четырех кур. И чье же горе горше? И какой из этого сделать вывод? Кто лучше: женщины или мужчины? Богатые или бедные? Пьяные или трезвые?

После «Титаника» была Первая мировая война (ведь великий журналист Стэд так и не доехал на мирную конференцию), а потом европейская и русская история, а потом Вторая мировая война, а потом (и во время) еще много чего было, и у них, и особенно у нас, и кто решится сказать, что вот сейчас, в эту минуту, не тонет очередной невидимый «Титаник» с плачущими мальчиками и мармеладными, дорогими чьему-то сердцу машинками? И никакой, ну никакой морали мне из этого не извлечь.

АНАСТАСИЯ, ИЛИ ЖИЗНЬ ПОСЛЕ СМЕРТИ

Кто бы ни была эта женщина, ее жизнь начинает достоверный отсчет с минуты, которая должна была стать для нее последней: 17 февраля 1920 года в Берлине она бросилась с моста в Ландверский канал. Ее вытащили, передали полиции, расспрашивали, допрашивали, на нее кричали — она упорно молчала и была отправлена в госпиталь для умалишенных, где и провела два года, зарегистрированная как «фройляйн Неизвестная». Молодая женщина находилась в глубокой депрессии: целыми днями она лежала без движения, повернувшись лицом к стене, не ела и не спала, а если засыпала, то ее мучили кошмары. Боялась белых халатов, прессы, большевиков, пряталась под одеяло, сопротивлялась осмотру. Тело ее было покрыто множественными шрамами. На голове была вмятина. За ухом был шрам длиной 3,5 см, достаточно глубокий, чтобы в него мог войти палец. На ноге — звездообразный шрам (могущий соответствовать удару русского треугольного штыка), пронзивший ступню насквозь. В верхней челюсти — трещины, локоть размозжен. Она мучилась зубной болью, так что ей удалили семь или восемь передних зубов. Очевидно было, что кто-то ее убивал, да не убил, но после такой войны каких только калек не встретишь. Женщина сторонилась других больных,

354

но по ночам иногда разговаривала с сестрами: сестры в госпитале были добрыми и ласковыми. Говорила о своей любви к цветам и животным. По свидетельству одной сестры, она была склонна строить воздушные замки: воображала, что когда «времена переменятся», она купит поместье и будет кататься на лошадях, — но мало ли какие фантазии можно услышать в сумасшедшем доме. Другая сестра, Тея Малиновски, до того долго жившая в России, пришла к убеждению, что фройляйн Неизвестная принадлежит к русской аристократии: по-русски она говорила прекрасно, хотя и неохотно, и была отлично осведомлена в русских делах, особенно военных. Однажды ночью девушка будто бы вдруг рассказала ей, что она — не кто иная, как Ее Высочество Анастасия Николаевна, дочь Николая II, и поведала подробности о ночи расстрела в Екатеринбурге, о защитых в корсеты брильянтах, о том, как фрейлина бегала по подвалу, закрываясь от убийц подушкой и визжа, о том, как предводитель убийц расстрелял ее отца в упор, насмехаясь... Но Малиновски опубликовала свои записки много позже, в 1927 году, когда история Анастасии стала широко известной, и ее воспоминания ровным счетом ничего не доказывают. Такова уж была судьба Анастасии: ей было суждено прожить долгую жизнь, предоставить множество диковинных свидетельств о своем прошлом, поражать людей знанием мельчайших деталей жизни царской семьи, приобрести толпы сторонников и несметное число врагов, стать предметом двух многолетних судебных разбирательств и все же сойти в могилу в 1984 году такой же «фройляйн Неизвестной», какой ее вытащили из зимнего берлинского канала.

Так бы она и лежала в сумасшедшем доме, отвернувшись к стене, но некая Клара Пойтерт, тоже пациентка госпиталя, однажды листала иллюстрированные журналы, рассказывавшие о гибели царской семьи. Внезапно Клару осенило: «Вы — царская дочь, Татьяна!» Девушка зарыдала и закрыла лицо одеялом. Ага! — обрадовалась Клара. Так началась история Анастасии.

ИСТОРИЯ СПАСЕНИЯ

Выйдя из госпиталя, Клара побежала к монархистам — штаб Высшего Монархического Совета располагался в Берлине. Началась серия «опознаний», то пугавших, то возмущавших Неизвестную («Да какая же это Татьяна!» — «Но я никогда не говорила, что я Татьяна!») Иной раз ее просто грубо вырывали из постели для осмотра, после чего она впадала в еще более глубокую депрессию, дрожа и рыдая. Наконец из нее буквально вырвали признание, что она — Анастасия. И девушку, несмотря на ее упорное сопротивление, уговорил переехать к нему в дом некто барон фон Клейст, явно рассчитывавший на монаршие милости, которые воспоследуют после того, как проклятый большевистский режим будет наконец свергнут, — в 1922 году эти надежды были еще живы.

Барон вскоре пожалел о своем гостеприимстве: худшего характера, чем у «фройляйн Анни», как ее конспиративно называли фон Клейсты, нельзя было себе вообразить. Капризная, подозрительная, тираническая, надменная, с внезапными переходами от вежливости к хамству, с быстрой сменой настроений, упрямая, считающая само собой разумеющимся, что все обязаны ее обслуживать, а она никому ничем не обязана, — так описывают ее все, с кем свела ее жизнь. Главной же ее чертой, обострившейся с возрастом, стала черная неблагодарность по отношению к тем, кто становился ее верным приверженцем, а таких было много: не один человек потерял здоровье, репутацию или же разорился до нитки, борясь за признание ее царевной. Она жила в состоянии постоянной паники и одновременно раздражения. Она боялась быть опознанной как Анастасия, боялась, что ее арестуют и выкрадут большевики, отказывалась говорить по-русски. И одновременно задыхалась от возмущения и гнева, когда ее Анастасией не считали. При попытках расспросов она впадала либо в истерику, либо в мрачную депрессию. Обеспокоенные ее слабым здоровьем, фон Клейсты боялись оставить ее одну, пытались развлекать: возили на прогулки, в музеи. Ночью дочери барона по очереди дежурили, спали в ее комнате. Иногда, под настроение, она становилась удивительно легкой и откровенной и рассказывала много вещей, которых никто, казалось, кроме настоящей царской дочери, знать не мог. Иногда она выходила к гостям — поток любопытных не иссякал — и молча сидела в углу, вежливо улыбаясь. То она была мила с гостями, тараторила о пустяках (все те же цветы и животные), то становилась злой и подозрительной. Здоровье ее стало резко ухудшаться, позвали врача. Он определил острую анемию, отметил, что прикосновение к голове вызывает сильную боль. Потом началось кровохарканье. Однажды она потеряла сознание, ей кололи морфин. Под воздействием морфина, в бреду, она бормотала по-русски, звала кого-то: «Вероника!..» — и из обрывков бреда, бормотания и вскриков постепенно стал вырисовываться некий странный, обрывочный, полный несоответствий рассказ, в который и поверить трудно, и отвергнуть нет причин.

Получалось так: в июле 1918 года семью Романовых внезапно подняли с постелей и потащили в подвал Ипатьевского дома. Затем — выстрелы, «все стало синим, я увидела пляшущие звезды и услышала страшный рев». Сестра

Татьяна упала на нее, прикрыв своим телом от пуль. Потом — провал. Потом она осознала, что ее везут куда-то на телеге. Ее будто бы спас солдат, по имени — странно сказать — Александр Чайковский (что за фамилия? из польских ссыльных? или он наврал ей?). Он посчитал грехом хоронить живого человека. У Чайковского был брат Сергей, сестра Вероника, мать Мария. На телеге они везли ее через леса на юг. Лечили раны простой водой. Добрались до Бухареста. Продавали бриллианты, выбранные из ее корсета (те, что зашила императрица), и на эти деньги жили. В Бухаресте Анастасия родила ребенка от Чайковского и назвала его, в честь отца, Александром. Потом ее вроде бы обвенчали с Чайковским по католическому обряду, но она не вполне была в этом уверена: потащили в храм, что-то говорили... Жили у родственников мужа. Но вскоре Чайковского убили на улице. Тогда Анастасия, в сопровождении деверя «Сергея», отправилась в Берлин на розыск своей собственной родни. Шли пешком до германской границы, скрывались, чего-то боялись, отсиживались. Ночевали в маленьких гостиницах. Мела метель. В Германии сели на поезд. Остановились в отеле. Вдруг «Сергей» куда-то пропал. Неделю она бродила по Берлину со спутанным сознанием, боясь и не понимая — «все для меня было таким новым», — а потом бросилась в Ландверский канал. А может быть, ее толкнули?

Невероятная история! Трудно поверить. Разве вся царская семья не была расстреляна, вывезена в лес, пересчитана, сожжена и захоронена? Разве следователь Соколов не провел тщательное расследование и не опубликовал несомненные данные о трагедии в Ипатьевском доме? Не провел. Не опубликовал. Вплоть до 1976 года архив Соколова не был доступен историкам, а опубликованный отчет мало сказать что грешит неточностями, он попросту лжив. Миссия Соколова — и это было известно с самого начала — была чисто политической, и направлен он был в Екатеринбург командованием белой армии с определенным заданием:

представить трагедию в том виде, как мы ее знаем — «расстреляны все до единого». Еще в Омске, до поездки в Екатеринбург, Соколов, по словам свидетелей, говорил о том, что «у него нет ни малейшего сомнения» в том, что все погибли самым ужасным образом. Однако серьезные историки указывают, что нет ни одного достоверного свидетельства о подробностях екатеринбургской трагедии. Напротив, есть множество данных о том, что одна из царских дочерей, и, скорее всего, Анастасия, исчезла или сбежала. Немалое число людей видело листовки, расклеенные в Екатеринбурге, Перми, Москве, Орле, Челябинске и в советских миссиях за рубежом, объявляющие о бегстве. Была организована массовая облава на беглянку. Обшаривали дома, чердаки и подвалы, окрестные леса. Осенью 1918-го к сербской княгине Елене Петровне, сидевшей в пермской тюрьме, большевики привели некую девушку, называвшую себя Анастасией Романовой, на опознание: не та ли Анастасия? Нет, не та. Шведский граф Бонде, глава миссии Красного Креста, в том же году инспектировавший лагеря военнопленных в Сибири, свидетельствует, что его поезд был остановлен и обыскан все с той же целью. В 1927 году, когда об Анастасии говорила вся Европа, представитель наркоминдела в Ленинграде, Вайнштейн, сказал немецкому консулу Боку, что одна из Романовых действительно избежала казни. «Анастасия?» — спросил Бок. «Одна из женщин», — уклонился Вайнштейн.

Соколовский миф о том, что «все до единого были расстреляны», оказался на удивление стойким: нам кажется невероятным сама возможность спасения, и даже теперь, когда царские останки найдены и очевидно, что двух тел не хватает, мы удивляемся: куда же они делись?.. Меж тем женщина, утверждающая, что она — Анастасия, — вот она: мечется в бреду, жалобно плачет и зовет какую-то «Веруничку». Идет 1922 год. Историю ее спасения и злоключений будут из нее вытягивать по крохам в течение семи лет.

БУДЕТ ОН ПОМНИТЬ
ПРО ЦАРСКУЮ ДОЧЬ

У нее была удивительная способность умирать и воскресать. 3 августа она бредила и металась, за ее жизнь боялись. 12 августа она сбежала из дому, и ее нашли только через два дня. Она отказалась возвращаться к фон Клейстам: ужасные, грубые люди, только и делали, что мучили ее, заставляли рассказывать о ее прошлом, каждый день приводили незнакомых людей и требовали опознать их. Даже ночью не было покоя: спали прямо в ее комнате. Барон был взбешен и оскорблен неблагодарностью калеки. Он был лишь первым в длинной цепи людей, которым пришлось пережить то же самое. Начались долгие странствия от одного доброжелателя к другому, причем всюду повторялась одна и та же история: Анастасия заявляла, что к ней относятся безобразно и используют ее в корыстных целях. Отчасти это было справедливо: русские монархисты терпели ее как дочь самодержца Российского, но горько жаловались на дурной характер и на то, что она сама разрушает все шансы на то, чтобы быть опознанной. Почему она, например, упорно не хочет говорить по-русски? Почему не хочет связно и увлекательно рассказать, как ее убивали? Где логика? Тут несчастная впадала в истерику — она хотела забыть об ужа-

360

сах прошлого, хотела к бабушке, хотела мирно жить в семье, собирать грибы и цветы, кататься на лошади, а рассказывать любопытным о том, как ее насиловали и добивали штыком, не хотела. И «этот страшный язык» — русский, язык насильников и убийц, — она решила забыть раз и навсегда. «Ничего нет ужаснее русского солдата, — сказала она однажды с горечью, — и если бы вы пережили то, что пережила я...» Но логики нечего было ждать и от русских монархистов, чье отношение к Анастасии было сильно окрашено идеологией. «Дочь русского царя не может родить ребенка от простого солдата», — заявили ей. И — вскоре: «Даже если это она — ТАКАЯ Великая Княжна нам не нужна». «Такая» — с выбитыми зубами, с черепом, проломленным в двух местах, с туберкулезными свищами на груди и на локте, упрямая, неблагодарная, она в конце концов перестала их интересовать, и ее просто выгнали. После долгих скитаний по чужим людям ее подобрала фрау фон Ратлеф, скульпторша из Риги, сыгравшая огромную роль в ее жизни.

Кто бы она ни была, она не притворялась. У нее были странные провалы в памяти: осматривавшие ее врачи затруднялись припомнить аналогичные случаи. Что-то она помнила прекрасно, в деталях, что-то — самые простые вещи — вызывало мучительное затруднение. Предполагали, что это результат сотрясения мозга или «вытеснение» как реакция на психическую травму. На каком языке она разговаривала? В Германии — по-немецки, в Америке — по-английски. Оперировавший ее больную руку профессор Руднев писал, что до операции он говорил с ней по-русски, причем она упорно отвечала ему по-немецки, под наркозом же она бредила по-английски. По-русски говорила редко, но чисто и правильно. Люди ставили жестокие эксперименты: посреди разговора вдруг нарочно матерились в ее присутствии, вгоняя ее в краску и заставляя обратиться в испуганное бегство («Ага! Знает!»). Однажды подслушали через дверь, как она разговаривала по-русски с попугаями. На всех языках, кроме русского, она говорила бегло, но плохо, и речь ее была несложна. Одна из ран на ее голове, кстати, прилегала к той области мозга, которая заведует способностью различать слова, и этим может объясняться то, что она путала простые вещи, утомлялась от длинных разговоров. Сама же больная жаловалась, что сны ей снятся по-русски и по-английски, но к утру она забывает слова или же хочет произнести одно слово, а язык говорит другое. «Знали бы вы, какая это мука, — плакала она. — За эти годы, что я провела в сумасшедшем доме, все пропало, все разрушилось!» Врачи, оперировавшие, лечившие ее, наблюдавшие ее в течение 10 месяцев, на этот раз имели дело не просто с фройляйн Неизвестной, а с очень известной, хотя и не установленной личностью, и относились к «загадке» внимательно. Ими были отметены уже звучавшие в это время обвинения, что это — «самозванка, польская фабричная работница» или «румынская актриса», подосланная большевиками, чтобы разложить монархическое движение в эмиграции, или, наоборот, — некая ловкая дама, которую всему научили монархисты для каких-то там своих нужд. Категорическое заключение врачей: это не случай притворства, это не результат самовнушения, это не результат постороннего внушения, то есть не гипноз. И несмотря на перенесенные травмы, у калеки нет следов душевного заболевания, разве что слегка психопатическая конституция личности: возбудимость, депрессивность и тому подобное. Другими словами, она должна быть той, за кого себя выдает. Самый недоверчивый из врачей допускал: если это не сама Анастасия, то женщина ее возраста и воспитания, проведшая жизнь в тесном контакте с царской семьей и причастная к интимным подробностям их семейной жизни. Интересно, кто бы это мог быть?.. История такой не знает.

«Самозванка» вела себя странно: ничего не предпринимала для своего опознания, дичилась людей и только ждала, когда же «бабушка» возьмет ее к себе. В поведении была ребячлива и наивна, не знала цены деньгам, не понимала многого в человеческих взаимоотношениях; часто хотела умереть или уехать далеко-далеко и уйти в монастырь, всерьез звала с собой фрау фон Ратлеф; любила разбирать и рассматривать, тихо плача, фотографии царской семьи, изредка комментируя. Про Великую Княжну Татьяну говорила: «Я перед ней виновата. Это из-за меня она умерла», не вполне было понятно, что она имеет в виду, а при расспросах она, как обычно, замыкалась в себе. Про себя говорила: «Я такая старая внутри. Через какую грязь я прошла!»

ДВОРЦОВЫЙ ЗАГОВОР

Фрау фон Ратлеф написала письмо Великому Герцогу Эрнсту-Людвигу Гессен-Дармштадтскому, брату Александры Федоровны. Изложила историю калеки, перечислила заметные шрамы, чтобы он мог опознать племянницу, вложила рентгеновские снимки поврежденного черепа и стала ждать ответа. Ответ был таков: «Невозможно полагать, чтобы одна из царских дочерей осталась в живых». Фрау фон Ратлеф удивилась. Она решила попробовать еще раз, но прежде спросила Анастасию, помнит ли та «дядю Эрни», ведь она, должно быть, уже давно его не видела. «Да как же давно? — сказала Анастасия. — Он еще в 1916 году, во время войны, приезжал к нам домой». Фон Ратлеф не поверила своим ушам. Как мог герцог приезжать в Россию в разгар войны с его страной? «Вы что-то путаете». — «Ничего я не путаю! Он приезжал тайно, чтобы предложить папе либо быстро заключить мир, либо срочно уехать из России. Да вы сами его спросите, он подтвердит!» Фон Ратлеф поняла, что в ее руках — шанс доказать, что больная — действительно Анастасия. Кто еще мог знать о тайной поездке? Ее подруга, Эми Смит, поехала на прием к «дяде Эрни» со всеми записями и письмами. Дяди не было, и ее принял высокопоставленный придворный, граф Гарденберг. Вначале он отнесся к ней любезно, забрал документы, обещал помочь. Но на следующий день ошеломленную Эми встретил разъяренный грубиян. Как смеет эта беспардонная калека-самозванка порочить герцога? Как смеет возводить на него клевету? Знает ли она о законах против шантажа?! Пусть только посмеет упомянуть эту наглую ложь в газетах!!! У Эми было ощущение, что они невольно коснулись запретной темы, что вся история грозит катастрофой... Разразился скандал.

...Лишь через 25 лет было получено подтверждение того, что эта секретная поездка действительно имела место. «Калека-самозванка» каким-то образом знала о тайнах, к которым были причастны лишь избранные. И к тому времени, как Эми Смит вернулась в Берлин, мощная кампания против Анастасии начала раскручиваться и раскручивается фактически до сего дня. Разоблачения наивной и капризной больной угрожали репутации не только герцога Гессенского: лютым врагом ее стала баронесса Буксгевден, фрейлина, по словам Анастасии, помешавшая планам спасения царской семьи от большевиков в обмен на собственную жизнь. Были и другие влиятельные люди, чьему благосостоянию угрожала девушка, сама того не подозревая.

Вдовствующая императрица Мария Федоровна (Дагмара), вдова Александра III, избежавшая гибели, поселилась со всем двором в Дании, у своего брата Вальдемара Датского. Она категорически отказывалась признать гибель своего сына и его семьи, — и характер у нее был трудный, и, возможно, какую-то роль играли политические соображения: если император жив, то никто не смеет претендовать на его трон: «бабушка» избегала внутримонархических разборок. Появление самозваной Анастасии означало признание гибели семьи. Может быть, поэтому Дагмара не спешила откликнуться на настойчивые просьбы разобраться, поступавшие со всех сторон, в том числе и от ее порфироносной родни. Тем не менее в Берлин были посланы ее верный слуга Волков, хорошо помнивший царевну, поехала дочь Ольга; датскому посланнику в Германии, г-ну Цале, тоже было поручено разобраться.

Старый Волков и Анастасия уставились друг на друга молча, она — словно силясь что-то вспомнить, он — разочарованно. Встреча была короткой. «Нет, — сказал Волков, выйдя за дверь. — Наша была круглее и розовей. Издалека, правда, похожа». Анастасия тем временем мучительно и напряженно думала. Потом со вздохом опустила голову на подушки: нет, не могу. «Этот господин приехал из Дании», — подсказал Цале. Девушка покачала головой: «Этого не может быть, он служил у нас при дворе». На другой день Волков пришел снова. Он задавал вопросы. «Как звали матроса, прислуживавшего царевичу Алексею?» — «Нагорный». Волков был поражен: верно. «Кто такой Татищев?» — «Папин адъютант в Сибири». Потом, подумав, калека сказала: «У моего брата был еще один матрос. Его звали... трудное имя... Деревенко». Да, сказал Волков. «И у него еще были сыновья, и они играли с моим братом». Верно. «И еще был один человек с такой же фамилией... Врач... Он заменял доктора Боткина». Тоже правильно. Потом Анастасия заявила: «Ну хватит. Теперь я буду спрашивать. Пусть-ка скажет, помнит ли он ту комнату в Петергофе, где Мама каждый раз, что мы приезжали, выцарапывала свои инициалы на подоконнике?» Волков заплакал и стал целовать ее руки... «Ну так что, вы опознаете ее?» — спросила после взволнованная фон Ратлеф. «Да вы войдите в мое положение! — отвечал расстроенный слуга. — Если я скажу, что это она, а другие скажут, что не она, — что ж со мной-то будет?» После визита старика Анастасии стало хуже, туберкулезная рука раздулась в бесформенную массу, решили оперировать. Опять морфин, опять бред — шесть недель бреда. Она металась, звала родню, ей казалось, что она сидит на крыше вместе с братом и держит его за ремень, чтобы он не свалился. Она не узнавала фрау фон Ратлеф и кричала ей: иди в сад, иди в сад, посмотри, цела ли ваза Екатерины, не разбили ли ее солдаты! Она кричала: Шура, Лиза, помогите мне одеться, я должна бежать, не то меня застрелят! Лизой, как выяснила фон Ратлеф, звали служанку Великих Княжон, а Шуру Теглеву, няню Анастасии, к тому времени вышедшую замуж за бывшего учителя царевен, Жильяра, разыскали в Швейцарии. Великая Княгиня Ольга, сестра Николая, вызвала супругов к умирающей. Шура попросила показать ей ступни больной. «Ну точно как у Великой Княжны, — воскликнула она, — у нее тоже правая нога была хуже левой!» У Анастасии было врожденное уродство больших пальцев ноги, называемое hallux valgus, неопасное, но сильно выраженное, при котором большой палец изгибается посередине почти под прямым углом и повернут в сторону малых пальцев ступни. По лицу узнать девушку не мог бы никто: в ней не осталось ни грамма жира, весила она меньше 33 кг, кожа стала серовато-белой, губы распухли, и кости торчали из-под кожи как дверные ручки. В бреду ей представлялось, что тетка Ольга стоит за дверью и громко насмехается над ней, попрекая ее тем, как низко она пала. Пришлось раскрыть дверь и показать ей, что там никого нет.

Больную руку прооперировали: удалили локоть, вставили серебряный костыль, — остаток кости торчал наружу всю остальную жизнь. Руку парализовало, и она с тех пор всегда была согнута под углом в 80 градусов. Приехала тетя Ольга. Больная узнала ее, обрадовалась: как бабушка? здорова ли? «Говорили о пустяках, — записывала фон Ратлеф. — Восхищались киской Кики, поговорили о болезни». Ольга ушла и назавтра вернулась с Шурой. «Как ты думаешь, кто это?» — «Это Шура!!!» — обрадовалась больная. Вдруг она схватила флакон с одеколоном и плеснула Шуре в руку: «Намочи-ка лоб!» Шура заплакала и засмеялась.

Позже она пояснила: «Анастасия Николаевна обожала духи. Она меня всегда поливала духами, чтобы я ходила и благоухала, как корзина цветов». Ольга же шептала фон Ратлеф: «Я так рада, что приехала! Это она! Как она Шуру-то узнала!.. Мама ни за что не хотела, чтобы я сюда приезжала. Когда она узнала, что я еду, она так рассердилась. И сестра Ксения прислала мне телеграмму из Англии, чтобы я ни под каким видом не ездила». Учитель Жильяр тоже признал в больной Великую Княжну. После отъезда Ольга прислала «маленькой» розовую шаль и пять нежных писем. Скоро, скоро она поедет к бабушке и будет там жить. Шел 1925 год. В январе 1926-го в датской газете появилось официальное извещение: «Мы категорически заявляем, что между Великой Княжной Анастасией, дочерью Николая II, и женщиной из Берлина, известной под именем Чайковской, нет ни малейшего сходства... ни одной общей черты... слухи необоснованны... ни Великая Княжна Ольга, ни кто-либо из знавших Вел. Княжну не смогли найти ни одной общей приметы... производит впечатление безумного инвалида... надеемся, что врачи избавят ее от этой идеи фикс...»

ДЕНЬГИ

Что именно случилось за кулисами, какие механизмы были приведены в действие и кем — до сих пор неизвестно. Похоже, что Анастасия фактом своего существования встала поперек дороги слишком многим. Герцог Гессен-Дармштадтский боялся за свое политическое благополучие. Мария Федоровна, как было сказано, предпочитала считать семью сына находящейся в заточении где-то в Перми, жизнь Анастасии означала, что все семейство погибло. Кирилл Владимирович претендовал на трон. (Анастасия была в ярости: «Он негодяй, первым поспешивший предать Папу! Пока я жива, не бывать этому!») Влиятельная баронесса Буксгевден тоже совершенно не желала лишних слухов о своем предательстве, истинном или мнимом. Учитель Жильяр отрекся одним из первых и начал всеевропейскую кампанию против инвалида, выступая с лекциями и пиша книги, — такого количества яда и гнева простая маленькая самозванка никак не заслуживала, от нее можно было бы отмахнуться как от мухи. Друзья Анастасии видели в этой широкомасштабной кампании лишнее подтверждение тому, что сильные мира сего именно что признают женщину Великой Княжной, но к власти ее не допустят. В довершение ко всему выяснилось, что Анастасия кое-что знает про секретные литерные счета — миллионы, положенные Николаем II на имя своих детей в Английский банк. И она вроде бы припоминает пароль, имя доверенного лица («такое короткое, звучит на немецкий манер»). И она может претендовать на все эти деньги как единственная наследница. И этот банк удивительным образом, несмотря на тяготы военного времени, процвел и создал крупнейшее подразделение: Англо-Интернациональный Банк, президентом коего от момента основания банка и до самой своей смерти был некто сэр Питер Барк (короткая, как бы немецкая фамилия), русский англичанин. Он был последним министром финансов Николая, а после революции стал управлять финансовыми делами двух царских сестер, Ольги и Ксении. И еще: король Георг V назначил Барка управляющим делами Марии Федоровны. Та до самой смерти держала драгоценности в коробке под кроватью, а после ее смерти Барк занялся продажей этих драгоценностей, причем Ольге досталось 40 тысяч, Ксении — 60, а к его рукам прилипло 250 тысяч фунтов стерлингов. Ольга, которая в финансовых делах была совершеннейшая овца и, по словам одного из родственников, «рубля от копейки не отличала», говорила: «Были некоторые аспекты этой сделки, которые я так и не поняла». Можно добавить, что Ксения в 1920 году была назначена управляющей делами покойного Николая и в течение 15 лет тщетно охотилась по всему миру за предполагаемыми сокровищами, спрятанными царем за границей, общая стоимость которых исчислялась приличной суммой в 120 миллионов долларов (на деньги того времени). У Анастасии, понятно, не было никаких шансов на признание.

Посланник Цале, ставший ее верным другом, собрал огромную документацию по ее делу, благоприятную для Анастасии. Датская королевская семья потребовала ее на рассмотрение и с тех пор и до сегодняшнего дня не возвращает, никому не показывает и отвергает все просьбы историков. «Это семейное дело», — отвечают ученым.

ВСЯ ОСТАВШАЯСЯ ЖИЗНЬ

Помимо противников, Анастасия приобрела немалое число защитников. Многие переходили из стана ее врагов в стан ее друзей, другие — наоборот. Большинство ее противников никогда с ней не встречались, отметая ее с порога. (По миру бродило одновременно не менее четырнадцати «Анастасий», и поэтому удобно было отмахнуться от всех сразу.)

До войны вновь восставшая из могилы Анастасия жила то у одних, то у других людей и, следуя своей привычке, наказывала их своим несправедливым монаршим гневом и уходила. Она поправилась, порозовела, и черты ее, фигура, манеры приобрели сходство с бабушкиными, не говоря уж о ее характере. Разгневавшись на пустяки, она запиралась в своей комнате, не пила и не ела. Фрау фон Ратлеф она объявила злодейкой, желающей нажиться на ее несчастье. С годами становилась все подозрительнее: ей казалось, что все хотят ее отравить. Несколько лет она провела в Америке у одной из своих родственниц, — не все Романовы были в заговоре против нее, — но поссорилась и с этой доброй душой. Потом она жила у богатых американцев, которые были разочарованы — они ждали эдакую голливудскую диву, а получили на руки маленькую, пугливую и вздорную, мелко семенящую, вечно прикрывающую подбородок бумажной салфеткой девочку-старушку. Поссорилась и с ними. Вернулась в Европу. Пережила войну, советские бомбежки и, оказавшись в советской зоне, бежала по подложным документам, с помощью друзей, в западную зону. После войны она поселилась в бараке за глухим забором в маленькой немецкой деревушке. Она стала местной достопримечательностью, сотни репортеров осаждали ее дом, бросали камушки в окна, стучали в дверь кулаками: «Эй! Великая Княжна! Анастасия! Покажитесь!» Не доверяя людям, Анастасия окружила себя кошками и собаками — число кошек доходило до шестидесяти. Когда собака умирала, она рыла здоровой рукой неглубокую могилку и оставляла труп гнить.

Запах был чудовищный, соседи жаловались в полицию. Спала она на диване, а кровать отдала котам.

Еще с середины 20-х годов образовался тесный кружок ее близких друзей — общество, целью которого было не только поддержать ее, но и добиться ее признания. Два судебных процесса длились в общей сложности несколько десятилетий. Экспертиза по почерку, экспертиза по ушам, экспертиза по строению черепа однозначно указывали на то, что истица, как это ни прискорбно для одних и радостно для других, — действительно та, за кого она себя выдает. Ушная экспертиза, например, показала, что уши Анастасии-девочки и взрослой Анастасии совпадают в семнадцати критических точках, тогда как для установления личности достаточно двенадцати. Впрочем, Анастасия не выиграла суда, но ей было совсем, совсем все равно. Она уехала в Америку и вышла замуж за человека на 20 лет младше себя. Кошек и собак у них было — до умопомрачения. Она была счастлива в эти последние годы, и даже местный суд, потребовавший вывезти наконец весь безобразный мусор, которым они с мужем захламили весь участок, — все коробки, газеты, пни, ветки, вонючие объедки, бутылки, банки, гниющие остатки и все такое, жуткое, смердящее, оскорбляющее соседей, — даже этот суд ей был нипочем. То ли она еще видела. Она умерла в 1984 году. На обеих ладонях у нее были двойные линии жизни. Имя Анастасия значит «Воскресение».

ЛИЛИТ

Они смотрят непристально, они ни во что не вглядываются, словно все вещи цветущего окрест мира не имеют для них большого значения. Мир цветет и колышется, течет и искрится, переменчивый и зыбкий, как морская вода. Вода же пляшет и бежит во все стороны, оставаясь на том же месте, ее не поймаешь взглядом; а если будешь долго смотреть — и сама станешь водою: светлой поверху, темной в глубинах. Они смотрят на воду, они сидят у воды, они сами — вода, эти женщины начала века, ундины, наяды, глубокие омуты, двуногие воронки, венерины мухоловки. Сырые и пышные, в платьях, подобных пене в полете, высоко подколов волнистые волосы цвета ночи, или цвета песков, или цвета старого золота, укрыв лица кисеей, чтобы загар не пристал к сливочной коже, они сидят на морском берегу, на всех морских берегах нескончаемой, прерывистой белой полосой, словно рассыпали соль и размазали легкой рукой вдоль полосы прибоя. Они сидят, они лежат, бескостные, струящиеся, охотно слабые, — чудное розовое, непропеченное тесто с цукатами родинок; тронь пальцем — останется ямка.

Тронуть их страшно; очень хочется, но страшно: а вдруг, если нажмешь посильней, ухватишь покрепче это бело-розовое, пухло-податливое, влажно-рассыпчатое, оно — ах! — и растечется, уйдет волной и пеной назад, в море, откуда пришло. Вот и ученый доктор Жук, строгий, знающий, в очках, в сюртуке и галстуке, тревожно пишет в своей научной книге «Мать и дитя. Гигиена женщины», изданной в 1906 году, что многие не понимают, не учитывают хрупкости женского здоровья, особых требований, налагаемых природой на нежную, на рассыпчатую. Есть такой обычай, — волнуется доктор Жук, — есть опасный обычай: сразу из-под венца везти молодую женщину в свадебное путешествие, и особенно норовят в Италию. Тяготы же путешествия, необходимость в частом передвижении, перемещении с места на место могут губительно сказаться на женском здоровье, а почему? Потому что молодой супруг, с вполне простительной для медового месяца порывистостию, иной раз предается страсти в утреннее или дневное время, то есть тогда, когда уже нужно собираться и ехать дальше; женщине же после соития необходимо по крайней мере шесть часов отдыха, желательно в затемненной комнате и при полнейшем покое, в противном случае она не успевает восстановить силы, оправиться после потрясения.

Напугав, доктор Жук откланивается и вновь скрывается в тиши кабинета; растирая усталые глаза, вновь садится разрабатывать научные бандажи для промежностей, гигиенические лифы для молочных желез, хомуты и шлеи для тазовых костей, ловить решетом воду, но воду не поймаешь, не ухватишь — всегда протечет, утечет, процветет на морских берегах. Вот они сидят и колышутся, — русалки, росянки; рассеянно слушают, как колышется внутри их их собственное, внутреннее море, рассеянно смотрят синими и зелеными глазами в зеленый и синий, бегучий и пляшущий на ветру внешний простор. Белые водовороты тел увенчаны шляпами, каждая как клумба, как сад, как взбегающий на гору город. Легкие, пышные цветники; трехъярусные колеса; взбитый белок; пышно-складчатые и ниспадающие, закрывшие пол-лица, закрывшие лохнесский изгиб белой шеи, в парусах и розах, в шорохе стекляруса, — черные муссы, сиреневые водопады, палаццо, колоннады, гаремы, терема, башни и облака, населенные всеми пернатыми: от страуса, не умеющего летать, до ангела, живущего только полетом.

Они смотрят, но не всматриваются, они прикрыли глаза кисеей и вуалями, — на что им мир, он уже пойман, уловлен, водружен на голову! Женщина начала века несет весь мир на голове, — весь мир мечты на проволочном каркасе, обмотанном муслином, — и ей не тяжело, доктор Жук, ведь это только мираж; работайте себе спокойно, вычерчивайте на вощеной бумаге конструкции бандажей, все равно скоро все рухнет, сгорит в пожаре. Они смотрят со старых черно-белых фотографий, с той стороны времени, приветливо и непристально, они стоят чуть поодаль друг от друга — мешают поля шляп. На одной шляпе — сирень, на другой — крыло райской птицы, а эта захотела пришпилить целый корабль. Я цвету, я летаю, я сейчас уплыву! Светит белое солнце, резную тень бросают черные деревья. Приоткрыты ротики — зубастые моллюски; затененные глаза любуются сами собой. Скоро, скоро мировая война, всех сырых и нежных перемелют на рыбную муку, перламутровую чешую смоют в море шлангом, островами по водам уплывут шляпы-вертограды, и обморочных пациенток доктора Жука затопчут на военных дорогах.

А может быть, это они его затопчут. Какая-нибудь Сонька-комиссарша, эскадронная шкура, в кожаной куртке с мужского плеча, в короткой юбочке из барской портьеры, в фуражке с лакированным козырьком на стриженом затылке покажет гражданину Жуку, близорукому буржуазному спецу, кузькину мать где-нибудь в киевской кукурузе. Пых! — синий дымок, и нет Жука, а золотые его очочки, наверно, с гоготом будут надевать на реквизированную кобылу. Время пыльных дорог, телег, костров, вшей, солдат; волосы стрижем коротко, моем быстро, передвигаемся перебежками. Рыхлые, пухлые, слепые, трепещите. Еда — роскошь, сон — прихоть; плоть суха и жилиста, лучшее тело — как у солдата или балерины. Юношей убили по всей Европе, шесть часов полагающегося отдыха что-то затянулись, — никто не придет. Что ж! Из затемненной комнаты выходит преображенная женщина, женщина-мальчик, тонкая, как игла.

Бедра — долой, грудь — в корзину истории. Стыдно иметь талию, талия спускается вниз, почти к коленям; от былой пышности, как привет, как письмо, как дальнее эхо, остается лишь бант или роза. На маленькой головке, словно на память о фронтовой канонаде, — скупая шляпка-грибок, копия немецкой каски, пустой перевернутый походный котелок, — нет каши, съели. Шляпа-каска глубоко надвинута на глаза, — не смотри, не всматривайся, не заглядывай, ничего не прочтешь. Под такой каской хорошо затаиться, хорошо думать, что делать дальше, а если сама ничего не видишь, так что с того? Вижу, куда ступаю, вижу тесный подол, стреноженные лентой коленки, вижу бант, вижу круглые булыжники, тупые носки туфель, — а что, кто-нибудь видит больше и дальше? «В Европе холодно, в Италии темно. Власть отвратительна, как руки брадобрея...» Хорошая каска закрывает и уши. Военная каска и красный рот — монмартрский вампирчик, сирена петроградских трактиров, призрак с пустыми глазами.

Впрочем, отъелись, встряхнулись, отогрелись, поставили горшок с красным бальзамином на окно, запели простые песни, талию вернули на место. Расчесали отросшие кудри, щипцами завили покруче, на такие-то локоны хорошо бы синий бархатный бант. Но бант — для красавиц и на праздники, в банте все же есть что-то вызывающее, разнузданное, не правда ли? — обычная же гражданка, на трамвае едущая в учреждение наравне с мужчинами, — и нет Жука, чтобы обеспокоиться тяготами ежедневного путешествия, разрушительного для здоровья, — обычная гражданка надевает берет. Берет — та же каска, только мягкая, смягчившаяся, уступившая и отступившая, уменьшившаяся в размерах, податливая. Хочешь — сдвинь его на затылок, хочешь — спусти на один глаз, притворись загадочной, сделай вид, что еще не прозрела, еще ничего не понимаешь. Хочешь — распуши волосы с обеих сторон, не нравится — забери их под тугой ободок, подними воротник пальто, папиросу в зубы. Ветер дует в спину, ветер разметал старые империи Европы и Азии, то ли еще будет! Будет нехорошо.

...Поразительно, однако, какими они оказались стойкими, эти женщины тридцатых-сороковых-пятидесятых. Словно бы мир не рухнул опять, не перекувырнулся через голову, не разбил все стекла вдребезги, все страны — в щепу. Если Первая мировая война раздавила бескостных наяд, превратила их в поджарых мальчишек, то Вторая словно бы придала женщинам сил, показала, что дальше отступать некуда. Отчаянная, отважная женственность — попудриться перед бомбежкой, накрутить кудри на стреляные гильзы, а потом, после войны, снова и снова взбивать надо лбом валик поредевших волос, прикрывать затылок шляпкой-менингиткой — маленьким блюдечком, лилипутским напоминанием о былом величии. Женщина — это все еще шляпка, женщина без шляпки все еще не одета, не украшена. То это таблетка с дымкой вуали — крупной, редкой, не скрывающей глаз, случись им быть заплаканными; то нашлепка-ермолка с букетиком искусственной мимозы, то сползший от удивления на холку, вставший на попа овальный полуберет с бантом, гибрид строгости и легкомыслия. Шляпа пляшет по голове, выбирая удобный склон, елозит, не зная где остановиться, словно бы предчувствуя, что еще немного — и она слетит, покатится колесом в чуланы, старые чемоданы, помойки. Перед тем как расстаться с хозяйкой, шляпа распрямляется с глубоким вздохом, хорошеет перед смертью. Но, собственно, все кончено, можно не стараться. Широкополая соломенная пагода, ловко обливающая гладко причесанную головку, нужна только для того, чтобы было удобнее ее сбросить. Захочу — надену, захочу — сниму. Свобода, свобода! Вот и конец шестидесятых.

Если бы чудом воскрес и вышел из кукурузы доктор Жук, если бы добрел до Европы, избегая застав и ночуя в стогах, подслеповато щурясь, озираясь в поисках расслабленных, требующих немедленной поддержки, — он бы, наверно, рехнулся. Дик и страшен лик свободы для того, кто пропустил два поколения. Долой искусство, да здравствует природа, порвем оковы и ботинки! Вместо молодых, приличных женщин — таборы босоногих цыганок, табуны мотоциклетных менад. Вместо платьев — ночные сорочки, вместо шляп — волосы, волосы, волосы. Распущенные, висящие, болтающиеся, развевающиеся на ветру. В моде — простое солнце в волосах, белые зубы. В моде — огонь и горы, кочевья, привалы, кибитки, бубны, бусы из конских каштанов и арбузных косточек, индейцы и индусы, грибы и трава, длинные серьги, длинные плетеные ленты. Шляпу носят старухи да перуанки.

Шляпа умерла, да здравствует шляпа! Котелок, чалма, боливар, кика, капюшон, тюбетейка, кокошник, платок, ермолка, венец, феска, ушанка, треух, канотье, цилиндр, шапокляк, митра, шапка-кубанка, шапка-невидимка, чепец, колпак, шлык, картуз, повойник, капор, фуражка, сомбреро, пилотка, берет, пирожок, папаха, — надевай любую, примеряй и хохочи! Носи что хочешь, все разрешено, ничто не важно: притворяйся боярышней или ковбоем, эмиром бухарским или околотошным — все одинаково прекрасно, мир есть театр, жизнь — шарада.

...В начале семидесятых годов, пыльным летним днем, когда город почти пуст, в троллейбусе, со щелканьем ползущем по Страстному бульвару к «Кропоткинской», часто, часто ездила сумасшедшая старуха. Я думаю, она просто каталась туда-сюда — я много раз ее видела. Когда я вскарабкивалась в троллейбус, уже нарочно, для издевательства чуть набиравший ход — ведь интересно посмотреть, не упаду ли я, а остановить он всегда успеет, — когда, хватаясь за горячий поручень, привычно униженная, с тяжелыми авоськами я втягивалась и вваливалась внутрь, радуясь, что не до конца прищемлена в дверях, когда озиралась, запыхавшись, — сколько человек были свидетелями моего унижения? — меня встречал ее невидящий, благосклонный взгляд. С фальшиво-радостным изумлением, приятным случайному гостю, она приветствовала меня кивком головы, любезно глядя сквозь меня в тот воображаемый, нетленный мир, где она до сих пор царила, никого особо не выделяя, никого не осуждая, всегда готовая поговорить о, безусловно, прекрасном, пустом, мимолетном, вроде погоды или цветов. Я проходила мимо, а она продолжала приветствовать то место в пространстве, которое только что занимала я, с тем же приятно-благосклонным светским равнодушием.

Она была большая женщина, широкая от старости, а не по природе; летнее платье, кремовое в букетиках, с короткими рукавами, надето было на нечистую ночную рубаху. Древнее, чешуйчатое от дряхлости лицо когда-то было белым; таким лицам идут черные брови, и старуха это крепко помнила. Широко, криво, неровно, дрожащей от паркинсонизма рукой она нарисовала себе эти брови, как делала это, привычно, без сомнений, семьдесят лет подряд, со времен первого поцелуя. Эта женщина, древняя как океан, пережила все геологические эры, не дрогнув, не струсив, не изменив, не покинув свой пост, подобно японскому солдату, верному императорской присяге.

На голове у нее было нечто вроде сиденья от плетеного стула, нечто, похожее на модель первого самолета, построенную пионером-двоечником, нечто, напоминающее старые бинты. Там, где сквозь бинты пробивалась проволока, они проржавели. Сбоку, прикрученная к проволоке черными нитками, раздавленная, но узнаваемая, висела цветущая яблоневая ветвь.

Вот троллейбус приостановился, подобрал, почти прищемив дверями, еще одного гражданина — он шарахнулся от приветливой улыбки былой ундины, посмотрел с откровенным ужасом, отвернулся, снова посмотрел. Она одобрила его, кокетливо кивнула головой, — может быть, она подумала, что это доктор Жук. Внезапно легким движением она прихорошилась, пригладила остатки волос, выкрашенных в морковный цвет, поправила давно отсутствующую вуальку. Она отличала господ от дам; слепая, она все видела. Гражданин оторвал билетик и сел, хмуро, по-плебейски откровенно пялясь на красавицу начала века. Мне надо было выходить — я всегда выходила раньше ее, и я не знаю, куда увозил ее троллейбус. На прощанье она улыбнулась мне улыбкой счастья: ведь на нее смотрели, ведь она нравилась.

Она осталась там, где всегда была, — «у моря, где лазурная пена, где встречается редко городской экипаж», там, где «над розовым морем вставала луна», там, где «очи синие, бездонные цветут на дальнем берегу», там, где море шумит, как мертвая, покинутая своим обитателем ракушка, где под плеск волны всем белым и нежным, вечным, как соль, снится придуманный дольний мир, обитаемый смертными нами.

СОДЕРЖАНИЕ

Огонь и пыль

«НА ЗОЛОТОМ КРЫЛЬЦЕ СИДЕЛИ...» 5

САМАЯ ЛЮБИМАЯ 14

ЛЮБИШЬ — НЕ ЛЮБИШЬ 40

СВИДАНИЕ С ПТИЦЕЙ 53

ЖЕНСКИЙ ДЕНЬ 67

НОЧЬ 73

СОНЯ 83

ОГОНЬ И ПЫЛЬ 93

КРУГ 107

СПИ СПОКОЙНО, СЫНОК 120

ПЛАМЕНЬ НЕБЕСНЫЙ 131

МИЛАЯ ШУРА 144

ПОЭТ И МУЗА 155

ФАКИР 169

БЕЛЫЕ СТЕНЫ 191

СОМНАМБУЛА В ТУМАНЕ 198

РЕКА ОККЕРВИЛЬ 235

Туристы и паломники

ТУРИСТЫ И ПАЛОМНИКИ 247
Море 248
Скала 254
НЕХОЖЕНАЯ ГРЕЦИЯ 265
СМОТРИ НА ОБОРОТЕ 278

Сюжет

КУПЦЫ И ХУДОЖНИКИ 286
КВАДРАТ 301
СЮЖЕТ 311
ЛЮБОВЬ И МОРЕ 323

Лилит

НЕБО В АЛМАЗАХ 336
НЕПРЕВЗОЙДЕННАЯ РОСКОШЬ 339
ПРЕДЧУВСТВИЯ И ПРЕДСКАЗАНИЯ . . 342
ЧЕРНЫЙ АЙСБЕРГ 346
РАССЛЕДОВАНИЕ 351
АНАСТАСИЯ, ИЛИ ЖИЗНЬ
ПОСЛЕ СМЕРТИ 354
ИСТОРИЯ СПАСЕНИЯ 356
БУДЕТ ОН ПОМНИТЬ
ПРО ЦАРСКУЮ ДОЧЬ 360
ДВОРЦОВЫЙ ЗАГОВОР 364
ДЕНЬГИ 369
ВСЯ ОСТАВШАЯСЯ ЖИЗНЬ 371
ЛИЛИТ 374

Литературно-художественное издание

Татьяна Толстая

ЖЕНСКИЙ ДЕНЬ

Издано в авторской редакции
Ответственный редактор *О. Рубис*
Художественный редактор *А. Сауков*
Технический редактор *О. Куликова*
Компьютерная верстка *Р. Куликов*
Корректор *Н. Овсяникова*

ООО «Агентство «КРПА «Олимп»
117419, Москва, ул. Орджоникидзе, д. 3, под. 2
E-mail: olimpus@dol.ru
www.rus-olimp.ru

ООО «Издательство «Эксмо»
127299, Москва, ул. Клары Цеткин, д. 18/5. Тел.: 411-68-86, 956-39-21.
Home page: **www.eksmo.ru**   E-mail: **info@ eksmo.ru**

Оптовая торговля книгами «Эксмо» и товарами «Эксмо-канц»:
ООО «ТД «Эксмо». 142700, Московская обл., Ленинский р-н, г. Видное,
Белокаменное ш., д. 1, многоканальный тел. 411-50-74.
E-mail: **reception@eksmo-sale.ru**

Полный ассортимент книг издательства «Эксмо» для оптовых покупателей
В Санкт-Петербурге: ООО СЗКО, пр-т Обуховской Обороны, д. 84Е.
Тел. отдела реализации (812) 365-46-03/04.
В Нижнем Новгороде: ООО ТД «Эксмо НН», ул. Маршала Воронова, д. 3.
Тел. (8312) 72-36-70.
В Казани: ООО «НКП Казань», ул. Фрезерная, д. 5. Тел. (8435) 70-40-45/46.
В Самаре: ООО «РДЦ-Самара», пр-т Кирова, д. 75/1, литера «Е». Тел. (846) 269-66-70
В Екатеринбурге: ООО «РДЦ-Екатеринбург», ул. Прибалтийская, д. 24а.
Тел. (343) 378-49-45.
В Киеве: ООО ДЦ «Эксмо-Украина», ул. Луговая, д. 9. Тел./факс: (044) 537-35-52
Во Львове: Торговое Представительство ООО ДЦ «Эксмо-Украина»,
ул. Бузкова, д. 2. Тел./факс: (032) 245-00-19.

Мелкооптовая торговля книгами «Эксмо» и товарами «Эксмо-канц»:
117192, Москва, Мичуринский пр-т, д. 12/1. Тел./факс: (495) 411-50-76.
127254, Москва, ул. Добролюбова, д. 2. Тел.: (495) 745-89-15, 780-58-34.

Полный ассортимент продукции издательства «Эксмо»:
В Москве в сети магазинов «Новый книжный»:
Центральный магазин — Москва, Сухаревская пл., 12 . Тел.: 937-85-81, 780-58-81
Волгоградский пр-т, д. 78, тел. 177-22-11; ул. Братиславская, д. 12, тел. 346-99-95

В Санкт-Петербурге в сети магазинов «Буквоед»:
«Магазин на Невском», д. 13. Тел. (812) 310-22-44.

Подписано в печать 12.10.2006.
Формат 84×108 $^1/_{32}$. Гарнитура «Академия».
Печать офсетная. Бумага тип. Усл. печ. л. 20,16.
Доп. тираж 5100 экз. Заказ № 3912.

Отпечатано в полном соответствии
с качеством предоставленных диапозитивов
в ОАО «Можайский полиграфический комбинат».
143200, г. Можайск, ул. Мира, 93.